Oscar Wilde
Das Bildnis des Dorian Gray

Oscar Wilde

Das Bildnis des Dorian Gray

Roman

Aus dem Englischen übertragen
von Siegfried Schmitz
Mit Kommentar und Zeittafel
von Friedmar Apel

Lizenzausgabe
für die Wissenschaftliche Buchgesellschaft

Bestellnummer 20950-7

Printed in Germany
www.wbg-wissenverbindet.de

Die Vorrede

Der Künstler ist der Schöpfer schöner Dinge.

Kunst zu offenbaren und den Künstler zu verbergen ist das Ziel der Kunst.

Kritiker ist, wer seinen Eindruck von schönen Dingen in einen anderen Stil oder in ein neues Material übertragen kann.

Die höchste wie die niedrigste Form der Kritik ist eine Art Autobiographie.

Wer häßliche Absichten in schönen Dingen entdeckt, ist verdorben, ohne liebenswürdig zu sein. Das ist ein Fehler.

Wer schöne Absichten in schönen Dingen entdeckt, ist kultiviert. Für ihn besteht Hoffnung.

Das sind die Auserwählten, für die schöne Dinge nichts als Schönheit bedeuten.

So etwas wie ein moralisches oder ein unmoralisches Buch gibt es nicht. Bücher sind entweder gut oder schlecht geschrieben. Das ist alles.

Die Abneigung des neunzehnten Jahrhunderts gegen den Realismus ist die Wut Calibans, der sein Gesicht in einem Spiegel erblickt.

Die Abneigung des neunzehnten Jahrhunderts gegen die Romantik ist die Wut Calibans, der sein Gesicht nicht im Spiegel erblickt.

Das moralische Leben des Menschen gehört zum Thema des Künstlers, doch die Moral der Kunst besteht im vollkommenen Gebrauch eines unvollkommenen Mittels.

Kein Künstler hat den Wunsch, irgend etwas zu beweisen. Selbst Wahres kann bewiesen werden.

Kein Künstler hat ethische Neigungen. Eine ethische Neigung ist bei einem Künstler eine unverzeihliche Stilmanier.

Kein Künstler ist jemals morbid. Der Künstler kann alles ausdrücken.

Denken und Sprache sind für den Künstler Werkzeuge einer Kunst.

Laster und Tugend sind für den Künstler Materialien einer Kunst.

Unter dem Gesichtspunkt der Form ist die Kunst des Musikers der Typus aller Künste. Unter dem Gesichtspunkt des Gefühls ist die Schauspielkunst der Typus.

Alle Kunst ist zugleich Oberfläche und Symbol.

Wer unter die Oberfläche dringt, tut es auf eigene Gefahr.

Wer das Symbol entschlüsselt, tut es auf eigene Gefahr.

In Wirklichkeit spiegelt die Kunst den Betrachter und nicht das Leben.

Meinungsverschiedenheiten über ein Kunstwerk beweisen, daß das Werk neu, komplex und lebensnotwendig ist.

Wenn die Kritiker uneins sind, befindet sich der Künstler im Einklang mit sich selber.

Wir können einem Menschen verzeihen, daß er etwas Nützliches schafft, solange er es nicht bewundert. Die einzige Entschuldigung für die Schaffung eines unnützen Werkes besteht darin, daß man es unendlich bewundert.

Alle Kunst ist völlig unnütz.

Oscar Wilde

1. KAPITEL

Das Atelier war erfüllt vom üppigen Duft der Rosen, und wenn der leichte Sommerwind durch die Bäume des Gartens fuhr, drang durch die offene Tür der schwere Geruch des Flieders oder der zartere Hauch des rosig blühenden Dornstrauches.

Von der Ecke aus konnte Lord Henry Wotton, der auf dem mit einer persischen Satteltaschendecke bezogenen Diwan lag und wie gewöhnlich unzählige Zigaretten rauchte, gerade noch die honigsüßen und honigfarbenen Blüten eines Goldregens erkennen, dessen zitternde Zweige kaum fähig zu sein schienen, eine so flammengleiche Schönheit zu tragen; und hin und wieder huschten die phantastischen Schatten vorbeifliegender Vögel über die langen Vorhänge aus Tussahseide, die vor das riesige Fenster gezogen waren, wodurch im Augenblick so etwas wie eine japanische Wirkung entstand und er sich an jene bleichen, jadegesichtigen Maler in Tokio erinnert fühlte, welche durch das Mittel einer Kunst, die notgedrungen unbeweglich ist, das Gefühl der Schnelligkeit und Bewegung zu erwecken versuchen. Das dumpfe Summen der Bienen, die sich einen Weg durch das hohe, ungemähte Gras bahnten oder mit monotoner Beharrlichkeit um die bestäubten goldenen Trichter des wuchernden Geißblatts kreisten, ließ die Stille noch bedrückender erscheinen. Das undeutliche Brausen Londons glich dem Bordunton einer fernen Orgel.

In der Mitte des Raumes stand, an einer aufrechten Staffelei befestigt, das lebensgroße Porträt eines jungen Mannes von ungewöhnlicher Schönheit, und davor saß, ein wenig abgerückt, der Maler selber, Basil Hallward, dessen plötzliches Verschwinden vor einigen Jahren soviel Aufsehen in der Öffentlichkeit erregt und zu so vielen merkwürdigen Mutmaßungen Anlaß gegeben hat.

Während der Maler die anmutige und hübsche Gestalt betrachtete, die seine Kunst so treffend wiedergegeben hatte, glitt ein heiteres Lächeln über sein Gesicht und schien dort zu verweilen. Doch plötzlich fuhr er auf, und indem er die Augen schloß, legte er die Finger auf die Lider, als ob er einen seltsamen Traum, aus dem er zu erwachen fürchtete, in seinem Gehirn einsperren wollte.

»Das ist Ihr bestes Werk, Basil, das Beste, was Sie je gemacht haben«, sagte Lord Henry müde. »Sie müssen es im nächsten Jahr unbedingt in die Grosvenor-Galerie schicken. Die Akademie ist zu groß und zu vulgär. Jedesmal wenn ich hinging, waren entweder so viele Leute da, daß ich die Bilder nicht sehen konnte, was gräßlich, oder so viele Bilder, daß ich die Leute nicht sehen konnte, was noch schlimmer war. Es kommt tatsächlich nur die Grosvenor in Frage.«

»Ich glaube nicht, daß ich es überhaupt irgendwo ausstellen werde«, erwiderte der andere und warf den Kopf auf jene komische Weise zurück, über die schon seine Freunde in Oxford gelacht hatten. »Nein: ich werde es nirgendwo ausstellen.«

Lord Henry zog die Brauen hoch und blickte ihn durch die feinen blauen Rauchkringel, die in so phantasievollen Windungen von seiner starken, opiumhaltigen Zigarette aufstiegen, verwundert an. »Nirgendwo ausstellen? Aber wieso denn nicht, mein Bester? Haben Sie dafür irgendeinen Grund? Was für komische Leute ihr Maler doch seid! Ihr setzt alles daran, euch einen Namen zu machen. Sobald ihr ihn dann habt, wollt ihr ihn wieder wegwerfen. Das ist töricht von euch, denn in der Welt ist nur eines schlimmer, als in aller Mund zu sein, nämlich dies: nicht in aller Mund zu sein. Ein Porträt wie das da würde Sie hoch über alle jungen Leute in England hinausheben und die alten ganz neidisch machen, sofern alte Leute überhaupt noch einer Empfindung fähig sind.«

»Ich weiß, Sie werden mich auslachen«, entgegnete er, »aber ich kann es wirklich nicht ausstellen. Ich habe zuviel von mir selber hineingelegt.«

Lord Henry streckte sich auf dem Diwan aus und lachte.

»Das habe ich ja gewußt; aber es ist dennoch wahr.«

»Zuviel von Ihnen selber hineingelegt! Auf mein Wort, Basil, ich hätte nicht gedacht, daß Sie so eitel sind; und ich sehe wirklich nicht die mindeste Ähnlichkeit zwischen Ihnen mit Ihrem groben, harten Gesicht und Ihrem kohlschwarzen Haar und diesem jungen Adonis, der ausschaut, als ob er aus Elfenbein und Rosenblättern geschaffen wäre. Ja, mein lieber Basil, er ist ein Narziß, und Sie – na ja, Sie haben natürlich ein Intellektuellengesicht und alles, was dazugehört. Aber die Schönheit, die wahre Schönheit, hört da auf, wo ein intellektueller Gesichtsausdruck anfängt. Der Intellekt an sich ist eine Form der Übertreibung und zerstört die Harmonie eines jeden Gesichts. Sobald man sich hinsetzt, um nachzudenken, wird man ganz Nase oder ganz Stirn oder sonst etwas Abscheuliches. Sehen Sie sich doch die erfolgreichen Männer in den geistigen Berufen an! Wie ungemein häßlich sind sie allesamt! Ausgenommen natürlich die Kirchenmänner. Aber in der Kirche denkt man ja nicht. Ein Bischof sagt mit achtzig Jahren noch genau dasselbe, was er als Achtzehnjähriger gelernt hat, und die natürliche Folge davon ist, daß er stets ganz entzückend aussieht. Ihr geheimnisvoller junger Freund, dessen Namen Sie mir nie verraten haben, dessen Bildnis mich jedoch fasziniert, denkt niemals. Dessen bin ich völlig sicher. Er ist ein hirnloses, schönes Wesen, das im Winter immer hier sein sollte, wenn wir keine Blumen zum Anschauen haben, und auch immer im Sommer, wenn wir etwas brauchen, um unseren Geist abzukühlen. Geben Sie sich keinen Illusionen hin, Basil: Sie haben nicht die geringste Ähnlichkeit mit ihm.«

»Sie verstehen mich nicht, Harry«, antwortete der Künstler. »Selbstverständlich sehe ich ihm nicht ähnlich. Das weiß ich sehr wohl. Ja, es täte mir leid, wenn ich ihm ähnelte. Sie zucken die Achseln? Ich sage Ihnen die Wahrheit. Es liegt ein Verhängnis über allen körperlichen und geistigen Vorzügen, das gleiche Verhängnis, das die unsicheren Schritte der Könige durch die Geschichte zu verfolgen scheint. Es ist besser, man unterscheidet sich nicht von seinen Mitmenschen. Die Häßlichen und die Dummen sind in dieser Welt am besten dran. Sie können sich bequem hinsetzen und das Spiel begaffen. Sie wissen zwar nichts von Siegen, aber es bleibt ihnen auch erspart, die Niederlagen kennenzulernen. Sie leben dahin, wie wir alle leben sollten, ungestört, unbeteiligt und ohne Beunruhigung. Sie richten bei anderen kein Unheil an und bleiben auch stets von dem Unheil, das andere anrichten, verschont. Ihr Rang und Reichtum, Harry; meine geistigen Fähigkeiten, wie sie nun einmal sind – meine Kunst, gleichgültig wieviel sie taugen mag; Dorian Grays Wohlgestalt – wir alle müssen leiden für das, was die Götter uns geschenkt haben, entsetzlich leiden.«

»Dorian Gray? Heißt er so?« fragte Lord Henry, der durch das Atelier auf Basil Hallward zuging.

»Ja, so heißt er. Ich hatte nicht die Absicht, es Ihnen zu sagen.«

»Aber warum denn nicht?«

»Oh, ich kann es nicht erklären. Wenn ich jemanden sehr gern habe, verrate ich seinen Namen keinem Menschen. Das käme mir so vor, als gäbe ich einen Teil von ihm preis. Ich habe mich daran gewöhnt, die Verschwiegenheit zu lieben. Sie ist anscheinend das einzige, was uns das Leben heutzutage noch geheimnisvoll oder wunderbar machen kann. Das Alltäglichste wird köstlich, wenn man es nur verbirgt. Wenn ich die Stadt verlasse, sage ich meinen Leuten nie, wohin ich fahre. Falls ich es täte, wäre mein ganzes Vergnügen dahin. Das ist eine dumme Angewohnheit, ich weiß, aber sie sorgt für ein gut Teil Romantik im Leben. Ich nehme an, Sie halten mich deswegen für schrecklich albern?«

»Durchaus nicht«, erwiderte Lord Henry, »durchaus nicht, mein lieber Basil. Sie scheinen zu vergessen, daß ich verheiratet bin, und der einzige Reiz der Ehe besteht darin, daß sie beide Partner zwingt, ein Leben der Verstellung zu führen. Ich weiß nie, wo meine Frau ist, und meine Frau weiß nie, was ich gerade tue. Wenn wir uns treffen – und wir treffen uns gelegentlich, wenn wir zusammen zum Essen eingeladen sind oder zum Herzog aufs Land fahren –, erzählen wir einander mit dem ernstesten Gesicht die absurdesten Geschichten. Meine Frau kann das sehr gut – noch viel besser als ich. Sie bringt nie die Daten durcheinander, während mir das immer wieder passiert. Und wenn sie mir auf die Schliche kommt, regt sie sich gar nicht auf. Manchmal wünschte ich mir, sie täte es; aber sie lacht mich nur aus.«

»Ich mag es nicht, wie Sie über Ihre Ehe sprechen, Harry«, sagte Basil Hallward und schlenderte zu der Tür hinüber, die in den Garten führte. »Ich glaube, Sie sind im Grunde ein sehr guter Ehemann, aber Sie schämen sich Ihrer Tugenden. Sie sind ein seltsamer Kerl. Sie sagen nie etwas Moralisches und tun nie etwas Schlechtes. Ihr Zynismus ist nichts als Pose.«

»Natürlichkeit ist nichts als Pose, und zwar die aufreizendste Pose, die ich kenne«, rief Lord Henry lachend; und damit begaben sich die beiden jungen Männer zusammen hinaus in den Garten und machten es sich auf einer langen Bambusbank bequem, die im Schatten eines hohen Lorbeerbusches stand. Das Sonnenlicht glitt über die glänzenden Blätter. Im Gras zitterten weiße Gänseblümchen.

Nach einer Pause zog Lord Henry seine Uhr hervor. »Ich muß leider gehen, Basil«, murmelte er, »doch bevor ich gehe, bestehe ich darauf, daß Sie mir eine Frage beantworten, die ich Ihnen vorhin gestellt habe.«

»Welche meinen Sie?« sagte der Maler, die Augen fest auf den Boden gerichtet.

»Das wissen Sie ganz genau.«

»Nein, ich weiß es nicht, Harry.«

»Nun, dann will ich es Ihnen sagen. Ich möchte, daß Sie mir erklären, warum Sie das Bild von Dorian Gray nicht ausstellen wollen. Ich möchte den wahren Grund erfahren.«

»Ich habe Ihnen den wahren Grund genannt.«

»Nein, das stimmt nicht. Sie haben gesagt, es sei deswegen, weil zuviel von Ihnen selber darin steckt. Das ist doch kindisch.«

»Harry«, sagte Basil Hallward und sah ihm gerade ins Gesicht, »jedes Porträt, das mit Gefühl gemalt wurde, ist ein Porträt des Künstlers, nicht des Porträtierten. Der Porträtierte ist nur Zufall, Anlaß. Nicht er wird vom Maler enthüllt; es ist vielmehr der Maler, der sich auf der farbigen Leinwand selber enthüllt. Der Grund, warum ich dieses Bild nicht ausstellen will, liegt darin, daß ich fürchte, ich habe in ihm das Geheimnis meiner eigenen Seele verraten.«

Lord Henry lachte. »Und was soll das sein?« fragte er.

»Ich will es Ihnen sagen«, entgegnete Hallward; aber in sein Gesicht trat ein Ausdruck der Verwirrung.

»Ich bin ganz Ohr, Basil«, fuhr sein Begleiter fort und blickte ihn an.

»Oh, da ist eigentlich nicht sehr viel zu erzählen, Harry«, antwortete der Maler; »und ich befürchte, Sie werden es kaum verstehen. Vielleicht werden Sie es kaum glauben.«

Lord Henry lächelte, beugte sich nieder, zupfte ein Gänseblümchen mit rosa Blütenblättern aus dem Gras und untersuchte es. »Ich bin ganz sicher, daß ich es verstehen werde«, erwiderte er, während er aufmerksam die kleine goldene, weißgefiederte Scheibe betrachtete, »und was das Glauben angeht, so kann ich alles glauben, vorausgesetzt, daß es ganz unglaubhaft ist.«

Der Wind schüttelte einige Blüten von den Bäumen, und die schweren, dichtbesternten Fliedertrauben bewegten sich in der lauen Luft hin und her. Eine Heuschrecke begann an der Mauer zu zirpen, und gleich einem blauen Faden schwebte eine langgestreckte, schlanke Libelle auf ihren braunen Gazeflügeln vorüber. Lord Henry meinte, er könne Basil Hallwards Herz klopfen hören, und wartete gespannt darauf, was jetzt kommen würde.

»Die Geschichte ist einfach die«, sagte der Maler nach einer Weile. »Vor zwei Monaten ging ich zu einem großen Empfang bei Lady Brandon. Sie wissen, wir armen Künstler müssen uns von Zeit zu Zeit in der Gesellschaft zeigen, nur um die Öffentlichkeit daran zu erinnern, daß wir keine Wilden sind. Wie Sie mir einmal gesagt haben, kann jeder, sogar ein Börsenmakler, mit Abendanzug und weißer Krawatte in den Ruf kommen, Kultur zu besitzen. Nun, nachdem ich zehn Minuten im Raum war und mit imposanten aufgetakelten Witwen und langweiligen Akademiemitgliedern geredet hatte, merkte ich, daß mich jemand anblickte. Ich drehte mich halb um und sah Dorian Gray zum erstenmal. Als unsere Augen einander begegneten, spürte ich, wie ich blaß wurde. Ein sonderbares Gefühl des Entsetzens überfiel mich. Ich wußte, ich stand hier einem Menschen gegenüber, dessen bloße Persönlichkeit so faszinierend war, daß sie sich, falls ich es zuließe, meines ganzen Wesens, meiner ganzen Seele, ja sogar meiner Kunst bemächtigen würde. Ich wollte keinen Einfluß von außen auf mein Leben zulassen. Sie wissen selbst, Harry, wie unabhängig ich von Natur aus bin. Ich bin stets mein eigener Herr gewesen; zumindest war ich es immer, bis ich Dorian Gray begegnete. Dann – aber ich weiß nicht, wie ich es Ihnen erklären soll. Irgend etwas schien mir zu sagen, daß ich am Rande einer furchtbaren Krise in meinem Leben stand. Ich hatte das sonderbare Gefühl, daß das Schicksal erlesene Freuden und erlesene Leiden für mich bereithielt. Ich bekam es mit der Angst zu tun und wandte mich zum Gehen. Nicht das Gewissen hat mich dazu bewogen: es war eine Art Feigheit. Ich bilde mir nichts darauf ein, daß ich zu fliehen versuchte.«

»Gewissen und Feigheit sind im Grunde ein und dasselbe, Basil. Gewissen ist nur der eingetragene Name der Firma. Das ist alles.«

»Das glaube ich nicht, Harry, und ich glaube, daß Sie es ebensowenig glauben. Doch welches Motiv ich auch hatte – es könnte auch Stolz gewesen sein, denn ich war früher sehr stolz –, jedenfalls strebte ich auf die Tür zu. Dabei lief ich natürlich Lady Brandon in die Arme. ›Sie wollen doch nicht schon so bald davonlaufen, Mr. Hallward?‹ kreischte sie. Sie kennen doch ihre merkwürdig schrille Stimme?«

»Gewiß; sie ist ein Pfau in jeder Hinsicht, nur nicht in puncto Schönheit«, sagte Lord Henry, der das Gänseblümchen mit seinen langen, nervösen Fingern zerpflückte.

»Ich konnte sie nicht abschütteln. Sie führte mich zu königlichen Hoheiten und zu Leuten mit Ordenssternen und Hosenbändern und zu ältlichen Damen mit riesigen Diademen und Papageiennasen. Sie sprach von mir wie von ihrem besten Freund. Ich war ihr vorher erst einmal begegnet, aber sie hatte es sich in den Kopf gesetzt, mich überall herumzureichen. Ich glaube, gerade damals hatte ein Bild von mir großen Erfolg gehabt, zumindest hatten die Boulevardzeitungen allerlei Geschwätz darüber gebracht, was ja im neunzehnten Jahrhundert der Maßstab der Unsterblichkeit ist. Plötzlich stand ich von Angesicht zu Angesicht dem jungen Mann gegenüber, dessen Erscheinung mich so seltsam berührt hatte. Wir waren einander ganz nahe, fast hätten wir uns berührt. Unsere Blicke trafen sich wieder. Es war leichtfertig von mir, aber ich bat Lady Brandon, sie möge mich ihm vorstellen. Vielleicht war es doch nicht so leichtfertig. Es war einfach unvermeidlich. Wir hätten auch ohne förmliche Vorstellung miteinander gesprochen. Das ist gewiß. Dorian sagte es mir hinterher. Auch er spürte, daß es uns bestimmt war, einander kennenzulernen.«

»Und wie hat Lady Brandon diesen wunderbaren jungen Mann beschrieben?« fragte sein Gefährte. »Ich weiß, sie ist ganz versessen darauf, von all ihren Gästen rasch ein *précis* zu geben. Ich entsinne mich, wie sie mich einmal zu einem widerwärtigen alten Herrn mit rotem Gesicht hinführte, der über und über mit Orden und Bändern bedeckt war, und wie sie mir dabei in einem tragischen Flüsterton, der für alle Anwesenden sehr gut hörbar war, die erstaunlichsten Einzelheiten ins Ohr zischelte. Ich bin einfach weggelaufen. Ich komme gern von selbst darauf, was mit den Leuten los ist. Aber Lady Brandon behandelt ihre Gäste genauso wie ein Auktionator seine Waren. Sie erklärt sie entweder so gründlich, bis von ihnen nichts mehr übrigbleibt, oder sie erzählt einem alles über sie, nur das nicht, was man wissen will.«

»Die arme Lady Brandon! Sie gehen zu streng mit ihr ins Gericht, Harry«, sagte Hallward zerstreut.

»Mein Lieber, sie wollte einen *salon* gründen, und dabei hat sie nur ein Restaurant eröffnet. Wie könnte ich sie da bewundern? Doch sagen Sie mir, was sie über Mr. Gray erzählt hat!«

»Oh, so etwas wie ›Reizender Junge – seine gute arme Mutter und ich waren einfach unzertrennlich. Hab ganz vergessen, was er macht – fürchte, er tut gar nichts – ach ja, spielt Klavier – oder ist es die Geige, mein lieber Mr. Gray?‹ Wir konnten uns beide das Lachen nicht verbeißen und wurden auf der Stelle Freunde.«

»Lachen ist gar kein schlechter Anfang für eine Freundschaft und bestimmt ihr bestes Ende«, sagte der junge Lord und pflückte noch ein Gänseblümchen.

Hallward schüttelte den Kopf. »Sie wissen nicht, was Freundschaft ist, Harry«, murmelte er, »und auch nicht, was Feindschaft ist. Sie haben alle Leute gern; das heißt, daß Ihnen alle gleichgültig sind.«

»Wie schrecklich ungerecht von Ihnen!« rief Lord Henry, schob seinen Hut zurück und blickte zu den kleinen Wolken empor, die wie schimmernde weiße Seidensträhnen durch das hohle Türkis des Sommerhimmels trieben. »Ja, schrecklich ungerecht von Ihnen. Ich mache zwischen den Leuten große Unterschiede. Ich wähle meine Freunde nach ihrem guten Aussehen, meine Bekannten nach ihrem guten Charakter und meine Feinde nach ihrem guten Verstand. Man kann bei der Auswahl seiner Feinde gar nicht vorsichtig genug sein. Ich habe keinen einzigen, der ein Dummkopf wäre. Es sind lauter Männer mit einigen geistigen Fähigkeiten, und infolgedessen schätzen sie mich alle. Ist das sehr eitel von mir? Ja, ich glaube, es ist ziemlich eitel.«

»Das meine ich auch, Harry. Doch nach Ihrer Einteilung wäre ich nur ein Bekannter.«

»Mein guter alter Basil, Sie sind viel mehr als ein Bekannter.«

»Und viel weniger als ein Freund. Wohl so etwas wie ein Bruder, wie?«

»Ach, Brüder! Für Brüder habe ich nichts übrig. Mein ältester Bruder will nicht sterben, und meine jüngeren Brüder tun offenbar nichts anderes.«

»Harry!« rief Hallward stirnrunzelnd aus.

»Mein Lieber, ich meine das nicht so ganz ernst. Aber ich kann mir nicht helfen: ich verabscheue meine Verwandten. Ich glaube, das kommt daher, daß keiner von uns andere Leute ausstehen kann, die dieselben Fehler haben wie wir. Ich habe durchaus Verständnis für die Wut der englischen Demokraten auf all das, was sie die Laster der höheren Stände nennen. Die Massen meinen, daß Trunksucht, Dummheit und Unmoral ihr Spezialgebiet bleiben sollten und daß unsereiner, wenn er sich danebenbenimmt, in ihrem Revier wildert. Als damals der arme Southwark vor das Scheidungsgericht kam, war ihre Empörung ganz großartig. Und dennoch glaube ich kaum, daß auch nur zehn Prozent des Proletariats ein einwandfreies Leben führen.«

»Ich bin mit keinem Wort, das Sie gesagt haben, einverstanden; mehr noch, Harry, ich glaube, daß Sie es selber auch nicht sind.«

Lord Henry strich sich über den spitzen braunen Bart und klopfte mit seinem quastengeschmückten Ebenholzstock auf die Kappe seines Lackschuhs. »Wie typisch englisch Sie doch sind, Basil! Diese Bemerkung machen Sie jetzt schon zum zweitenmal. Wenn man einem echten Engländer eine Idee vorträgt – was freilich immer eine Unvorsichtigkeit ist –, fällt ihm nicht im Traum ein zu prüfen, ob sie richtig oder falsch ist. Das einzige, was ihm wichtig erscheint, ist die Frage, ob man selber daran glaubt. Nun hat aber der Wert einer Idee nicht das geringste mit der Aufrichtigkeit dessen zu tun, der sie von sich gibt. Ja, es ist sogar wahrscheinlich, daß die Idee um so geistvoller sein wird, je unaufrichtiger der Betreffende ist, denn in diesem Fall färben weder seine Bedürfnisse noch seine Wünsche oder seine Vorurteile auf sie ab. Doch ich habe nicht vor, mit Ihnen über Politik, Soziologie oder Metaphysik zu diskutieren. Mir sind Menschen lieber als Prinzipien, und Menschen ohne Prinzipien sind mir lieber als alles andere auf der Welt. Erzählen Sie mir mehr von Mr. Dorian Gray. Wie oft sehen Sie ihn?«

»Jeden Tag. Ich wäre unglücklich, wenn ich ihn nicht jeden Tag sehen könnte. Er ist für mich einfach unentbehrlich.«

»Wie sonderbar! Ich glaubte, Sie hätten für nichts anderes Interesse als für Ihre Kunst.«

»Er ist jetzt für mich die ganze Kunst«, sagte der Maler ernst. »Manchmal denke ich, Harry, daß es in der Weltgeschichte nur zwei Epochen von einiger Bedeutung gibt. Die erste ist das Auftauchen einer neuen Persönlichkeit in der Kunst. Was für die Venezianer die Erfindung der Ölmalerei war, das war das Gesicht des Antinous für die spätgriechische Plastik, und das wird das Gesicht des Dorian Gray eines Tages für mich sein. Nicht nur, daß ich ihn male, ihn zeichne, ihn skizziere. Natürlich habe ich das alles getan. Aber er bedeutet mir mehr als ein Modell oder jemand, der mir sitzt. Ich will damit nicht sagen, daß ich mit dem, was ich von ihm gemacht habe, unzufrieden wäre oder daß seine Schönheit so geartet sei, daß die Kunst sie nicht auszudrücken vermöge. Es gibt nichts, was die Kunst nicht ausdrücken könnte, und ich weiß, daß die Arbeiten, die ich seit meiner Begegnung mit Dorian Gray gemacht habe, gut sind, ja die besten, die ich je in meinem Leben geschaffen habe. Doch auf eine seltsame Weise – ich weiß nicht, ob Sie mich verstehen werden – hat mir seine Persönlichkeit eine völlig neue Kunstform, einen völlig neuen Stil offenbart. Ich sehe die Dinge anders, ich fasse sie anders auf. Ich kann jetzt das Leben auf eine Weise neu gestalten, die mir früher verschlossen war. ›Ein Traum der Form in einer Zeit des Denkens‹ – von wem stammt dieser Ausspruch? Ich habe es vergessen; aber genau das bedeutet Dorian Gray für mich. Die bloße sichtbare Gegenwart des Jungen – denn er wirkt auf mich kaum anders als ein Junge, obgleich er tatächlich schon über zwanzig ist –, seine bloße sichtbare Gegenwart – ah! Ob Sie sich wohl vorstellen können, was das alles bedeutet? Unbewußt enthüllt er mir die Umrisse einer neuen Kunstrichtung, einer Kunstrichtung, die alle Leidenschaft des romantischen Geistes, alle Vollkommenheit des griechischen Geistes in sich schließt. Die Harmonie von Seele und Leib – wieviel ist das! Wir haben in unserem Wahnsinn die beiden getrennt und einen Realismus erfunden, der vulgär, eine Idealität, die hohl ist. Harry! wenn Sie wüßten, was mir Dorian Gray bedeutet! Erinnern Sie sich noch an mein Landschaftsbild, für das mir Agnew einen so hohen Preis geboten hat und von dem ich mich trotzdem nicht trennen wollte? Es ist eine der besten Arbeiten, die ich jemals gemacht habe. Und warum? Weil Dorian Gray neben mir saß, als ich daran malte. Irgendeine subtile Wirkung ging von ihm auf mich über, und zum erstenmal in meinem Leben erkannte ich in der schlichten Waldlandschaft das Wunder, nach dem ich immer Ausschau gehalten und das sich mir immer entzogen hatte.«

»Basil, das ist großartig! Ich muß Dorian Gray kennenlernen.«

Hallward erhob sich und ging im Garten auf und ab. Nach einiger Zeit kam er zurück. »Harry«, sagte er, »Dorian Gray ist für mich nichts weiter als ein künstlerisches Motiv. Vielleicht finden Sie gar nichts an ihm. Ich finde alles in ihm. Er ist in meinem Werk niemals gegenwärtiger, als wenn sein Bild nicht in ihm erscheint. Er ist, wie gesagt, die Anregung einer neuen Kunstform. Ich finde ihn in einer bestimmten Linienführung wieder, in der Lieblichkeit und Feinheit bestimmter Farben. Das ist alles.«

»Warum stellen Sie dann sein Porträt nicht aus?« fragte Lord Henry.

»Weil ich, ohne es zu wollen, einen Ausdruck all dieser seltsamen künstlerischen Vergötterung hineingelegt habe, von der ich ihm selbstverständlich nie erzählt habe. Er hat von alledem keine Ahnung. Er soll niemals etwas davon erfahren. Aber die Leute könnten es erraten; und ich will nicht meine Seele vor ihren oberflächlichen, zudringlichen Blicken entblößen. Sie sollen mein Herz nicht unter ihr Mikroskop legen. In dem Bild steckt zuviel von mir selber, Harry – zuviel von mir selber!«

»Die Dichter haben da nicht so viele Skrupel wie Sie. Sie wissen, wie sehr Leidenschaft den Absatz fördert. Heutzutage bringt es ein gebrochenes Herz auf viele Auflagen.«

»Deswegen hasse ich sie«, rief Hallward. »Ein Künstler sollte Schönes schaffen, aber nichts von seinem eigenen Leben hineinlegen. Wir leben in einer Zeit, in der die Menschen von der Kunst erwarten, sie solle eine Art Autobiographie sein. Wir haben den abstrakten Schönheitssinn verloren. Eines Tages werde ich der Welt zeigen, was das ist; und aus diesem Grund soll die Welt niemals mein Dorian-Gray-Porträt sehen.«

»Ich meine, Sie haben unrecht, Basil, doch ich will mit Ihnen nicht streiten. Nur geistig Heruntergekommene streiten. Sagen Sie mir: liebt Dorian Gray Sie sehr?«

Der Maler dachte ein paar Augenblicke nach. »Er hat mich gern«, erwiderte er nach einer Pause; »ich weiß, daß er mich gern hat. Natürlich schmeichle ich ihm schrecklich. Es bereitet mir eine merkwürdige Freude, ihm Dinge zu sagen, von denen ich weiß, daß sie mir hinterher leid tun werden. Im allgemeinen ist er reizend zu mir, und wir sitzen im Atelier und reden über tausend Dinge. Doch bisweilen ist er furchtbar rücksichtslos, und es scheint ihm richtig Vergnügen zu machen, mir weh zu tun. Dann habe ich das Gefühl, Harry, daß ich meine ganze Seele einem Menschen hingegeben habe, der sie behandelt wie eine Blume, die man sich ins Knopfloch steckt, wie einen Schmuck zur Befriedigung seiner Eitelkeit, einen Zierat für einen Sommertag.«

»Im Sommer, Basil, währen die Tage lange«, murmelte Lord Henry. »Vielleicht werden Sie schneller müde als er. Es ist traurig, wenn man es bedenkt, aber das Genie überdauert die Schönheit. Das erklärt, warum wir alle so bestrebt sind, uns übermäßig zu bilden. Im wilden Kampf ums Dasein brauchen wir etwas, was Dauer hat, und deshalb stopfen wir unseren Geist mit Plunder und Tatsachen voll, in der törichten Hoffnung, unseren Platz behaupten zu können. Der durch und durch wohlinformierte Mensch – das ist das moderne Ideal. Doch der Geist des durch und durch wohlinformierten Menschen ist etwas Abscheuliches. Es ist ein Trödelladen; lauter Scheußlichkeiten und Staub, und jedes Stück ist über seinem wahren Wert ausgezeichnet. Jedenfalls glaube ich, daß Sie eher müde werden. Eines Tages werden Sie Ihren Freund anschauen und feststellen, daß die Linien nicht ganz stimmen, oder sein Farbton gefällt Ihnen nicht, oder sonst etwas. Sie werden ihm in Ihrem Herzen bittere Vorwürfe machen und allen Ernstes denken, daß er sich Ihnen gegenüber sehr schlecht benommen hat. Wenn er Sie dann das nächstemal besucht, werden Sie vollkommen kalt und gleichgültig sein. Das ist sehr schade, denn es wird Sie verändern. Was Sie mir erzählt haben, ist eine Romanze, ja man könnte es eine Romanze der Kunst nennen, und das Schlimmste, was einem geschehen kann, wenn man eine Romanze irgendwelcher Art erlebt hat, ist dies, daß man so unromantisch zurückbleibt.«

»Harry, so dürfen Sie nicht reden. Solange ich lebe, wird mich die Persönlichkeit Dorian Grays beherrschen. Sie können nicht empfinden, was ich empfinde. Sie ändern sich zu oft.«

»Ach, mein lieber Basil, gerade deshalb kann ich es empfinden. Wer treu ist, kennt nur die triviale Seite der Liebe: die Treulosen kennen die Tragödien der Liebe.« Und damit strich Lord Henry an einem zierlichen Silberetui ein Zündholz an und begann mit einer so selbstgefälligen und zufriedenen Miene eine Zigarette zu rauchen, als ob er die ganze Welt in einer Sentenz zusammengefaßt hätte. Tschilpende Sperlinge raschelten im grün lackierten Laub des Efeus, und die blauen Wolkenschatten jagten einander wie Schwalben auf dem Rasen. Wie angenehm war es jetzt im Garten! Und wie köstlich waren doch die Gefühlsregungen anderer Leute! – viel köstlicher noch als ihre Gedanken, so schien es ihm. Die eigene Seele und die Leidenschaften seiner Freunde – das waren die faszinierenden Dinge im Leben. Er malte sich innerlich amüsiert das langweilige Mittagessen aus, das er versäumt hatte, weil er so lange bei Basil Hallward geblieben war. Wäre er zu seiner Tante gegangen, dann hätte er dort bestimmt Lord Goodbody getroffen, und die ganze Konversation hätte sich um die Speisung der Armen und die Notwendigkeit von vorbildlichen Wohnheimen gedreht. Jeder

Stand hätte die Bedeutung jener Tugenden gepredigt, deren Praktizierung er im eigenen Leben für entbehrlich hielt. Die Reichen hätten vom Wert der Sparsamkeit gesprochen und die Nichtstuer sich beredt über die Würde der Arbeit verbreitet. Herrlich, daß man alledem entgangen war! Als er an seine Tante dachte, schien ihm ein Gedanke zu kommen. Er wandte sich Hallward zu und sagte: »Mein Lieber, mir ist soeben etwas eingefallen.«

»Was denn, Harry?«

»Wo ich den Namen Dorian Gray gehört habe.«

»Wo war das?« fragte Hallward mit leicht gerunzelter Stirn.

»Machen Sie kein so böses Gesicht, Basil. Es war im Hause meiner Tante Lady Agatha. Sie erzählte mir, sie habe einen wunderbaren jungen Mann entdeckt, der ihr im East End helfen wolle, und er heiße Dorian Gray. Ich muß allerdings gestehen, daß sie mir nie gesagt hat, er sehe gut aus. Frauen haben keinen Sinn für gutes Aussehen; zumindest anständige Frauen nicht. Sie sagte mir, er sei sehr ernst und habe ein feines Wesen. Ich stellte mir sofort einen Menschen mit Brille und glattem Haar und scheußlichen Sommersprossen vor, der auf Riesenfüßen umherstapft. Ich wollte, ich hätte gewußt, daß er Ihr Freund ist.«

»Ich bin froh, daß Sie es nicht gewußt haben, Harry.«

»Wieso?«

»Ich möchte nicht, daß Sie mit ihm zusammentreffen.«

»Sie möchten nicht, daß ich ihn treffe?«

»Nein.«

»Mr. Dorian Gray ist im Atelier, Sir«, sagte der Butler, der in den Garten gekommen war.

»Jetzt müssen Sie mich mit ihm bekannt machen«, rief Lord Henry lachend.

Der Maler wandte sich an seinen Diener, der blinzelnd in der Sonne stand. »Bitten Sie Mr. Gray zu warten, Parker: ich komme in wenigen Augenblicken.« Der Diener verbeugte sich und ging auf dem Weg zurück ins Haus.

Dann sah der Maler Lord Henry an. »Dorian Gray ist mein teuerster Freund«, sagte er. »Er hat ein einfaches und ein feines Wesen. Ihre Tante hatte ganz recht mit dem, was sie über ihn gesagt hat. Verderben Sie ihn nicht. Versuchen Sie nicht, ihn zu beeinflussen. Ihr Einfluß wäre schlecht. Die Welt ist groß, und auf ihr leben viele wunderbare Leute. Nehmen Sie mir nicht den einzigen Menschen weg, dem meine Kunst all den Zauber verdankt, den sie besitzt: mein Leben als Künstler hängt von ihm ab. Vergessen Sie es nicht, Harry, ich vertraue Ihnen.« Er sprach sehr langsam, und die Worte schienen sich ihm fast gegen seinen Willen zu entringen.

»Was für einen Unsinn Sie reden!« sagte Lord Henry lächelnd, nahm Hallward beim Arm und zog ihn fast ins Haus.

2. KAPITEL

Als sie eintraten, erblickten sie Dorian Gray. Er saß am Klavier, hatte ihnen den Rücken zugekehrt und blätterte in einem Band mit Schumanns »Waldszenen«. »Die müssen Sie mir leihen, Basil«, rief er. »Ich möchte sie lernen. Sie sind einfach entzückend.«

»Das hängt ganz davon ab, wie Sie mir heute sitzen, Dorian.«

»Ach, ich habe das Sitzen satt, und ich brauche auch gar kein lebensgroßes Porträt von mir«, erwiderte der junge Bursche, indem er sich eigensinnig und ausgelassen auf dem Klavierstuhl herumschwang. Als er Lord Henry gewahrte, verfärbte eine leichte Röte einen Augenblick lang seine Wangen, und er sprang auf. »Entschuldigen Sie, Basil, aber ich wußte nicht, daß Sie Besuch haben.«

»Das ist Lord Henry Wotton, Dorian, ein alter Freund von Oxford her. Ich habe ihm gerade erzählt, was für ein großartiges Modell Sie sind, und jetzt haben Sie mir alles verdorben.«

»Mir haben Sie das Vergnügen, Sie kennenzulernen, nicht verdorben, Mr. Gray«, sagte Lord Henry, der vortrat und die Hand ausstreckte. »Meine Tante hat mir oft von Ihnen erzählt. Sie sind einer ihrer Lieblinge und, wie ich befürchte, auch eines ihrer Opfer.«

»Im Augenblick bin ich bei Lady Agatha schlecht angeschrieben«, entgegnete Dorian mit komisch zerknirschter Miene. »Ich hatte ihr versprochen, sie am letzten Dienstag in einen Klub in Whitechapel zu begleiten, und dann habe ich das Ganze total vergessen. Wir hätten zusammen ein Duett spielen sollen – drei Duette sogar, wenn ich mich recht erinnere. Ich weiß nicht, was sie mir nun sagen wird. Ich habe viel zuviel Angst, sie aufzusuchen.«

»Oh, ich will Sie wieder mit meiner Tante versöhnen. Sie

hängt sehr an Ihnen. Und ich glaube, es ist gar nicht so schlimm, daß Sie nicht gekommen sind. Die Zuhörer haben wahrscheinlich gemeint, es sei ein Duett gewesen. Wenn sich Tante Agatha ans Klavier setzt, macht sie Lärm genug für zwei.«

»Das ist aber sehr häßlich ihr gegenüber und nicht sehr schmeichelhaft für mich«, versetzte Dorian lachend.

Lord Henry sah ihn an. Ja, er war tatsächlich auffallend hübsch, mit seinen fein geschwungenen scharlachroten Lippen, den offenen blauen Augen, dem gewellten Goldhaar. Es war etwas in seinem Gesicht, was sofort Vertrauen erweckte. Die ganze Aufrichtigkeit der Jugend lag darin, ebenso die ganze leidenschaftliche Reinheit der Jugend. Man spürte, daß er sich von der Welt unbefleckt bewahrt hatte. Kein Wunder, daß Basil Hallward ihn anbetete.

»Sie sind zu charmant, um sich mit Philanthropie abzugeben, Mr. Gray – viel zu charmant.« Damit warf sich Lord Henry auf den Diwan und öffnete sein Zigarettenetui.

Der Maler hatte unterdessen eifrig seine Farben gemischt und seine Pinsel hergerichtet. Er sah bekümmert drein, und als er Lord Henrys letzte Bemerkung hörte, warf er ihm einen Blick zu, zögerte einen Moment und sagte dann: »Harry, ich möchte dieses Bild heute fertig malen. Meinen Sie, es wäre sehr unhöflich von mir, wenn ich Sie ersuchte zu gehen?«

Lord Henry lächelte und blickte Dorian Gray an. »Soll ich gehen, Mr. Gray?« fragte er.

»Oh, bitte nicht, Lord Henry. Ich sehe, daß Basil wieder einmal schlecht gelaunt ist; und ich kann ihn nicht ausstehen, wenn er schlechte Laune hat. Außerdem müssen Sie mir noch erklären, warum ich mich nicht mit Philanthropie abgeben soll.«

»Ich weiß nicht recht, ob ich Ihnen das erklären soll, Mr. Gray. Das ist ein so langweiliges Thema, daß man ernsthaft darüber reden müßte. Aber ich werde jetzt bestimmt nicht davonlaufen, nachdem Sie mich zum Bleiben aufgefordert haben. Sie haben doch nichts dagegen, Basil, oder? Sie haben mir so oft gesagt, daß es Ihnen ganz lieb ist, wenn Ihre Modelle mit jemandem plaudern können.«

Hallward biß sich auf die Lippen. »Wenn Dorian es wünscht, müssen Sie natürlich bleiben. Dorians Launen sind für jedermann Gesetz, nur nicht für ihn selber.«

Lord Henry nahm seinen Hut und seine Handschuhe. »Sie drängen mich zwar sehr, Basil, aber ich muß leider gehen. Ich bin mit einem Herrn im Orleans-Klub verabredet. Auf Wiedersehen, Mr. Gray! Besuchen Sie mich doch einmal am Nachmittag in der Curzon Street. Um fünf Uhr bin ich fast immer zu Hause. Schreiben Sie mir, wann Sie kommen. Es würde mir leid tun, wenn ich Sie verfehlte.«

»Basil«, rief Dorian Gray, »wenn Lord Henry Wotton geht, gehe ich auch. Sie machen nie den Mund auf, wenn Sie malen, und es ist entsetzlich fade, auf einem Podium zu stehen und zu versuchen, ein freundliches Gesicht zu machen. Bitten Sie ihn zu bleiben. Ich bestehe darauf.«

»Bleiben Sie, Harry, Dorian zuliebe und auch mir zuliebe«, sagte Hallward, der den Blick unverwandt auf sein Bild richtete. »Es stimmt schon, ich rede nie bei der Arbeit und höre auch nie zu, und das muß für meine bedauernswerten Modelle schrecklich langweilig sein. Ich bitte Sie zu bleiben.«

»Und was soll mit meinem Mann im Orleans-Klub werden?«

Der Maler lachte. »Ich glaube kaum, daß das ein Hinderungsgrund ist. Setzen Sie sich wieder hin, Harry. Und nun steigen Sie auf das Podium, Dorian, und bewegen Sie sich nicht zuviel und achten Sie überhaupt nicht auf das, was Lord Henry sagt. Er hat einen sehr schlechten Einfluß auf alle seine Freunde, mich allein ausgenommen.«

Dorian Gray stieg mit der Miene eines jungen griechischen Märtyrers auf das Podest und machte eine kleine *moue* des Mißbehagens in Richtung Lord Henry, zu dem er eine gewisse Zuneigung gefaßt hatte. Er war so ganz anders als Basil. Die beiden bildeten einen reizvollen Gegensatz. Und er hatte eine so schöne Stimme. Nach einer Weile sagte er zu ihm: »Haben Sie wirklich einen sehr schlechten Einfluß, Lord Henry? So schlecht, wie Basil behauptet?«

»So etwas wie einen guten Einfluß gibt es nicht, Mr. Gray. Jeder Einfluß ist unmoralisch – unmoralisch vom wissenschaftlichen Standpunkt aus.«

»Warum?«

»Weil einen Menschen beeinflussen bedeutet, daß man ihm seine eigene Seele gibt. Er denkt dann nicht mehr seine natürlichen Gedanken und brennt nicht mehr in seinen natürlichen Leidenschaften. Seine Tugenden sind für ihn nicht wirklich vorhanden. Seine Sünden, falls es so etwas wie Sünden überhaupt gibt, sind geborgt. Er wird zum Echo der Musik eines anderen, der Darsteller einer Rolle, die nicht für ihn geschrieben wurde. Das Ziel des Lebens ist Selbstentfaltung. Das eigene Wesen voll zu verwirklichen – dazu sind wir hier. Die Menschen haben heutzutage Angst vor sich selber. Sie haben die höchste aller Pflichten vergessen, die Pflicht gegen sich selber. Natürlich sind sie mildtätig. Sie speisen den Hungernden und kleiden den Bettler. Aber ihre eigene Seele darbt und ist nackt. Der Mut ist unserem Geschlecht abhanden gekommen. Vielleicht haben wir ihn nie besessen. Der Terror der Gesellschaft, der die Grundlage der Moral ist, der Terror Gottes, der das Geheimnis der Religion ist – das sind die beiden Dinge, die uns beherrschen. Und dennoch –«

»Wenden Sie den Kopf ein wenig mehr nach rechts, Dorian, seien Sie so gut«, sagte der Maler, der in seine Arbeit vertieft war und nur gemerkt hatte, daß in das Gesicht des jungen Mannes ein Ausdruck getreten war, den er vorher noch nie wahrgenommen hatte.

»Und dennoch«, fuhr Lord Henry mit seiner leisen, musikalischen Stimme und mit jener anmutigen Handbewegung fort, die so charakteristisch für ihn war und die er bereits in Eton an sich hatte, »ich glaube, daß ein einziger Mensch, wenn er sein Leben voll und ganz entfalten und jedem Gefühl Gestalt, jedem Gedanken Ausdruck und jedem Traum Wirklichkeit verleihen könnte – ich glaube, die Welt würde dann einen solchen neuen Anstoß der Freude erhalten, daß wir alle Krankheiten des mittelalterlichen Geistes vergäßen und zum hellenischen Ideal zurückfänden – vielleicht gar zu etwas Schönerem, Reicherem als dem hellenischen Ideal. Aber auch der Tapferste unter uns hat Angst vor sich selber. Die Selbstverstümmelung der Wilden findet ihre tragische Fortsetzung in der Selbstverleugnung, die unser Leben verunstaltet. Wir werden bestraft für unsere Entsagungen. Jeder Trieb, den wir zu ersticken versuchen, rumort in der Seele weiter und vergiftet uns. Der Körper sündigt, und dann ist die Sünde für ihn erledigt, denn die Tat ist eine Form der Läuterung. Nichts bleibt dann zurück als die Erinnerung an ein Vergnügen oder die Wollust der Reue. Die einzige Möglichkeit, eine Versuchung loszuwerden, besteht darin, daß man ihr nachgibt. Widerstehen Sie ihr, so wird Ihre Seele krank vor Verlangen nach den Dingen, die sie sich versagt hat, vor Begierde nach alledem, was ihre ungeheuerlichen Gesetze für ungeheuerlich und ungesetzlich erklärt haben. Man hat einmal gesagt, die großen Weltereignisse fänden im Gehirn statt. Im Gehirn, und nur im Gehirn, geschehen auch die großen Sünden der Welt. Sie, Mr. Gray, Sie selber mit Ihrer rosenroten Jugend und Ihrer rosenweißen Knabenzeit, Sie haben Leidenschaften gehabt, die Ihnen angst machten, Gedanken, die Sie mit Schrecken erfüllten, Wachträume und Schlafträume, deren bloße Erinnerung Ihnen die Schamröte in die Wangen treiben könnte –«

»Hören Sie auf!« stammelte Dorian Gray, »hören Sie auf! Sie verwirren mich. Ich weiß nicht, was ich sagen soll. Es gibt eine Antwort auf das, was Sie sagen, aber ich kann sie nicht finden. Sprechen Sie nicht mehr. Lassen Sie mich nachdenken. Oder vielmehr lassen Sie mich versuchen, nicht nachzudenken.«

Fast zehn Minuten lang stand er da, bewegungslos, mit halb geöffneten Lippen und seltsam leuchtenden Augen. Er war sich undeutlich bewußt, daß völlig neue Einflüsse in ihm arbeiteten. Doch es war ihm, als gingen sie in Wirklichkeit von ihm selber aus. Die wenigen Worte, die Basils

Freund an ihn gerichtet hatte – Worte, die ohne Zweifel vom Zufall bestimmt und von willkürlichen Paradoxen durchsetzt waren –, hatten eine geheime Saite angerührt, die nie zuvor angerührt worden war, die er aber jetzt in merkwürdigen Schwingungen erzittern und pulsieren fühlte.

Musik hatte ihn so schon erregt. Musik hatte ihn viele Male beunruhigt. Aber Musik war unartikuliert. Es war keine neue Welt, sondern eher ein neues Chaos, das sie in uns hervorbrachte. Worte! Bloße Worte! Wie entsetzlich sie waren! Wie klar und lebendig und grausam! Man konnte ihnen nicht entgehen. Und doch, welch heimtückischer Zauber lag in ihnen! Sie schienen die Macht zu haben, formlosen Dingen plastische Form zu verleihen, und eine eigene Musik zu besitzen, so süß wie die der Viole oder Flöte. Bloße Worte! Gab es etwas, was so wirklich wäre wie Worte?

Ja; in seiner Knabenzeit hatte es Dinge gegeben, die er nicht verstanden hatte. Jetzt verstand er sie. Das Leben verwandelte sich plötzlich für ihn in lodernde Farben. Es war ihm, als sei er durch Feuer geschritten. Warum hatte er es bisher nicht gewußt?

Mit seinem feinen Lächeln beobachtete ihn Lord Henry. Er kannte den richtigen psychologischen Moment, in dem man nichts sagen darf. Er empfand ein intensives Interesse. Er wunderte sich über den jähen Eindruck, den seine Worte hinterlassen hatten, und da ihm gerade jetzt ein Buch einfiel, das er als Sechzehnjähriger gelesen hatte, ein Buch, das ihm vieles enthüllt hatte, was ihm vorher unbekannt war, fragte er sich, ob Dorian Gray wohl eine ähnliche Erfahrung durchmachte. Er hatte nur einen Pfeil in die Luft geschossen. Hatte er mitten ins Ziel getroffen? Wie faszinierend der Junge war!

Hallward malte in seinem wunderbar kühnen Strich weiter, der die wahre Verfeinerung und die vollkommene Delikatesse besaß, die in der Kunst jedenfalls nur aus der Kraft erwachsen. Er hatte das Schweigen gar nicht bemerkt.

»Basil, ich bin müde vom Stehen«, rief Dorian Gray unvermittelt. »Ich muß in den Garten gehen und mich hinsetzen. Die Luft ist hier drinnen zum Ersticken.«

»Mein lieber Junge, das tut mir aber leid. Wenn ich male, kann ich an nichts anderes denken. Doch Sie haben mir nie besser Modell gestanden. Sie waren ganz ruhig. Und ich habe die Wirkung erreicht, die ich gesucht habe – die halb geöffneten Lippen und das Leuchten in den Augen. Ich weiß nicht, was Harry zu Ihnen gesagt hat, aber auf jeden Fall hat er bei Ihnen den herrlichsten Ausdruck bewirkt. Vermutlich hat er Ihnen Komplimente gemacht. Sie dürfen kein Wort von dem glauben, was er sagt.«

»Er hat mir bestimmt keine Komplimente gemacht. Vielleicht glaube ich deswegen kein Wort von dem, was er mir erzählt hat.«

»Sie wissen, daß Sie das alles glauben«, sagte Lord Henry und betrachtete ihn mit seinen träumerischen, müden Augen. »Ich gehe mit Ihnen in den Garten. Es ist furchtbar heiß im Atelier. Basil, lassen Sie uns etwas Eisgekühltes zum Trinken bringen, etwas mit Erdbeeren drin.«

»Selbstverständlich, Harry. Klingeln Sie doch bitte, und wenn Parker kommt, sage ich ihm, was Sie haben wollen. Ich muß noch den Hintergrund fertig machen, dann komme ich nach. Aber halten Sie Dorian nicht zu lange auf. Ich war nie in einer besseren Malstimmung als heute. Das wird mein Meisterwerk werden. Es ist mein Meisterwerk schon so, wie es da steht.«

Lord Henry ging in den Garten hinaus und fand dort Dorian Gray vor, der das Gesicht in die großen, kühlen Fliederblüten vergraben hatte und fieberhaft ihren Duft einsog, als wäre es Wein. Er trat auf ihn zu und legte ihm die Hand auf die Schulter. »Sie haben ganz recht«, murmelte er. »Nichts kann die Seele heilen als die Sinne, genauso wie nichts die Sinne heilen kann als die Seele.«

Der Junge schreckte auf und fuhr zurück. Er war barhäuptig, und die Blätter hatten seine rebellischen Locken durcheinandergebracht und ihre goldenen Fäden verwirrt. In seinen Augen lag ein ängstlicher Ausdruck, wie ihn Menschen haben, die plötzlich aufgeweckt werden. Seine feinziselierten Nasenflügel bebten, und irgendein verborgener

Nerv zuckte im Scharlachrot seiner Lippen und ließ sie erzittern.

»Ja«, fuhr Lord Henry fort, »das ist eines der großen Geheimnisse des Lebens – die Seele heilen durch die Sinne und die Sinne durch die Seele. Sie sind ein wunderbares Geschöpf. Sie wissen mehr, als Sie zu wissen meinen, genauso wie Sie weniger wissen, als Sie wissen möchten.«

Dorian Gray runzelte die Stirn und wandte den Kopf ab. Er konnte sich nicht helfen, er mußte den hochgewachsenen, eleganten jungen Mann gern haben, der neben ihm stand. Sein romantisches, olivenfarbenes Gesicht mit dem müden Ausdruck interessierte ihn. In seiner leisen, sanften Stimme war für ihn etwas ungemein Faszinierendes. Sogar seine kühlen, weißen, blumengleichen Hände hatten einen seltsamen Reiz. Sie begleiteten seine Worte wie Musik und schienen eine eigene Sprache zu besitzen. Dennoch hatte er Angst vor ihm, und er schämte sich seiner Angst. Warum muß ein Fremder kommen, um ihm das eigene Innere zu enthüllen. Er kannte Basil Hallward nun schon seit Monaten, aber die Freundschaft zu ihm hatte ihn nicht verändert. Plötzlich war nun jemand in sein Leben getreten, der ihm das Mysterium des Lebens zu offenbaren schien. Und doch, wovor sollte er sich fürchten? Er war kein Schuljunge und auch kein kleines Mädchen. Es war albern, sich zu ängstigen.

»Gehen wir, und setzen wir uns in den Schatten«, sagte Lord Henry. »Parker hat uns etwas zu trinken gebracht, und wenn Sie noch länger in dieser Glut stehen, verderben Sie noch ganz, und Basil wird Sie nie wieder malen. Sie dürfen sich wirklich keinen Sonnenbrand holen. Er würde Ihnen schlecht stehen.«

»Was macht das schon?« rief Dorian Gray lachend, als er sich auf die Bank am Ende des Gartens niedersetzte.

»Bei Ihnen würde es sehr viel ausmachen, Mr. Gray.«

»Wieso?«

»Weil Sie so herrlich jung sind, und Jugend ist der einzige Besitz, der sich lohnt.«

»Davon merke ich nichts, Lord Henry.«

»Nein, jetzt merken Sie es noch nicht. Doch eines Tages, wenn Sie alt und runzlig und häßlich sind, wenn das Denken Ihre Stirn mit Furchen gezeichnet und die Leidenschaft Ihre Lippen mit ihren entsetzlichen Feuern verbrannt hat, dann werden Sie es merken, auf furchtbare Weise merken. Heute bezaubern Sie die Welt, wohin Sie auch gehen. Wird es so bleiben? ... Sie haben ein wunderbar schönes Gesicht, Mr. Gray. Runzeln Sie nicht die Stirn. Sie haben es. Und die Schönheit ist eine Form des Genies – sie steht in Wahrheit noch über dem Genie, da sie keiner Erklärung bedarf. Sie gehört zu den großen Tatsachen der Welt, wie das Sonnenlicht oder der Frühling oder der Abglanz jener Silberschale, die wir Mond nennen, auf dem dunklen Wasser. Sie kann nicht in Frage gestellt werden. Sie hat ihr göttliches Hoheitsrecht. Sie macht den zum Fürsten, der sie besitzt. Sie lächeln? Ach! wenn Sie sie verloren haben, werden Sie nicht mehr lächeln ... Die Leute sagen manchmal, Schönheit sei oberflächlich. Das mag sein. Aber zumindest ist sie nicht so oberflächlich wie das Denken. Für mich ist die Schönheit das Wunder aller Wunder. Nur seichte Menschen urteilen nicht nach dem Äußeren. Das wahre Geheimnis der Welt ist das Sichtbare, nicht das Unsichtbare ... Ja, Mr. Gray, die Götter haben es gut mit Ihnen gemeint. Doch was die Götter geben, das nehmen Sie bald wieder fort. Nur wenige Jahre sind Ihnen vergönnt, in denen Sie wirklich, vollkommen und in der Fülle leben können. Wenn Ihre Jugend vergeht, vergeht auch Ihre Schönheit, und dann werden Sie plötzlich entdecken, daß Ihre Triumphe vorüber sind, oder Sie müssen sich mit solchen dürftigen Triumphen begnügen, welche die Erinnerung an Ihre Vergangenheit noch bitterer macht als Niederlagen. Jeder Monat, der vergeht, bringt Sie einem schrecklichen Ende näher. Die Zeit ist eifersüchtig auf Sie und führt Krieg gegen Ihre Lilien und Ihre Rosen. Sie werden fahl und hohlwangig und trübäugig. Sie werden entsetzlich leiden ... Ach! nutzen Sie Ihre Jugend, solange Sie sie haben. Vergeuden Sie nicht das Gold Ihrer Tage, indem Sie den Philistern zuhören, die hoffnungslose Versager aufzurichten versuchen oder ihr Leben an die Ignoranten, die Niedrigen und die Vulgären wegwerfen. Das sind die krankhaften Ziele, die falschen Vorstellungen unserer Zeit. Leben Sie! Leben Sie das herrliche Leben, das in Ihnen ist! Lassen Sie sich nichts entgehen. Seien Sie stets auf der Suche nach neuen Gefühlserregungen. Fürchten Sie sich vor nichts ... Ein neuer Hedonismus – das ist es, was unser Jahrhundert braucht. Sie könnten sein sichtbares Symbol sein. Für einen Menschen wie Sie gibt es nichts, was er nicht schaffen könnte. Die Welt gehört Ihnen für eine Saison ... In dem Augenblick, da ich Ihnen begegnete, erkannte ich, daß Ihnen gar nicht bewußt ist, was Sie wirklich sind, was Sie wirklich sein könnten. In Ihnen steckt so viel, was mich bezauberte, daß ich meinte, ich müsse Ihnen einiges über Sie selber sagen. Ich überlegte mir, wie tragisch es wäre, wenn Sie sich verschwendeten. Denn Ihre Jugend wird nur eine so kurze Zeit währen – eine so kurze Zeit. Die gewöhnlichen Bergblumen verwelken, aber sie blühen wieder. Der Goldregen wird im nächsten Juni genauso gelb sein wie heute. In einem Monat trägt die Klematis Purpursterne, und Jahr um Jahr wird die grüne Nacht ihrer Blätter solche Purpursterne aufweisen. Doch wir erhalten niemals unsere Jugend zurück. Der Puls der Freude, der mit zwanzig in uns pocht, läßt nach. Unsere Glieder versagen, unsere Sinne verfaulen. Wir entarten zu scheußlichen Puppen, heimgesucht von der Erinnerung an die Leidenschaften, vor denen wir uns allzusehr fürchteten, und an die köstlichen Versuchungen, denen nachzugeben wir den Mut nicht hatten. Jugend! Jugend! In der Welt zählt nichts als Jugend!«

Dorian Gray hörte zu, mit offenen Augen und voller Staunen. Der Fliederzweig fiel aus seiner Hand auf den Kies. Eine bepelzte Biene flog heran und umsummte ihn eine Weile. Dann begann sie über die ovale gesternte Wölbung der winzigen Blüten zu krabbeln. Er beobachtete sie mit jenem eigenartigen Interesse an trivialen Dingen, das wir zu entwickeln versuchen, wenn Dinge von großer Bedeutung uns ängstigen oder wenn uns eine neuartige Empfindung bewegt, die wir nicht auszudrücken vermögen, oder wenn ein Gedanke, der uns erschreckt, unvermittelt das Gehirn belagert und uns zur Übergabe auffordert. Nach einiger Zeit flog die Biene davon. Er sah, wie sie in die gefleckte Trompete einer tyrischen Winde hineinkroch. Die Blüte schien zu beben und schwankte dann sanft hin und her.

Plötzlich erschien der Maler in der Tür des Ateliers und bedeutete ihnen mit abgehackten Gesten, sie möchten hereinkommen. Sie wandten einander zu und lächelten.

»Ich warte«, rief er. »Kommen Sie. Das Licht ist ganz herrlich, und Sie können die Getränke mitbringen.«

Sie standen auf und schlenderten zusammen den Gartenweg entlang. Zwei grün-weiße Schmetterlinge flatterten an ihnen vorbei, und im Birnbaum in der Ecke des Gartens begann eine Drossel zu singen.

»Sie freuen sich, daß Sie mich kennengelernt haben, Mr. Gray«, sagte Lord Henry und blickte ihn an.

»Ja, jetzt freue ich mich. Ich weiß nicht, ob ich mich immer freuen werde.«

»Immer! Das ist ein schreckliches Wort. Mich schaudert, wenn ich es höre. Die Frauen benutzen es besonders gern. Sie verderben jede Romanze, indem sie ihr Ewigkeit verleihen wollen. Überdies ist es ein sinnloses Wort. Der einzige Unterschied zwischen einer Laune und einer lebenslänglichen Leidenschaft besteht darin, daß die Laune ein wenig länger dauert.«

Als sie das Atelier betraten, legte Dorian Gray seine Hand auf Lord Henrys Arm. »Wenn dem so ist, dann soll unsere Freundschaft eine Laune sein«, murmelte er, errötend über seine Kühnheit, bestieg dann das Podest und nahm seine Pose wieder ein.

Lord Henry warf sich in einen großen Korbsessel und betrachtete ihn. Das Gleiten und Tupfen des Pinsels auf der Leinwand waren die einzigen Geräusche, welche die Stille unterbrachen, außer wenn Hallward hin und wieder zurücktrat, um sein Werk aus der Distanz zu prüfen. In den schrägen Strahlen, die durch die offene Tür einfielen, tanzte der Staub und färbte sich golden. Der schwere Duft der Rosen schien über allem zu lagern.

Nach ungefähr einer Viertelstunde hörte Hallward mit dem Malen auf, blickte lange auf Dorian Gray, dann lange auf das Bild, wobei er auf dem Stiel eines großen Pinsels herumbiß und die Stirn runzelte. »Es ist ganz fertig«, rief er schließlich aus, und sich niederbeugend setzte er in hohen roten Buchstaben seinen Namen in die linke Ecke der Leinwand.

Lord Henry trat hinzu und prüfte das Bild. Es war ohne Zweifel ein wunderbares Kunstwerk und obendrein von wunderbarer Ähnlichkeit.

»Mein Lieber, ich gratuliere Ihnen sehr herzlich«, sagte er. »Es ist das schönste Porträt unserer Zeit. Mr. Gray, kommen Sie doch her und schauen Sie selbst.«

Der junge Mann fuhr zusammen, als erwache er aus einem Traum. »Ist es wirklich fertig?« murmelte er und stieg vom Podest hinunter.

»Ganz fertig«, sagte der Maler. »Und Sie haben mir heute großartig Modell gestanden. Ich bin Ihnen dafür sehr verbunden.«

»Das haben Sie nur mir zu verdanken«, fiel Lord Henry ein. »Nicht wahr, Mr. Gray?«

Dorian gab keine Antwort, sondern trat lässig vor das Bild und wandte sich ihm zu. Als er es erblickte, wich er zurück, und seine Wangen röteten sich einen Augenblick lang vor Freude. Ein glücklicher Ausdruck trat in seine Augen, als ob er sich jetzt zum erstenmal erkannt hätte. Er stand reglos und voller Verwunderung da; undeutlich wurde ihm bewußt, daß Hallward zu ihm sprach, aber er erfaßte den Sinn seiner Worte nicht. Das Gefühl seiner eigenen Schönheit überkam ihn wie eine Offenbarung. Er hatte sie bis dahin noch nie empfunden. Die Komplimente Basil Hallwards waren ihm nur wie die liebenswürdigen Übertreibungen der Freundschaft vorgekommen. Er hatte sie sich angehört, über sie gelacht, sie wieder vergessen. Sie hatten sein Wesen nicht beeinflußt. Doch dann war Lord Henry Wotton gekommen mit seiner seltsamen Lobrede auf die Jugend, seiner schrecklichen Warnung vor ihrer kurzen Dauer. Das hatte ihn aufgerüttelt, und jetzt, da er das Abbild seiner eigenen Lieblichkeit anstarrte, ging ihm schlagartig die volle Wahrheit der Beschreibung auf. Ja, es würde einmal ein Tag kommen, an dem sein Gesicht verrunzelt und verwittert, seine Augen trübe und farblos, die Anmut seiner Gestalt gebrochen und entstellt wären. Das Scharlachrot würde aus seinen Lippen weichen und das Gold aus seinem Haar schwinden. Das Leben, das seine Seele formen sollte, würde seinen Körper verderben. Er würde abscheulich, widerwärtig und häßlich werden.

Als er daran dachte, durchdrang ihn ein scharfer Schmerz wie ein Messer und ließ jede feine Faser seines Wesens erzittern. Seine Augen wurden dunkel wie Amethyst, und ein Tränenschleier breitete sich über sie. Er hatte das Gefühl, als ob sich eine eiskalte Hand auf sein Herz legte.

»Gefällt es Ihnen nicht?« rief Hallward schließlich, ein wenig gereizt durch das Schweigen des Jungen, da er nicht begriff, was es bedeuten sollte.

»Natürlich gefällt es ihm«, sagte Lord Henry. »Wem würde es nicht gefallen? Es ist eines der größten Werke der modernen Kunst. Ich gebe Ihnen alles dafür, was Sie verlangen. Ich muß es haben.«

»Es gehört nicht mir, Harry.«

»Wem denn?«

»Dorian natürlich«, antwortete der Maler.

»Da hat er aber Glück.«

»Wie traurig es ist!« murmelte Dorian Gray, der noch immer auf sein Porträt starrte. »Wie traurig es ist! Ich werde alt und häßlich und widerwärtig werden. Aber dieses Bild bleibt immer jung. Es wird niemals älter werden, als es an diesem bestimmten Tag im Juni ist ... Wenn es doch nur umgekehrt wäre! Wenn ich stets jung bleiben könnte, und das Bild müßte altern! Dafür – dafür – würde ich alles hingeben! Ja, es gibt nichts in der Welt, was ich dafür nicht hingeben würde! Dafür würde ich sogar meine Seele hingeben!«

»Ein solcher Handel wäre kaum nach Ihrem Geschmack, Basil«, rief Lord Henry lachend. »Das wären ziemlich böse Aussichten für Ihr Werk.«

»Ich wäre sehr dagegen, Harry«, sagte Hallward.

Dorian Gray drehte sich um und sah ihn an. »Das glaube ich auch, Basil. Sie lieben Ihre Kunst mehr als Ihre Freunde. Ich bin für Sie nicht mehr als eine grüne Bronzestatue. Nicht einmal das, möchte ich behaupten.«

Der Maler war starr vor Verwunderung. Es paßte gar nicht zu Dorian, so zu reden. Was war geschehen? Er wirkte ganz aufgebracht. Sein Gesicht war gerötet, und seine Wangen brannten.

»Ja«, fuhr er fort, »ich bedeute Ihnen weniger als Ihr elfenbeinerner Hermes oder Ihr silberner Faun. Die werden Sie immer gern haben. Wie lange werden Sie mich gern haben? Bis ich die erste Runzel bekomme, nehme ich an. Das weiß ich jetzt: wenn man sein gutes Aussehen verliert, welcherart es auch sein mag, verliert man alles. Ihr Bild hat mich das gelehrt. Lord Henry Wotton hat vollkommen recht. Jugend ist das einzige, was zu besitzen sich lohnt. Wenn ich merke, daß ich alt werde, bringe ich mich um.«

Hallward wurde bleich und ergriff seine Hand. »Dorian! Dorian!« rief er, »so dürfen Sie nicht reden. Ich habe nie einen Freund wie Sie gehabt und werde so einen auch nie wieder haben. Sie sind doch nicht eifersüchtig auf leblose Dinge, oder? – Sie, der Sie schöner sind als alle zusammen!«

»Ich bin auf alles eifersüchtig, dessen Schönheit nicht untergeht. Ich bin eifersüchtig auf das Porträt, das Sie von mir gemalt haben. Warum soll es behalten, was ich verlieren muß? Jeder Augenblick, der vergeht, nimmt mir etwas und gibt ihm etwas. Oh, wenn es doch nur umgekehrt wäre! Wenn sich doch das Bild veränderte, und ich könnte stets so bleiben, wie ich heute bin! Warum haben Sie es gemalt? Eines Tages wird es mich verhöhnen – grausam verhöhnen!« Heiße Tränen stiegen ihm in die Augen; er riß seine Hand weg, warf sich auf den Diwan und vergrub sein Gesicht in den Kissen, als bete er.

»Das ist Ihr Werk, Harry«, sagte der Maler bitter.

Lord Henry zuckte die Achseln. »Das ist der wahre Dorian Gray – weiter nichts.«

»Nein.«

»Wenn nicht, was geht es dann mich an?«

»Sie hätten gehen sollen, als ich Sie darum bat«, murmelte er.

»Ich bin geblieben, als Sie mich darum baten«, war Lord Henrys Antwort.

»Harry, ich kann nicht mit meinen beiden besten Freunden gleichzeitig streiten, aber ihr beide habt dafür gesorgt, daß ich das beste Werk hasse, das ich jemals zustande gebracht habe, und ich werde es zerstören. Was ist es denn anders als Leinwand und Farbe? Ich will nicht, daß es sich in das Leben von uns dreien eindrängt und es zugrunde richtet.«

Dorian Gray hob sein goldenes Haupt von dem Kissen und beobachtete ihn mit bleichem Gesicht und tränenverschmierten Augen, als er zu dem Maltisch aus Tannenholz hinüberging, der unter dem hohen verhangenen Fenster stand. Was hatte er dort vor? Seine Finger wühlten in dem Gewirr von Zinntuben und trockenen Pinseln und suchten etwas. Ja, sie suchten nach dem langen Spatel mit der dünnen Klinge aus biegsamem Stahl. Endlich hatte er ihn gefunden. Er wollte die Leinwand zerfetzen.

Mit einem unterdrückten Schluchzen sprang der Junge von seiner Liegestatt auf, stürzte auf Hallward zu, riß ihm das Messer aus der Hand und schleuderte es in die Ecke des Ateliers. »Nicht, Basil, nicht!« schrie er. »Das wäre Mord!«

»Ich freue mich, daß Sie mein Werk am Ende doch zu schätzen wissen, Dorian«, sagte der Maler kalt, nachdem er sich von seiner Überraschung erholt hatte. »Das hätte ich nicht gedacht.«

»Schätzen? Ich liebe es, Basil. Es ist ein Teil von mir selber. Ich spüre es.«

»Nun, sobald Sie trocken sind, werden Sie gefirnißt und gerahmt und nach Hause geschickt. Dann können Sie mit sich machen, was Sie wollen.« Und er durchquerte das Zimmer und läutete nach dem Tee. »Sie trinken doch eine Tasse Tee, Dorian? Und Sie wohl auch, Harry? Oder haben Sie etwas gegen so einfache Genüsse?«

»Ich schwärme für einfache Genüsse«, sagte Lord Henry. »Sie sind die letzte Zuflucht der Komplizierten. Aber ich mag keine Szenen, außer auf der Bühne. Was seid ihr doch für alberne Kerle, ihr beiden! Wer hat bloß den Menschen als ein vernunftbegabtes Tier definiert? Das war die voreiligste Definition, die es je gegeben hat. Der Mensch ist vielerlei, aber vernunftbegabt ist er nicht. Im Grunde bin ich froh, daß er es nicht ist: allerdings wäre es mir lieb, wenn ihr zwei euch nicht über das Bild streiten wolltet. Sie würden es dann schon besser mir überlassen, Basil. Dieser dumme Junge braucht es eigentlich gar nicht, ich hingegen sehr.«

»Wenn Sie es einem anderen geben als mir, Basil, verzeihe ich Ihnen das nie!« rief Dorian Gray; »und ich gestatte es niemandem, mich einen dummen Jungen zu nennen.«

»Sie wissen doch, daß das Bild Ihnen gehört, Dorian. Ich habe es Ihnen geschenkt, noch ehe es existierte.«

»Und Sie wissen, daß Sie sich ein wenig dumm benommen haben, Mr. Gray, und daß Sie in Wirklichkeit nichts dagegen einzuwenden haben, wenn man Sie an Ihre große Jugend erinnert.«

»Heute morgen hätte ich noch sehr viel dagegen einzuwenden gehabt, Lord Henry.«

»Ah! heute morgen! Seitdem ist Ihr Leben weitergegangen.«

Es klopfte an der Tür, und der Butler trat mit einem vollen Tablett ein und stellte es auf einen kleinen japanischen Tisch. Tassen und Teller klapperten, und eine kannelierte georgische Teemaschine zischte. Ein junger Diener brachte zwei kugelförmige Porzellanschalen. Dorian ging hinüber und schenkte den Tee ein. Die beiden Männer schlenderten gemächlich zum Tisch und untersuchten, was sich unter den Deckeln befand.

»Gehen wir doch heute abend ins Theater«, sagte Lord

Henry. »Irgendwo ist bestimmt etwas los. Ich habe zwar versprochen, bei White zu essen, aber es handelt sich bloß um einen alten Freund, dem ich telegraphieren kann, ich sei krank oder wegen einer später getroffenen Verabredung verhindert. Ich finde, das wäre eine hübsche Entschuldigung: sie hätte den Überraschungseffekt der Ehrlichkeit.«

»Es ist so lästig, wenn man den Frack anziehen muß«, brummte Hallward. »Und wenn man ihn anhat, sieht man so gräßlich aus.«

»Ja«, entgegnete Lord Henry verträumt, »die Kleidung des neunzehnten Jahrhunderts ist abscheulich. Sie ist so düster, so deprimierend. Die Sünde ist der einzige echte Farbtupfen im Leben von heute.«

»Sie dürfen wirklich nicht solche Dinge vor Dorian sagen, Harry.«

»Vor welchem Dorian? Vor dem, der uns Tee eingießt, oder vor dem auf dem Bild?«

»Vor keinem von beiden.«

»Ich würde gerne mit Ihnen ins Theater gehen, Lord Henry«, sagte der Junge.

»Dann kommen Sie doch; und Sie gehen ebenfalls mit, Basil, nicht wahr?«

»Ich kann wirklich nicht. Ich möchte lieber nicht. Ich habe noch viel zu arbeiten.«

»Na schön, dann gehen wir beide eben allein, Mr. Gray.«

»Das tät ich schrecklich gern.«

Der Maler biß sich auf die Lippen und schritt, die Tasse in der Hand, zum Bild hinüber. »Ich bleibe hier bei dem echten Dorian«, sagte er traurig.

»Ist das der echte Dorian?« rief das Original des Porträts und schlenderte zu Hallward hinüber. »Bin ich wirklich so?«

»Ja, genau so sind Sie.«

»Wie wunderbar, Basil!«

»Zumindest sehen Sie ihm äußerlich gleich. Aber es wird sich niemals verändern«, seufzte Hallward. »Das ist immerhin etwas.«

»Was für ein Getue die Leute doch um die Treue machen!«

rief Lord Henry aus. »Und dabei ist sie selbst in der Liebe nur eine Frage der Physiologie. Sie hat nichts mit unserem Willen zu tun. Junge Leute wollen treu sein und sind es nicht; alte Leute wollen untreu sein und können es nicht: mehr ist dazu nicht zu sagen.«

»Gehen Sie heut abend nicht ins Theater, Dorian«, sagte Hallward. »Bleiben Sie und essen Sie mit mir.«

»Ich kann nicht, Basil.«

»Warum nicht?«

»Weil ich Lord Henry Wotton versprochen habe, ihn zu begleiten.«

»Er wird Sie nicht lieber mögen, weil Sie Ihr Versprechen halten. Er selber hält nie, was er versprochen hat. Ich bitte Sie, gehen Sie nicht.«

Dorian Gray lachte und schüttelte den Kopf.

»Ich flehe Sie an.«

Der junge Mann zögerte und blickte zu Lord Henry hinüber, der ihn vom Teetisch aus mit amüsiertem Lächeln beobachtete.

»Ich muß gehen, Basil«, antwortete er.

»Sehr schön«, sagte Hallward; er ging hinüber und stellte seine Tasse auf das Tablett. »Es ist schon ziemlich spät, und da ihr euch noch umziehen müßt, solltet ihr keine Zeit mehr verlieren. Auf Wiedersehen, Harry. Auf Wiedersehen, Dorian. Besuchen Sie mich bald wieder. Kommen Sie morgen.«

»Gewiß.«

»Sie vergessen es nicht?«

»Nein, natürlich nicht«, rief Dorian.

»Und … Harry !«

»Ja, Basil?«

»Denken Sie an das, worum ich Sie gebeten habe, als wir heute morgen im Garten waren.«

»Ich habe es vergessen.«

»Ich vertraue Ihnen.«

»Ich wollte, ich könnte mir selber vertrauen«, sagte Lord Henry lachend. »Kommen Sie, Mr. Gray, mein Wagen steht draußen, und ich kann Sie bei Ihrer Wohnung absetzen. Auf

Wiedersehen, Basil. Es war ein höchst interessanter Nachmittag.«

Als sich die Tür hinter den beiden geschlossen hatte, warf sich der Maler auf das Sofa, und ein schmerzlicher Ausdruck trat in sein Gesicht.

3. KAPITEL

Am nächsten Tag um halb eins schlenderte Lord Henry Wotton von der Curzon Street hinüber zum Albany, um dort seinen Onkel Lord Fermor zu besuchen, einen freundlichen, wenn auch etwas rauhbeinigen alten Junggesellen, den die Umwelt egoistisch nannte, weil sie keinen besonderen Nutzen von ihm hatte, der jedoch in der guten Gesellschaft als großzügig galt, da er die Leute, die ihn amüsierten, ernährte. Sein Vater war Gesandter in Madrid gewesen, als Isabella jung war und noch niemand an Prim dachte, aber er hatte den diplomatischen Dienst in einem kapriziösen Anfall von Verärgerung aufgegeben, weil man ihm nicht den Botschafterposten in Paris angeboten hatte, auf den er durch seine Geburt, seine Trägheit, das gepflegte Englisch seiner Depeschen und seine hemmungslose Vergnügungssucht einen Anspruch zu haben glaubte. Der Sohn, der seines Vaters Sekretär gewesen war, hatte zugleich mit seinem Chef den Dienst quittiert, was man damals für eine ziemlich törichte Entscheidung hielt, und als er einige Monate später sein Erbe antrat, widmete er sich ernsthaft dem Studium der hohen aristokratischen Kunst des absoluten Nichtstuns. Er besaß zwei stattliche Häuser in der Stadt, doch zog er es vor, möbliert zu wohnen, weil das weniger Ärger mit sich brachte, und speiste meistens im Klub. Er schenkte der Verwaltung seiner Zechen in den Midland-Grafschaften einige Aufmerksamkeit und entschuldigte sich für dieses anrüchige Gewerbe mit dem Hinweis, der einzige Vorteil, Kohlengruben zu besitzen, bestehe darin, daß ein Gentleman es sich dann leisten könne, in seinem eigenen Kamin Holz zu brennen. Was die Politik angeht, so war er ein Tory, außer wenn die Torys an der Regierung waren; in dieser Zeit schimpfte er sie glattweg eine Bande von Radikalen. Er war ein Held für seinen Kammerdiener, der ihn schikanierte, und ein

Schrecken für die meisten Verwandten, die er seinerseits schikanierte. Nur England konnte ihn hervorgebracht haben, und er behauptete ständig, das Land gehe vor die Hunde. Seine Grundsätze waren zwar überholt, aber zugunsten seiner Vorurteile ließ sich allerlei sagen.

Als Lord Henry ins Zimmer trat, sah er seinen Onkel in einem derben Jagdrock dasitzen, einen Stumpen rauchen und über der »Times« brummeln. »Na, Harry«, sagte der alte Herr, »was treibt dich denn so früh auf die Straße? Ich dachte, ihr Dandys steht nie vor zwei auf und werdet erst um fünf sichtbar.«

»Reine Familienanhänglichkeit, das kann ich dir versichern, Onkel George. Ich brauche etwas von dir.«

»Vermutlich Geld«, sagte Lord Fermor und verzog das Gesicht. »Nun, setz dich und erzähl mir alles. Die jungen Leute glauben heutzutage, Geld sei alles.«

»Ja«, murmelte Lord Henry und zupfte seine Knopflochblume zurecht, »und wenn sie älter werden, wissen sie es. Aber ich brauche kein Geld. Das brauchen nur Leute, die ihre Rechnungen bezahlen, Onkel George, und ich bezahle die meinen nie. Kredit ist das Kapital deines jüngeren Sohns, und damit läßt sich herrlich leben. Im übrigen kaufe ich immer nur bei Dartmoors Lieferanten, und folglich werde ich nie von ihnen behelligt. Was ich brauche, ist eine Auskunft: natürlich keine nützliche; nur eine ganz unnütze Auskunft.«

»Nun, ich kann dir alles sagen, was in einem englischen Blaubuch steht, Harry, obwohl die Leute heutzutage allerhand Unsinn zusammenschreiben. Als ich noch im diplomatischen Dienst war, stand es sehr viel besser darum. Aber wie ich höre, braucht man neuerdings ein Examen für die Zulassung. Was kann man da schon erwarten? Prüfungen, junger Mann, sind von Anfang bis Ende der reinste Humbug. Wenn jemand ein Gentleman ist, weiß er genug, und wenn er kein Gentleman ist, nützt ihm sein ganzes Wissen nichts.«

»Mr. Dorian Gray kommt in den Blaubüchern nicht vor, Onkel George«, sagte Lord Henry lässig.

»Mr. Dorian Gray? Wer ist das?« fragte Lord Fermor und zog die buschigen weißen Augenbrauen zusammen.

»Um das zu erfahren, bin ich ja gekommen, Onkel George. Oder vielmehr, ich weiß, wer er ist. Er ist der Enkel des letzten Lord Kelso. Seine Mutter war eine gewisse Devereux – Lady Margaret Devereux. Über sie möchte ich gerne etwas von dir hören. Wie sah sie aus? Wen hat sie geheiratet? Du hast doch in deiner Zeit nahezu jeden gekannt, also könntest du auch sie gekannt haben. Im Augenblick interessiere ich mich sehr für Mr. Gray. Ich habe ihn soeben erst kennengelernt.«

»Kelsos Enkel!« wiederholte der alte Herr, »Kelsos Enkel! … Natürlich … Ich habe seine Mutter sehr gut gekannt. Ich glaube, ich war bei ihrer Taufe. Sie war ein ungewöhnlich schönes Mädchen, diese Margaret Devereux, und versetzte alle Männer in Aufruhr, als sie mit einem völlig mittellosen jungen Kerl durchbrannte, einem Niemand, junger Mann, einem Subalternoffizier in einem Infanterieregiment oder dergleichen. Ja, so war's. Ich erinnere mich an die ganze Geschichte, als ob sie erst gestern passiert wäre. Der arme Teufel wurde ein paar Monate nach der Hochzeit in Spa bei einem Duell getötet. Es waren häßliche Gerüchte darüber im Umlauf. Es hieß, Kelso habe einen schurkischen Abenteurer, irgend so einen belgischen Rohling, engagiert, der seinen Schwiegersohn in aller Öffentlichkeit beleidigen sollte – er soll ihn dafür bezahlt haben, junger Mann, jawohl, bezahlt –, und dieser Kerl habe dann seinen Gegner abgestochen wie eine Taube. Die Sache wurde vertuscht, aber, na ja, Kelso mußte eine Zeitlang sein Kotelett im Klub allein essen. Er holte seine Tochter zurück, soviel ich weiß, doch sie hat nie wieder mit ihm gesprochen. O ja, das war eine üble Affäre. Im Jahr darauf starb dann auch das Mädchen. Sie hat also einen Sohn zurückgelassen? Das hatte ich vergessen. Was ist das für ein Junge? Wenn er seiner Mutter gleicht, muß er gut aussehen.«

»Er sieht sehr gut aus«, bestätigte Lord Henry.

»Hoffentlich kommt er in gute Hände«, fuhr der alte Herr

fort. »Auf ihn müßte ein Haufen Geld warten, wenn Kelso richtig für ihn vorgesorgt hat. Seine Mutter hatte ebenfalls Geld. Die ganze Besitzung Selby war über ihren Großvater an sie übergegangen. Ihr Großvater haßte Kelso, hielt ihn für einen gemeinen Hund. Das war er allerdings auch. Kam eines Tages nach Madrid, als ich dort war. Bei Gott, ich habe mich seinetwegen geschämt. Die Königin hat sich bei mir immer wieder nach dem englischen Adligen erkundigt, der sich ständig mit den Kutschern über den Fahrpreis stritt. Man machte eine große Geschichte daraus. Einen Monat lang habe ich es nicht gewagt, mich bei Hofe blicken zu lassen. Ich hoffe, er hat seinen Enkel besser behandelt als die Droschkenkutscher.«

»Das weiß ich nicht«, antwortete Lord Henry. »Doch ich kann mir vorstellen, daß es dem Jungen einmal ganz gut gehen wird. Er ist noch nicht volljährig. Selby gehört ihm, das weiß ich. Davon hat er mir erzählt. Und ... seine Mutter war sehr schön?«

»Margaret Devereux war eines der reizendsten Geschöpfe, die ich je gesehen habe, Harry. Warum in aller Welt sie sich so benommen hat, wie sie es tat, habe ich nie begreifen können. Sie hätte heiraten können, wen sie nur wollte. Carlington war ganz verrückt nach ihr. Doch sie war romantisch. Das waren in dieser Familie alle Frauen. Die Männer waren ein trübseliges Volk, aber die Frauen waren wunderbar, mein Gott! Carlington rutschte vor ihr auf den Knien. Hat er mir selber erzählt. Sie lachte ihn aus, und dabei gab es damals in London kein Mädchen, das nicht hinter ihm her gewesen wäre. Apropos, Harry, da wir gerade von verrückten Heiraten reden: was ist das für ein Unsinn, den mir dein Vater erzählt, daß Dartmoor eine Amerikanerin heiraten will? Sind ihm die englischen Mädchen nicht gut genug?«

»Es ist im Augenblick Mode, Amerikanerinnen zu heiraten, Onkel George.«

»Ich setze gegen die ganze Welt auf die englischen Frauen, Harry«, sagte Lord Fermor und schlug mit der Faust auf den Tisch.

»Die Wetten stehen gut für die Amerikanerinnen.«

»Sie halten nicht lange durch, wie ich höre«, murmelte sein Onkel.

»Ein langes Rennen erschöpft sie, aber beim Steeplechase sind sie großartig. Sie nehmen alle Hindernisse im Fluge. Ich glaube, daß Dartmoor keine Chance hat.«

»Wie steht es mit ihrer Familie?« knurrte der alte Herr. »Hat sie überhaupt eine?«

Lord Henry schüttelte den Kopf. »Amerikanische Mädchen verstehen es, ihre Eltern zu verheimlichen, so wie es die Engländerinnen verstehen, ihre Vergangenheit zu verheimlichen«, sagte er und wandte sich zum Gehen.

»Dann sind sie wohl Schweinefleischpacker?«

»Ich hoffe es, Onkel George, in Dartmoors Interesse. Wie ich gehört habe, ist in Amerika das Schweinefleischpacken nach der Politik der lukrativste Beruf.«

»Ist sie hübsch?«

»Sie benimmt sich, als wäre sie schön. Das tun die meisten Amerikanerinnen. Es ist das Geheimnis ihres Charmes.«

»Warum können diese Amerikanerinnen nicht zu Hause bleiben? Es heißt doch immer, dort sei das Paradies der Frauen.«

»Stimmt. Und das ist auch der Grund, warum sie so wahnsinnig versessen darauf sind hinauszukommen«, sagte Lord Henry. »Auf Wiedersehen, Onkel George. Ich komme zu spät zum Essen, wenn ich noch länger bleibe. Vielen Dank für die Auskunft, die ich brauchte. Ich möchte immer alles über meine neuen Freunde wissen und nichts über meine alten.«

»Wohin gehst du zum Essen, Harry?«

»Zu Tante Agatha. Ich habe Mr. Gray und mich selber eingeladen. Er ist ihr neuester Protegé.«

»Hm! Bestelle deiner Tante Agatha, sie solle mich mit ihren Wohltätigkeitsappellen in Ruhe lassen, Harry. Ich habe genug davon. Die Gute glaubt wohl, ich hätte nichts anderes zu tun, als Schecks für ihre albernen Marotten auszuschreiben.«

»Gut, Onkel George, ich werde es ihr ausrichten, aber es

wird nicht das geringste nützen. Philanthropen verlieren jedes Gefühl für Menschlichkeit. Das ist ihr Hauptcharakterzug.«

Der alte Herr brummte beifällig und läutete nach seinem Diener. Lord Henry ging durch die niedrige Arkade zur Burlington Street und wandte sich dann zum Berkeley Square.

Das also war die Geschichte von Dorian Grays Eltern. So plump sie ihm auch erzählt worden war, sie hatte ihn dennoch durch die Ahnung einer seltsamen, fast modernen Romantik gerührt. Eine schöne Frau, die für eine verrückte Leidenschaft alles aufs Spiel setzt. Ein paar ungestüme Wochen des Glücks, jäh beendet durch ein scheußliches, hinterhältiges Verbrechen. Monate stummer Agonie, und dann ein Kind, das unter Schmerzen geboren wird. Die Mutter vom Tod dahingerafft, der Knabe der Einsamkeit und der Tyrannei eines alten und lieblosen Mannes ausgeliefert. Ja, das war eine interessante Vorgeschichte. Sie rückte den Jungen ins rechte Licht, ließ ihn womöglich noch vollkommener erscheinen. Hinter allen Kostbarkeiten auf Erden stand etwas Tragisches. Welten müssen sich mühen, wenn die unscheinbarste Blume erblühen soll... Und wie bezaubernd er am Abend zuvor beim Essen war, als er ihm mit erregtem Blick und leicht geöffnetem Mund in schüchternem Entzücken gegenübersaß und die roten Lampenschirme das erwachende Wunder seines Gesichts in ein reicheres Rot tauchten. Das Gespräch mit ihm glich dem Spiel auf einer erlesenen Geige. Er reagierte auf jeden Druck und jedes Beben des Bogens... Es lag etwas ungeheuer Faszinierendes darin, seinen Einfluß spielen zu lassen. Nichts kam einer solchen Tätigkeit gleich. Seine Seele in eine anmutige Form zu projizieren und sie einen Augenblick lang darin verharren zu lassen; den Widerhall seiner eigenen intellektuellen Ansichten, bereichert um den Wohllaut leidenschaftlicher Jugend, zu vernehmen; sein eigenes Temperament auf einen anderen Menschen zu übertragen, als wäre es ein feines Fluidum oder ein fremdartiger Duft: das gewährte echte Freude – vielleicht die höchste Freude, die uns in einer so beschränkten und vulgären Zeit wie der unseren geblieben ist, in einer Zeit, die so grob sinnlich in ihren Genüssen und so grob ordinär in ihren Bestrebungen ist… Und er war ein wundervoller Typus, dieser Junge, den er durch einen so merkwürdigen Zufall in Basils Atelier kennengelernt hatte, oder er konnte jedenfalls zu einem wundervollen Typus umgeformt werden. Anmut besaß er und die weiße Reinheit der Knabenhaftigkeit und jene Schönheit, die uns die alten griechischen Marmorstatuen bewahrt haben. Nichts gab es, was man nicht aus ihm hätte machen können. Er ließ sich in einen Titanen oder ein Spielzeug verwandeln. Wie schade, daß eine solche Schönheit vergehen mußte! … Und Basil? Wie interessant er doch war in psychologischer Hinsicht! Der neue Kunststil, die neuartige Lebensanschauung, auf so seltsame Weise angeregt durch die bloß körperliche Gegenwart eines Menschen, der sich all dessen gar nicht bewußt war; der schweigende Geist, der im Dunkel des Waldes wohnt und ungesehen über das freie Feld schreitet, um sich plötzlich zu offenbaren, dryadengleich und ohne Furcht, weil in der Seele dessen, der ihn gesucht hat, jene wunderbare Hellsicht erwacht ist, der sich nur wunderbare Dinge enthüllen; die bloßen Gestalten und Muster der Dinge, die sich sozusagen verfeinern und einen symbolischen Wert erlangen, als wären sie selber die Muster einer anderen und vollkommeneren Form, deren Schatten durch sie Wirklichkeit gewann: wie seltsam war das alles! Er erinnerte sich an einen ähnlichen Vorgang in der Geschichte. War es nicht Plato, dieser Künstler des Denkens, der ihn als erster analysiert hatte? War es nicht Buonarroti, der ihn in den farbigen Marmor einer Sonettfolge gemeißelt hatte? Doch in unserem Jahrhundert ist er etwas Fremdes… Ja, er wollte versuchen, für Dorian Gray das zu sein, was der Junge, ohne es zu wissen, für den Maler war, der das herrliche Porträt geschaffen hatte. Er wollte danach streben, ihn zu beherrschen – zur Hälfte war es ihm ja bereits gelungen. Er wollte jenen wunderbaren Geist zu seinem eigenen machen. Es war etwas Faszinierendes um diesen Sohn der Liebe und des Todes.

Plötzlich hielt er inne und blickte zu den Häusern hinauf. Er entdeckte, daß er das Haus seiner Tante schon ein ganzes Stück hinter sich gelassen hatte, und kehrte um, wobei er über sich selber lächeln mußte. Als er die etwas düstere Empfangshalle betrat, teilte ihm der Butler mit, man sei bereits zu Tisch gegangen. Er übergab einem Lakaien seinen Hut und Stock und ging in das Speisezimmer.

»Spät wie immer, Harry«, rief seine Tante und schüttelte den Kopf.

Er erfand eine geschickte Entschuldigung, und nachdem er auf dem leeren Stuhl neben ihr Platz genommen hatte, schaute er in die Runde, um zu sehen, wer alles da war. Dorian verneigte sich schüchtern vom Ende des Tisches her; ein freudiges Erröten stahl sich dabei in seine Wangen. Gegenüber saß die Herzogin von Harley, eine bewundernswert gutmütige und gutgelaunte Dame, beliebt bei allen, die sie kannten, und von jenen ausladenden architektonischen Proportionen, welche die zeitgenössischen Schriftsteller bei Frauen, die keine Herzoginnen sind, als Beleibtheit bezeichnen. Rechts neben ihr hatte sich Sir Thomas Burdon niedergelassen, ein radikaler Parlamentsabgeordneter, der es im öffentlichen Leben mit seinem Parteichef, im privaten mit den besten Köchen hielt und in Befolgung einer weisen und allbekannten Regel mit den Torys speiste und mit den Liberalen dachte. Auf dem Platz zu ihrer Linken saß Mr. Erskine aus Treadley, ein überaus charmanter und kultivierter alter Herr, der sich allerdings das Schweigen zur schlechten Gewohnheit gemacht hatte, da er, wie er Lady Agatha einmal erklärte, schon vor seinem dreißigsten Lebensjahr alles gesagt hatte, was ihm zu sagen beschieden war. Seine Nachbarin wiederum war Mrs. Vandeleur, eine der ältesten Freundinnen seiner Tante, eine wahre Heilige unter den Frauen, aber so schrecklich schlampig, daß sie einen an ein schlecht gebundenes Gesangbuch erinnerte. Zu seinem Glück saß an ihrer anderen Seite Lord Faudel, ein ungemein intelligenter Durchschnittsmensch mittleren Alters, so kahl wie eine ministerielle Erklärung im Unterhaus, mit dem sie sich auf jene angestrengt ernsthafte Weise unterhielt, die, wie er selber einmal bemerkt hat, der einzige unverzeihliche Fehler ist, den alle wirklich guten Menschen begehen und den keiner von ihnen jemals völlig ablegen kann.

»Wir sprechen gerade von dem armen Dartmoor, Lord Henry«, rief die Herzogin, die ihm über die Tafel hinweg wohlwollend zunickte. »Meinen Sie, er wird diese faszinierende junge Person tatsächlich heiraten?«

»Ich glaube, sie ist entschlossen, ihm einen Antrag zu machen, Herzogin.«

»Wie entsetzlich!« rief Lady Agatha aus. »Da sollte man doch wirklich etwas unternehmen.«

»Ich habe von sehr gut informierter Seite gehört, daß ihr Vater in seinem Laden amerikanische Meterware verkauft«, sagte Sir Thomas Burdon mit hochmütiger Miene.

»Mein Onkel vermutete schon, es handle sich um eine Schweinefleischpackerei, Sir Thomas.«

»Meterware! Was ist das, amerikanische Meterware?« fragte die Herzogin, die erstaunt ihre großen Hände erhob und das Wort besonders betonte.

»Amerikanische Romane«, antwortete Lord Henry und nahm sich eine Portion Wachtel.

Die Herzogin machte ein verdutztes Gesicht.

»Seien Sie ihm nicht böse, meine Liebe«, flüsterte Lady Agatha. »Er meint nie, was er sagt.«

»Als Amerika entdeckt wurde«, sagte der radikale Abgeordnete und begann mit einer Darlegung langweiliger Fakten. Wie alle Menschen, die ein Thema erschöpfen möchten, erschöpfte er seine Zuhörer. Die Herzogin seufzte und übte ihr Vorrecht aus, ihn zu unterbrechen. »Ich wünschte bei Gott, es wäre nie entdeckt worden!« rief sie aus. »Wirklich, unsere Mädchen haben heutzutage gar keine Chance mehr. Das ist höchst ungerecht.«

»Vielleicht ist Amerika am Ende überhaupt nicht entdeckt worden«, sagte Mr. Erskine; »ich meinerseits möchte behaupten, daß es bloß gefunden wurde.«

»Oh! aber ich habe schon Exemplare der Bewohner gesehen«, entgegnete die Herzogin unbestimmt. »Ich muß gestehen, daß sie meistens ungewöhnlich hübsch waren. Und sie ziehen sich auch gut an. Sie kaufen ihre ganze Garderobe in Paris. Ich wäre froh, wenn ich mir das auch leisten könnte.«

»Es heißt, wenn gute Amerikaner sterben, gehen sie nach Paris«, kicherte Sir Thomas, der über einen großen Vorrat abgestandener Bonmots verfügte.

»Wirklich? Und wohin gehen die schlechten Amerikaner, wenn sie sterben?« erkundigte sich die Herzogin.

»Die gehen nach Amerika«, murmelte Lord Henry.

Sir Thomas runzelte die Stirn. »Ich habe das Gefühl, daß Ihr Neffe gegen dieses große Land voreingenommen ist«, sagte er zu Lady Agatha. »Ich habe es kreuz und quer bereist, und zwar in Wagen, die mir von den Direktoren zur Verfügung gestellt wurden; sie sind in solchen Fällen überaus zuvorkommend. Ich kann Ihnen versichern, daß ein solcher Besuch sehr bildend wirkt.«

»Aber muß man wirklich Chicago gesehen haben, um gebildet zu sein?« fragte Mr. Erskine bekümmert. »Ich fühle mich einer solchen Reise nicht gewachsen.«

Sir Thomas wedelte mit der Hand. »Mr. Erskine aus Treadley besitzt die Welt in seinen Bücherregalen. Wir Männer der Praxis müssen die Dinge sehen, nicht über sie lesen. Die Amerikaner sind ein außerordentlich interessantes Volk. Sie sind durch und durch vernünftig. Ich halte das für ihren maßgeblichen Wesenszug. Jawohl, Mr. Erskine, ein durch und durch vernünftiges Volk. Ich kann Ihnen versichern, bei den Amerikanern gibt es keinerlei Unsinn.«

»Wie schrecklich!« rief Lord Henry. »Mit roher Gewalt kann ich mich noch abfinden, aber rohe Vernunft ist ganz und gar unerträglich. Ihre Anwendung hat etwas Unfaires an sich. Sie ist ein Schlag unter die Gürtellinie des Intellekts.«

»Ich verstehe Sie nicht«, sagte Sir Thomas, und sein Gesicht lief ein wenig rot an.

»Ich schon, Lord Henry«, murmelte Mr. Erskine lächelnd.

»Paradoxe sind auf ihre Art ja ganz schön …«, versetzte der Baronet.

»War das ein Paradox?« fragte Mr. Erskine. »Mir kam es nicht so vor. Aber vielleicht war es doch eins. Nun, der Weg der Paradoxe ist der Weg der Wahrheit. Um die Wirklichkeit auf die Probe zu stellen, müssen wir sie auf dem Seil tanzen sehen. Wenn die Wahrheiten zu Akrobaten werden, können wir sie beurteilen.«

»Du meine Güte!« sagte Lady Agatha, »wie ihr Männer doch argumentiert! Ich muß zugeben, daß ich nie mitbekomme, worüber ihr eigentlich redet. Oh! Harry, ich bin ganz böse mit dir. Warum nur versuchst du unseren netten Mr. Gray zu überreden, er solle das East End im Stich lassen? Ich versichere dir, er wäre für uns von unschätzbarem Wert. Die Leute hören ihn so gern spielen.«

»Ich möchte, daß er für mich spielt«, rief Lord Henry lächelnd, schaute zum anderen Ende des Tisches hinüber und empfing von dort einen strahlenden Blick als Antwort.

»Aber die Menschen in Whitechapel sind so unglücklich«, fuhr Lady Agatha fort.

»Ich kann für alles Mitgefühl aufbringen, nur nicht für das Leiden«, sagte Lord Henry achselzuckend. »Dafür fehlt mir das Mitgefühl. Es ist zu häßlich, zu schrecklich, zu bedrückend. Das heutige Mitgefühl mit dem Schmerz hat etwas entsetzlich Morbides an sich. Man sollte Mitgefühl aufbringen für die Farbe, die Schönheit, die Lebensfreude. Je weniger über die wunden Stellen des Lebens geredet wird, desto besser.«

»Dennoch ist das East End ein sehr wichtiges Problem«, bemerkte Sir Thomas und schüttelte bedächtig den Kopf.

»Gewiß«, erwiderte der junge Lord. »Es ist das Problem der Sklaverei, und wir wollen es lösen, indem wir die Sklaven belustigen.«

Der Politiker sah ihn streng an. »Welche Änderung schlagen Sie denn vor?« fragte er.

Lord Henry lachte. »Ich habe nicht den Wunsch, irgend etwas in England zu ändern, mit Ausnahme des Wetters«, entgegnete er. »Ich begnüge mich durchaus mit philosophischen Betrachtungen. Aber da das neunzehnte Jahrhundert durch ein Übermaß an Mitgefühl bankrott gemacht hat, möchte ich vorschlagen, daß wir die Wissenschaft auffordern, uns wieder ins rechte Lot zu bringen. Der Vorzug der Gefühle besteht darin, daß sie uns in die Irre führen, und der Vorzug der Wissenschaft ist, daß sie nicht von Gefühlen bestimmt wird.«

»Uns ist aber doch eine so schwere Verantwortung auferlegt«, wandte Mrs. Vandeleur schüchtern ein.

»Eine furchtbar schwere«, wiederholte Lady Agatha.

Lord Henry blickte zu Mr. Erskine hinüber. »Die Menschlichkeit nimmt sich selber zu ernst. Das ist die Ursünde der Welt. Wenn der Höhlenmensch das Lachen gekannt hätte, wäre die Geschichte anders verlaufen.«

»Sie sind wirklich ein großer Trost«, flötete die Herzogin. »Ich kam mir immer ein bißchen schuldig vor, wenn ich Ihre liebe Tante besuchte, denn ich interessiere mich überhaupt nicht für das East End. In Zukunft kann ich ihr ins Gesicht sehen, ohne erröten zu müssen.«

»Erröten ist sehr kleidsam, Herzogin«, versetzte Lord Henry.

»Doch nur, solange man jung ist«, antwortete sie. »Wenn eine alte Frau wie ich errötet, dann ist das ein sehr schlechtes Zeichen. Ach! Lord Henry, ich wünschte, Sie könnten mir sagen, wie man wieder jung wird.«

Er dachte einen Augenblick nach. »Können Sie sich an einen großen Fehler erinnern, den Sie in Ihrer Jugend begangen haben, Herzogin?« fragte er, wobei er sie über den Tisch hinweg anblickte.

»Leider an sehr viele«, rief sie.

»Dann begehen Sie sie noch einmal«, sagte er ernst. »Um seine Jugend zurückzufinden, braucht man nur seine Dummheiten zu wiederholen.«

»Eine köstliche Theorie!« rief sie aus. »Die muß ich in die Tat umsetzen.«

»Eine gefährliche Theorie!« kam es von Sir Thomas' zusammengepreßten Lippen. Lady Agatha schüttelte den Kopf, konnte sich aber einer gewissen Belustigung nicht erwehren. Mr. Erskine lauschte.

»Ja«, fuhr Lord Henry fort, »das ist eines der großen Geheimnisse des Lebens. Heutzutage sterben die meisten Menschen an einer Art schleichender Vernünftigkeit, und erst wenn es zu spät ist, entdecken sie, daß unsere Fehler das einzige sind, was man niemals bereut.«

Ein Lachen lief um den Tisch.

Er spielte mit dem Gedanken und wurde immer mutwilliger; er warf ihn in die Luft und wandelte ihn ab; er ließ ihn entwischen und fing ihn wieder ein; er ließ ihn phantasievoll schillern und beflügelte ihn mit Paradoxen. Das Lob der Torheit schwang sich, während er weiterredete, zur Philosophie auf, und die Philosophie selber wurde wieder jung, und erfüllt von der besessenen Musik des Genusses und angetan mit ihrem weinbefleckten Gewand und ihrem Efeukranz, tanzte sie gleich einer Bacchantin dahin über die Hügel des Lebens und verspottete den schwerfälligen Silen ob seiner Nüchternheit. Tatsachen flohen vor ihr davon wie aufgescheuchte Waldgeister. Ihre weißen Füße stampften in der riesigen Kelter, an welcher der weise Omar hockt, bis der schäumende Rebensaft in Wogen purpurner Blasen um ihre nackten Glieder emporstieg oder als roter Gischt über die schwarzen, triefenden schrägen Seitenwände des Fasses rann. Es war eine ungewöhnliche Improvisation. Er spürte, daß die Augen Dorian Grays auf ihn gerichtet waren, und das Bewußtsein, daß sich unter den Zuhörern ein Mensch befand, dessen Sinn er zu fesseln wünschte, schien seinem Witz Schärfe und seiner Vorstellungskraft Farbe zu verleihen. Er war brillant, phantastisch, verantwortungslos. Er lockte seine Zuhörer aus sich heraus, und sie folgten lachend seiner Pfeife. Dorian Gray wandte nicht den Blick von ihm ab, sondern saß da wie gebannt, während ein Lächeln ums andere über seine Lippen huschte und das Staunen sich in seinen dunkelnden Augen vertiefte.

Schließlich betrat, angetan mit dem Gewand der Gegenwart, die Wirklichkeit in Gestalt eines Bediensteten den Raum, um der Herzogin mitzuteilen, daß ihr Wagen warte. Sie rang in komischer Verzweiflung die Hände. »Wie ärgerlich!« rief sie. »Ich muß gehen. Ich muß meinen Mann im

Klub abholen und mit ihm zu einer verrückten Sitzung bei Willis fahren, bei der er den Vorsitz führen soll. Wenn ich mich verspäte, gerät er bestimmt in Rage, und mit diesem Hut käme mir eine Szene sehr ungelegen. Er ist viel zu empfindlich. Ein grobes Wort würde ihn ruinieren. Nein, ich muß gehen, liebe Agatha. Auf Wiedersehen, Lord Henry, Sie sind ganz entzückend und schrecklich demoralisierend. Ich weiß wirklich nicht, was ich zu Ihren Ansichten sagen soll. Sie müssen einmal am Abend zu uns kommen und mit uns speisen. Dienstag? Sind sie am Dienstag frei?«

»Ihnen zuliebe würde ich jeden anderen versetzen, Herzogin«, sagte Lord Henry mit einer Verbeugung.

»Ach! das ist aber sehr nett und sehr unrecht von Ihnen«, rief sie; »also vergessen Sie nicht zu kommen«, und sie rauschte aus dem Zimmer, gefolgt von Lady Agatha und den übrigen Damen.

Als Lord Henry wieder Platz genommen hatte, kam Mr. Erskine um den Tisch herum, setzte sich auf einen Stuhl neben ihm und legte ihm die Hand auf den Arm.

»Sie reden ja besser als ein Buch«, sagte er; »warum schreiben Sie keins?«

»Ich lese zu gerne Bücher, um noch Lust zu haben, selber welche zu schreiben, Mr. Erskine. Ich würde allerdings gern einen Roman schreiben, einen Roman, der so köstlich wäre wie ein Perserteppich und ebenso unwirklich. Aber es gibt in England kein literarisches Publikum, außer für Zeitungen, Fibeln und Enzyklopädien. Von allen Völkern der Erde haben die Engländer am wenigsten Sinn für die Schönheit der Literatur.«

»Da haben Sie leider recht«, erwiderte Mr. Erskine. »Ich hatte auch einmal literarische Ambitionen, aber ich habe sie schon vor langer Zeit aufgegeben. Und nun, mein lieber junger Freund, sofern Sie mir gestatten, Sie so zu nennen, dürfte ich Sie fragen, ob Sie all das wirklich glauben, was Sie uns bei Tisch erzählt haben?«

»Mir ist völlig entfallen, was ich gesagt habe«, lächelte Lord Henry. »War es denn sehr schlimm?«

»Sehr schlimm, allerdings. Ich halte Sie in der Tat für äußerst gefährlich, und wenn unserer guten Herzogin etwas zustößt, werden wir alle in Ihnen den Hauptverantwortlichen sehen. Doch ich möchte mich mit Ihnen über das Leben unterhalten. Die Generation, in die ich hineingeboren wurde, war langweilig. Wenn Sie eines Tages von London genug haben, dann kommen Sie doch nach Treadley, um mir bei einem Glas herrlichen Burgunder, den zu besitzen ich mich glücklich schätze, Ihre Philosophie des Genusses zu erläutern.«

»Das wird mir ein Vergnügen sein. Ein Besuch auf Treadley wäre eine hohe Auszeichnung. Es hat einen vollkommenen Gastgeber und eine vollkommene Bibliothek.«

»Sie werden sie vervollständigen«, antwortete der alte Herr mit einer höflichen Verbeugung. »Doch jetzt muß ich mich von Ihrer trefflichen Tante verabschieden. Man erwartet mich im Athenaeum. Um diese Stunde schlafen wir dort alle.«

»Sie alle, Mr. Erskine?«

»Vierzig an der Zahl, in vierzig Klubsesseln. Wir trainieren für eine englische Akademie der Literatur.«

Lord Henry lachte und erhob sich. »Ich gehe in den Park«, rief er.

Als er in der Tür war, berührte ihn Dorian Gray am Arm. »Lassen Sie mich mitkommen«, murmelte er.

»Aber ich dachte, Sie hätten Basil Hallward versprochen, ihn zu besuchen«, entgegnete Lord Henry.

»Ich würde lieber mit Ihnen gehen; ja, ich spüre, ich muß mit Ihnen gehen. Schlagen Sie es mir bitte nicht ab. Und Sie versprechen mir, die ganze Zeit mit mir zu reden? Keiner spricht so wunderbar wie Sie.«

»Ach! ich habe für heute schon genug gesprochen«, sagte Lord Henry lächelnd. »Jetzt möchte ich mir nur noch das Leben anschauen. Wenn Sie wollen, können Sie mitkommen und es gemeinsam mit mir anschauen.«

4. KAPITEL

Einen Monat später hatte es sich Dorian Gray eines Nachmittags in einem schweren Sessel bequem gemacht, in der kleinen Bibliothek von Lord Henrys Haus in Mayfair. Es war in seiner Art ein sehr hübscher Raum mit seiner hohen Wandtäfelung aus olivgetönter Eiche, seinem cremefarbenen Fries und Plafond aus erhabener Stuckarbeit und seinem ziegelroten Filzboden, auf dem seidene Perserbrücken mit langen Fransen verteilt waren. Auf einem zierlichen Satinholztischchen stand eine Statuette von Clodion, und daneben lag eine Ausgabe von »Les Cent Nouvelles«, in einem Einband, den Clovis Eve für Margarete von Valois geschaffen hatte und der über und über bedeckt war mit goldenen Gänseblümchen, welche die Königin sich als Ornament ausgesucht hatte. Einige große blaue chinesische Vasen mit Papageientulpen waren auf dem Kaminsims aufgereiht, und durch die kleinen bleigefaßten Scheiben des Fensters strömte das aprikosenfarbene Licht eines Londoner Sommertages herein.

Lord Henry war noch nicht nach Hause gekommen. Er verspätete sich aus Prinzip, und dieses Prinzip besagte, daß Pünktlichkeit der Dieb der Zeit sei. Deshalb machte der junge Mann ein ziemlich verdrießliches Gesicht, während er mit lustlosen Fingern die Seiten einer kunstvoll illustrierten Ausgabe der »Manon Lescaut« umblätterte, die er in einem der Bücherschränke entdeckt hatte. Das feierliche, monotone Ticken der Louis-Quatorze-Uhr wurde ihm lästig. Ein paarmal dachte er daran, wieder fortzugehen.

Endlich hörte er draußen Schritte, und die Tür öffnete sich. »Sie kommen aber spät, Harry!« murmelte er.

»Es tut mir leid, aber es ist nicht Harry, Mr. Gray«, antwortete eine schrille Stimme.

Er blickte sich rasch um und sprang auf die Füße. »Verzeihen Sie bitte. Ich dachte –«

»Sie dachten, es sei mein Mann. Doch es ist nur seine Frau. Erlauben Sie, daß ich mich selber vorstelle. Ich kenne Sie recht gut von Ihren Photographien her. Ich glaube, mein Mann hat siebzehn davon.«

»Doch keine siebzehn, Lady Henry?«

»Nun, dann eben achtzehn. Und ich habe Sie neulich abends zusammen mit ihm in der Oper gesehen.« Sie lachte nervös beim Sprechen und beobachtete ihn mit ihren verschleierten Vergißmeinnichtaugen. Sie war eine sonderbare Frau, deren Kleider stets so aussahen, als wären sie in einem Wutanfall entworfen und in einem Sturm angezogen worden. Sie war für gewöhnlich in irgend jemanden verliebt, und da ihre Leidenschaften niemals erwidert wurden, hatte sie sich alle ihre Illusionen bewahrt. Sie versuchte pittoresk auszusehen, aber es gelang ihr nur, ungepflegt zu wirken. Sie hieß Victoria und hatte eine regelrechte Manie, in die Kirche zu gehen.

»Das war wohl im ›Lohengrin‹, Lady Henry?«

»Ja; es war im lieben ›Lohengrin‹. Ich liebe Wagners Musik mehr als jede andere. Sie ist so laut, daß man die ganze Zeit über reden kann, ohne daß die anderen Leute hören, was man sagt. Das ist ein großer Vorteil: finden Sie nicht auch, Mr. Gray?«

Dasselbe nervöse Stakkatolachen kam von ihren schmalen Lippen, und ihre Finger begannen mit einem langen Brieföffner aus Schildpatt zu spielen.

Dorian lächelte und schüttelte den Kopf: »Ich bin da leider etwas anderer Meinung, Lady Henry. Ich rede niemals bei Musik – zumindest nicht bei guter Musik. Wenn man schlechte Musik hört, hat man freilich die Pflicht, sie durch Konversation zu übertönen.«

»Ah! das ist eine von Harrys Ansichten, nicht wahr, Mr. Gray? Harrys Ansichten höre ich immer von seinen Freunden. Aber Sie dürfen nicht glauben, ich hätte für gute Musik nichts übrig. Ich schwärme für sie, aber ich habe Angst vor ihr. Sie stimmt mich so romantisch. Ich habe Pianisten richtig angebetet – manchmal zwei zur selben Zeit, wie Harry behauptet. Ich weiß nicht, was an ihnen Besonderes ist. Vielleicht liegt es daran, daß sie Ausländer sind. Das sind sie doch alle, oder? Selbst die in England geborenen werden nach einiger Zeit Ausländer, nicht wahr? Das ist sehr klug von ihnen und gereicht der Kunst zur Ehre. Dadurch wird sie ganz kosmopolitisch, nicht wahr? Sie sind noch nie auf einer meiner Gesellschaften gewesen, Mr. Gray, oder? Sie müssen einmal kommen. Ich kann mir keine Orchideen leisten, aber bei Ausländern scheue ich keine Kosten. Sie bringen so etwas Pittoreskes in die eigenen vier Wände. Doch da kommt Harry! Harry, ich habe bei dir hereingeschaut, um dich etwas zu fragen – ich habe vergessen, was es war –, und da fand ich Mr. Gray vor. Wir haben ganz reizend über Musik geplaudert. Wir haben die gleichen Ansichten. Nein; ich glaube, unsere Ansichten sind völlig verschieden. Aber er war ganz reizend. Ich bin ja so froh, daß ich ihn kennengelernt habe.«

»Ich bin entzückt, Liebling, ganz entzückt«, sagte Lord Henry, der seine halbmondförmigen Brauen hob und die beiden mit einem amüsierten Lächeln betrachtete. »Tut mir leid, daß ich so spät komme, Dorian. Ich habe mir in der Wardour Street einen alten Brokat angeschaut und mußte stundenlang darum feilschen. Heutzutage kennen die Leute von allem den Preis und von nichts den Wert.«

»Ich muß jetzt leider gehen«, rief Lady Henry aus und unterbrach ein peinliches Schweigen mit ihrem plötzlichen albernen Lachen. »Ich habe der Herzogin versprochen, mit ihr auszufahren. Auf Wiedersehen, Mr. Gray. Auf Wiedersehen, Harry. Du speist wohl auswärts, nehme ich an? Ich ebenfalls. Vielleicht sehe ich dich bei Lady Thornbury.«

»Kann schon sein, Liebling«, sagte Lord Henry und schloß die Tür hinter ihr, als sie gleich einem Paradiesvogel, der die ganze Nacht draußen im Regen zugebracht hat, aus dem Zimmer wischte, einen Hauch von Jasminparfüm hinter sich lassend. Dann zündete er sich eine Zigarette an und warf sich auf das Sofa. »Heiraten Sie nie eine Frau mit strohblondem Haar, Dorian«, sagte er nach ein paar Zügen.

»Warum nicht, Harry?«

»Weil sie so sentimental sind.«

»Aber ich mag sentimentale Menschen.«

»Heiraten Sie überhaupt nicht, Dorian. Die Männer heiraten, weil sie müde, die Frauen, weil sie neugierig sind: beide werden enttäuscht.«

»Ich halte es für nicht sehr wahrscheinlich, daß ich heiraten werde, Harry. Ich bin zu verliebt. Das ist einer Ihrer Aphorismen. Ich setze ihn in die Tat um, wie alles, was Sie sagen.«

»In wen haben Sie sich verliebt?« fragte Lord Henry nach einer Pause.

»In eine Schauspielerin«, sagte Dorian Gray errötend.

Lord Henry zuckte die Achseln. »Das ist ein ziemlich gewöhnliches Debüt.«

»Das würden Sie nicht sagen, wenn Sie sie gesehen hätten, Harry.«

»Wer ist sie denn?«

»Sie heißt Sibyl Vane.«

»Nie von ihr gehört.«

»Das hat niemand. Doch eines Tages wird man von ihr hören. Sie ist ein Genie.«

»Mein lieber Junge, keine Frau ist ein Genie. Die Frauen sind ein dekoratives Geschlecht. Sie haben nichts zu sagen, aber sie sagen es auf charmante Weise. Die Frauen verkörpern den Triumph der Materie über den Geist, so wie die Männer den Triumph des Geistes über die Moral verkörpern.«

»Harry, wie können Sie nur?«

»Mein lieber Dorian, es ist vollkommen richtig. Ich bin im Augenblick dabei, die Frauen zu analysieren, also sollte ich es wissen. Das Problem ist nicht so kompliziert, wie ich anfangs dachte. Ich glaube, daß es letzten Endes nur zwei Sorten von Frauen gibt, die unscheinbaren und die angemalten. Die unscheinbaren sind sehr nützlich. Wenn man in den Ruf der Ehrbarkeit kommen will, braucht man sie nur zum Abendessen auszuführen. Die anderen Frauen sind hingegen höchst reizvoll. Sie machen allerdings einen Fehler. Sie malen sich an, um jung zu wirken. Unsere Großmütter malten sich an, um brillante Konversation zu treiben. Rouge und Esprit gingen damals Hand in Hand. Damit ist es heute vorbei. Solange eine Frau zehn Jahre jünger aussehen kann als ihre eigene Tochter, ist sie völlig mit sich zufrieden. Und was die Konversation angeht, so gibt es in London nur fünf Frauen, mit denen sich eine Unterhaltung lohnt, und zwei davon finden keinen Zugang zur feinen Gesellschaft. Doch erzählen Sie mir von Ihrem Genie. Wie lange kennen Sie sie schon?«

»Ach! Harry, Ihre Ansichten erschrecken mich.«

»Das macht nichts. Wie lange kennen Sie sie schon?«

»Ungefähr drei Wochen.«

»Und wo ist sie Ihnen über den Weg gelaufen?«

»Ich will es Ihnen sagen, Harry; aber Sie dürfen dabei nicht so gefühllos sein. Schließlich wäre es nie dazu gekommen, wenn ich Ihnen nicht begegnet wäre. Sie haben mich mit einem wilden Verlangen erfüllt, das Leben ganz kennenzulernen. Noch tagelang nach meiner Begegnung mit Ihnen schien etwas in meinen Adern zu pulsieren. Wenn ich im Park umherbummelte oder den Piccadilly entlangschlenderte, sah ich mir alle Vorübergehenden an und fragte mich mit verrückter Neugier, was für ein Leben sie wohl führten. Manche von ihnen faszinierten mich. Andere flößten mir Entsetzen ein. Es lag ein köstliches Gift in der Luft. Mich befiel eine leidenschaftliche Begierde nach Sensationen… Nun, eines Abends gegen sieben Uhr beschloß ich, auf die Suche nach Abenteuern zu gehen. Ich spürte, daß unser graues, ungeheures London mit seinen Myriaden von Menschen, seinen schmutzigen Sündern und seinen glänzenden Sünden, wie Sie es einmal ausgedrückt haben, irgend etwas für mich bereithalten müsse. Ich malte mir tausend Dinge aus. Schon das Gefühl der Gefahr verschaffte mir ein Gefühl des Entzückens. Ich erinnerte mich an das, was Sie an jenem wunderbaren Abend gesagt haben, als wir zum erstenmal zusammen speisten, daß nämlich die Suche nach der Schönheit das einzige echte Geheimnis des Lebens sei. Ich weiß nicht, was ich erwartete, aber ich ging fort und wanderte nach Osten, und schon bald verlor sich mein Weg in einem Labyrinth schmutziger Straßen und schwarzer Plätze, auf denen kein Gras wuchs. Gegen halb neun kam ich an einem lächerlich kleinen Theater mit flackernden großen Gaslaternen und geschmacklosen Plakaten vorüber. Ein widerlicher Jude, angetan mit dem absonderlichsten Rock, den ich je im Leben gesehen habe, stand vor dem Eingang und rauchte eine billige Zigarre. Er hatte schmierige Ringellöckchen, und mitten auf dem schmuddeligen Hemd funkelte ein riesiger Diamant. ›Eine Loge gefällig, Mylord?‹ sagte er, als er meiner ansichtig wurde, und zog mit einer Miene großspuriger Unterwürfigkeit den Hut. Er hatte etwas an sich, Harry, was mich amüsierte. Er war ein ausgemachtes Scheusal. Ich weiß, Sie werden mich auslachen, aber ich ging hinein und bezahlte eine ganze Guinee für eine Proszeniumsloge. Bis heute kann ich mir nicht erklären, warum ich es tat; und doch, wäre ich nicht hineingegangen – mein lieber Harry, wäre ich nicht hineingegangen, so hätte ich die größte Romanze meines Lebens verpaßt. Ich sehe, Sie lachen. Das ist abscheulich von Ihnen!«

»Ich lache nicht, Dorian; zumindest lache ich nicht über Sie. Aber Sie sollten nicht von der größten Romanze Ihres Lebens sprechen. Sie sollten sagen: die erste Romanze Ihres Lebens. Sie werden immer geliebt werden, und Sie werden stets verliebt in die Liebe sein. Eine *grande passion* ist das Vorrecht von Leuten, die nichts zu tun haben. Das ist das einzige, wozu die müßiggängerischen Klassen eines Landes gut sind. Haben Sie keine Angst. Köstliche Dinge stehen für Sie bereit. Das ist bloß ein Anfang.«

»Halten Sie mein Wesen für so seicht?« rief Dorian Gray verärgert.

»Nein, ich halte Ihr Wesen für so tief.«

»Wie meinen Sie das?«

»Mein lieber Junge, die Menschen, die nur einmal in ihrem Leben lieben, sind in Wirklichkeit die Seichten. Was sie ihre Anhänglichkeit und ihre Treue nennen, das nenne ich entweder die Lethargie der Gewohnheit oder ihren Mangel an Phantasie. Treue ist für das Gefühlsleben das gleiche wie Konsequenz für den Intellekt – nichts weiter als ein Eingeständnis des Versagens. Treue! Ich muß sie einmal analysieren. In ihr steckt Besitzleidenschaft. Es gibt vieles, was wir wegwerfen würden, falls wir nicht Angst hätten, daß andere es aufheben könnten. Doch ich wollte Sie nicht unterbrechen. Erzählen Sie weiter.«

»Nun, da saß ich in einer scheußlichen kleinen Privatloge, und ein ordinärer Vorhang starrte mich an. Ich schaute hinter der Portiere hervor und überblickte das Haus. Es war eine schäbige Angelegenheit, lauter Cupidos und Füllhörner, wie ein drittklassiger Hochzeitskuchen. Die Galerie und das Parkett waren ziemlich voll, aber die beiden schmutzigen Sperrsitzreihen waren ganz leer, und im sogenannten ersten Rang saß kaum ein Mensch. Frauen mit Orangen und Ingwerbier gingen umher, und überall wurden schrecklich viele Nüsse konsumiert.«

»Es muß genauso gewesen sein wie in den großen Zeiten des englischen Theaters.«

»Ganz genauso, könnte ich mir vorstellen, und sehr deprimierend. Ich überlegte schon, was in aller Welt ich machen sollte, da fiel mein Blick auf das Theaterprogramm. Was glauben Sie, wie das Stück hieß, Harry?«

»Ich tippe auf ›Der jugendliche Idiot oder Stumm, aber unschuldig‹. Unsere Väter liebten solche Stücke, glaube ich. Je länger ich lebe, um so stärker wird mir bewußt, daß all das, was für unsere Väter gut genug war, für uns nicht gut genug ist. In der Kunst, wie in der Politik, *les grandpères ont toujours tort.*«

»Dieses Stück war gut genug für uns, Harry. Es war ›Romeo und Julia‹. Ich muß gestehen, mir war die Vorstellung, eine Shakespeare-Aufführung in einem so elenden Loch zu erleben, ziemlich unbehaglich. Dennoch war ich irgendwie interessiert. Jedenfalls beschloß ich, den ersten Akt abzuwarten. Man hatte ein entsetzliches Orchester aufgeboten, das von einem jungen Hebräer vor einem verstimmten Klavier geleitet wurde und das mich beinahe verjagt hätte, doch dann ging der Vorhang auf, und die Aufführung begann. Romeo war ein untersetzter älterer Herr mit geschwärzten Augenbrauen, einer heiseren Tragödenstimme und einer Figur wie ein Bierfaß. Mercutio stand ihm kaum nach. Er wurde vom Komiker gespielt, der frei erfundene Witze einstreute und mit dem Parkett auf allerbestem Fuße stand. Die beiden waren so grotesk wie das Bühnenbild, und das sah aus, als entstammte es einer Marktbude auf dem Lande. Aber die Julia! Harry, stellen Sie sich ein kaum siebzehnjähriges Mädchen vor, mit einem kleinen, blumengleichen Gesicht, einem schmalen griechischen Kopf, umrahmt von dunkelbraunen Flechten, mit Augen, die veilchenblaue Brunnen der Leidenschaft waren, und Lippen, die Rosenblättern glichen. Sie war das lieblichste Geschöpf, das ich in meinem Leben jemals gesehen habe. Sie haben mir einmal erklärt, daß Pathos sie ungerührt lasse, aber daß Schönheit, bloße Schönheit, Ihnen Tränen in die Augen treiben könne. Ich sage Ihnen, Harry, ich konnte das Mädchen durch den Tränenschleier, der sich über meine Augen legte, kaum noch erkennen. Und ihre Stimme – ich hatte noch nie eine solche Stimme gehört. Anfangs war sie sehr leise, mit tiefen, vollen Tönen, die einem einzeln ans Ohr zu dringen schienen. Dann wurde sie ein wenig lauter und klang wie eine Flöte oder eine ferne Oboe. In der Gartenszene hatte sie die ganze bebende Verzückung, wie man sie kurz vor Tagesanbruch vernimmt, wenn die Nachtigallen schlagen. Und später gab es Momente, in denen sie die wilde Leidenschaft von Geigen annahm. Sie wissen, wie sehr eine Stimme einen erregen kann. Ihre Stimme und die Stimme von Sibyl Vane sind zwei Dinge, die ich niemals vergessen werde. Wenn ich die Augen schließe, höre ich sie, und jede von beiden sagt etwas anderes. Ich weiß nicht, welcher ich folgen soll. Warum sollte ich sie nicht lieben? Harry, ich liebe sie. Sie ist für mich alles im Leben. Abend für Abend gehe ich hin, um sie spielen zu sehen. An einem Abend ist sie Rosalinde und am nächsten Imogen. Ich habe sie sterben sehen im Dunkel einer italienischen Gruft, das Gift von den Lippen des Geliebten saugend. Ich habe ihr zugeschaut, wie sie durch den Ardennerwald wanderte, verkleidet als hübscher Knabe, mit Kniehose und Wams und schmuckem Barett. Sie war eine Wahnsinnige und trat hin vor einen schuldigen König und gab ihm Rauten zu tragen und bittere Kräuter zu kosten. Sie war unschuldig, und die schwarzen Hände der Eifersucht haben ihren schilfrohrgleichen Hals zugedrückt. Ich habe sie in jedem Zeitalter und in jedem Kostüm gesehen. Gewöhnliche Frauen regen nie unsere Phantasie an. Sie bleiben auf ihr Jahrhundert beschränkt. Kein Zauberglanz kann sie jemals verwandeln. Man kennt ihre Seele ebenso schnell wie ihre Hüte. Man begegnet ihnen jederzeit. Keine einzige ist von einem Geheimnis umgeben. Sie reiten am Morgen im Park aus und schwatzen nachmittags auf ihren Teegesellschaften. Sie verfügen über ihr stereotypes Lächeln und ihre eleganten Manieren. Man kann sie sofort durchschauen. Aber eine Schauspielerin! Wie anders ist doch eine Schauspielerin. Harry! warum haben Sie mir nicht gesagt, daß nur eine Schauspielerin verdient, geliebt zu werden?«

»Weil ich schon so viele von ihnen geliebt habe, Dorian.«

»Ach ja, gräßliche Personen mit gefärbtem Haar und angemalten Gesichtern.«

»Reden Sie nicht schlecht von gefärbtem Haar und angemalten Gesichtern. Darin liegt ein außerordentlicher Reiz, manchmal«, sagte Lord Henry.

»Jetzt wünschte ich, ich hätte Ihnen nicht von Sibyl Vane erzählt.«

»Sie hätten gar nicht anders gekonnt, Dorian. Ihr Leben lang werden Sie mir alles erzählen, was Sie tun.«

»Ja, Harry, ich glaube, das ist wahr. Ich kann nicht umhin, Ihnen alles zu erzählen. Sie üben einen seltsamen Einfluß auf mich aus. Sollte ich jemals ein Verbrechen begehen, so würde ich kommen und es Ihnen gestehen. Sie würden mich verstehen.«

»Menschen wie Sie – die launischen Sonnenstrahlen des Lebens – begehen keine Verbrechen, Dorian. Aber ich bin Ihnen trotzdem sehr verbunden für das Kompliment. Und nun erzählen Sie mir – seien Sie bitte so gut und reichen Sie mir die Zündhölzer: danke –, wie ihre tatsächlichen Beziehungen zu Sibyl Vane aussehen.«

Dorian Gray sprang auf die Füße, mit geröteten Wangen und brennenden Augen. »Harry! Sibyl Vane ist heilig!«

»Nur heilige Dinge sind es wert, daß man sie anrührt, Dorian«, sagte Lord Henry mit einem sonderbaren Anflug von Pathos in der Stimme. »Aber warum regen Sie sich auf? Ich nehme an, daß sie Ihnen eines Tages gehören wird. Wenn man verliebt ist, betrügt man anfangs immer sich selber und am Ende die anderen. Das nennt dann die Welt eine Romanze. Doch jedenfalls haben Sie sie kennengelernt, nehme ich an?«

»Natürlich habe ich sie kennengelernt. Am ersten Abend, als ich im Theater war, kam der gräßliche alte Jude nach der Vorstellung zu mir in die Loge und erbot sich, mich hinter die Kulissen zu begleiten und mich ihr vorzustellen. Ich war wütend auf ihn und sagte ihm, Julia sei seit Hunderten von Jahren tot und ihr Leichnam ruhe in einer Marmorgruft in Verona. Nach dem leeren Ausdruck der Verwunderung in seinem Gesicht zu schließen, hatte er wohl den Eindruck, ich hätte zuviel Champagner oder dergleichen getrunken.«

»Das überrascht mich nicht.«

»Dann fragte er mich, ob ich für irgendwelche Zeitungen schriebe. Ich gab ihm zur Antwort, daß ich sie nicht einmal läse. Er war darüber offenbar furchtbar enttäuscht und vertraute mir an, daß sich sämtliche Theaterkritiker gegen ihn verschworen hätten und daß sie alle ohne Ausnahme käuflich seien.«

»Es sollte mich nicht wundern, wenn er damit recht gehabt hätte. Doch andererseits, wenn man nach ihrem Äußeren urteilt, dürften die meisten nicht sonderlich teuer sein.«

»Nun, er schien jedenfalls der Meinung zu sein, daß sie seine Mittel überstiegen«, lachte Dorian. »Inzwischen wurden jedoch im Theater die Lichter gelöscht, und ich mußte gehen. Er bot mir einige Zigarren an, die er nachdrücklich empfahl. Am darauffolgenden Abend war ich natürlich wieder zur Stelle. Als er mich erblickte, verbeugte er sich tief vor mir und versicherte mir, ich sei ein großzügiger Mäzen der Kunst. Er ist ein abscheuliches Ekel, obwohl er eine ungewöhnliche Leidenschaft für Shakespeare hegt. Einmal erzählte er mir mit stolzer Miene, er habe seine fünf Pleiten ausschließlich dem ›Barden‹ zu verdanken, wie er ihn beharrlich nannte. Das schien in seinen Augen eine Auszeichnung zu sein.«

»Es ist eine Auszeichnung, mein lieber Dorian – eine große Auszeichnung. Die meisten Leute machen pleite, weil sie zuviel in die Prosa des Lebens investieren. Sich durch Poesie zu ruinieren ist eine Ehre. Doch wann haben Sie zum erstenmal mit Sibyl Vane gesprochen?«

»Am dritten Abend. Sie hatte die Rosalinde gespielt. Ich mußte einfach hinter die Bühne gehen. Ich hatte ihr ein paar Blumen zugeworfen, und sie hatte mich angeschaut; wenigstens bildete ich mir das ein. Der alte Jude blieb hartnäckig. Er war offenbar entschlossen, mich nach hinten zu führen, also willigte ich ein. Es ist merkwürdig, daß ich sie nicht kennenlernen wollte, nicht wahr?«

»Nein, das finde ich nicht.«

»Wieso nicht, mein lieber Harry?«

»Das erkläre ich Ihnen ein andermal. Jetzt möchte ich etwas über das Mädchen erfahren.«

»Sibyl? Oh, sie war so schüchtern und so sanft. Sie hat etwas von einem Kind an sich. Ihre Augen öffneten sich weit vor köstlichem Staunen, als ich ihr sagte, was ich von ihrem Spiel hielte, und sie schien sich ihrer Macht gar nicht bewußt zu sein. Ich glaube, wir waren beide ziemlich nervös. Der alte Jude stand grinsend in der Tür der staubigen Garderobe und erging sich über uns beide in wohlgesetzten Reden, während wir einander ansahen wie Kinder. Er bestand darauf, mich mit ›Mylord‹ anzureden, und ich mußte Sibyl klarmachen, daß ich nichts dergleichen sei. Sie sagte ganz schlicht zu mir: ›Sie sehen eher wie ein Prinz aus. Ich muß Sie Märchenprinz nennen.‹«

»Auf mein Wort, Dorian, Miß Sibyl versteht sich aufs Komplimentemachen.«

»Sie verstehen sie nicht, Harry. Sie sah in mir nur eine Person aus einem Theaterstück. Sie hat keine Ahnung vom Leben. Sie wohnt bei ihrer Mutter, einer verblichenen müden Frau, die am ersten Abend in einer Art magentarotem Morgenrock die Lady Capulet spielte und den Eindruck macht, als hätte sie einmal bessere Tage gesehen.«

»Dieses Aussehen kenne ich. Es deprimiert mich«, murmelte Lord Henry und betrachtete dabei prüfend seine Ringe.

»Der Jude wollte mir ihre Geschichte erzählen, doch ich sagte ihm, sie interessiere mich nicht.«

»Damit hatten Sie völlig recht. Die Tragödien anderer Menschen haben stets etwas unendlich Niedriges an sich.«

»Sibyl ist das einzige, woran mir etwas liegt. Was geht es mich an, woher sie kommt? Von ihrem kleinen Kopf bis zu ihren kleinen Füßen ist sie absolut und vollkommen göttlich. Jeden Abend meines Lebens gehe ich hin, um sie spielen zu sehen, und jeden Abend ist sie wunderbarer.«

»Das ist wohl der Grund, weshalb Sie neuerdings nicht mehr mit mir speisen. Ich habe mir schon gedacht, daß bei Ihnen irgendeine seltsame Romanze im Gange wäre. Das stimmt also; aber es ist nicht ganz das, was ich erwartet habe.«

»Mein lieber Harry, wir essen doch jeden Tag gemeinsam entweder zu Mittag oder zu Abend, und ich war schon mehrmals mit Ihnen in der Oper«, sagte Dorian und riß verwundert die blauen Augen auf.

»Sie kommen stets entsetzlich spät.«

»Nun, ich muß einfach Sibyl spielen sehen«, rief er, »und sei es auch nur einen einzigen Akt lang. Ich hungere nach ihrer Gegenwart; und wenn ich an die wunderbare Seele denke, die sich in diesem zierlichen Elfenbeinkörper verbirgt, überkommt mich Ehrfurcht.«

»Heute abend können Sie doch mit mir essen, Dorian, oder nicht?«

Er schüttelte den Kopf. »Heute abend ist sie Imogen«, entgegnete er, »und morgen abend wird sie Julia sein.«

»Und wann ist sie Sibyl Vane?«

»Niemals.«

»Da gratuliere ich Ihnen.«

»Wie abscheulich Sie sind! Sie ist die Verkörperung aller großen Heroinen der Welt. Sie ist mehr als ein Einzelmensch. Sie lachen, aber ich sage Ihnen, daß sie Genie hat. Ich liebe sie, und ich muß erreichen, daß sie auch mich liebt. Sie, der Sie alle Geheimnisse des Lebens kennen, sagen Sie mir doch, wie ich Sibyl Vane so bezaubern kann, daß sie mich liebt! Ich möchte Romeo eifersüchtig machen. Ich möchte, daß die toten Liebhaber der Welt unser Lachen hören und traurig werden. Ich möchte, daß ein Hauch unserer Leidenschaft ihrem Staub Bewußtsein einflößt und ihre Asche zum Leiden erweckt. Mein Gott, Harry, wie ich sie anbete!« Bei diesen Worten war er im Zimmer auf und ab gegangen. Hektische rote Flecken brannten auf seinen Wangen. Er war schrecklich erregt.

Lord Henry beobachtete ihn mit einem feinen Gefühl des Genusses. Wie verschieden war er doch jetzt von dem scheuen, erschreckten Knaben, den er in Basil Hallwards Atelier kennengelernt hatte! Seine Natur hatte sich entfaltet wie eine Blume, hatte Blüten von flammendem Scharlachrot bekommen. Aus ihrem geheimen Versteck war seine Seele hervorgekrochen, und das Begehren hatte sich ihr unterwegs zugesellt.

»Was schlagen Sie also vor?« sagte Lord Henry endlich.

»Ich möchte, daß Sie und Basil einmal am Abend mit mir kommen, um sie spielen zu sehen. Ich fürchte mich nicht im geringsten vor dem Ergebnis. Sie werden ihr Genie bestimmt anerkennen. Dann müssen wir sie aus der Hand des Juden befreien. Sie ist noch drei Jahre lang an ihn gebunden – zumindest zwei Jahre und acht Monate –, von heute ab gerechnet. Ich werde ihm selbstverständlich etwas dafür bezahlen müssen. Wenn das alles geregelt ist, miete ich ein Theater im

West End und bringe sie richtig heraus. Sie wird die Welt ebenso verrückt machen wie mich.«

»Das wäre unmöglich, mein lieber Junge!«

»Doch, das wird sie. In ihr steckt nicht nur Kunst, ein vollendeter künstlerischer Instinkt, sondern auch eine Persönlichkeit; und Sie haben mir oft erzählt, daß Persönlichkeiten, nicht Prinzipien, die Welt bewegen.«

»Nun, an welchem Abend gehen wir hin?«

»Lassen Sie mich überlegen. Heute ist Dienstag. Halten wir morgen fest. Sie spielt morgen die Julia.«

»Abgemacht. Um acht Uhr im Bristol; und ich bringe Basil mit.«

»Nicht um acht, Harry, bitte. Um halb sieben. Wir müssen dort sein, bevor der Vorhang aufgeht. Sie müssen sie im ersten Akt sehen, wenn sie Romeo begegnet.«

»Halb sieben! Was für eine Zeit! Das ist ja, als wollte man in der Teestunde zu Abend essen oder einen englischen Roman lesen. Frühestens um sieben. Kein Gentleman speist vor sieben. Sehen Sie Basil noch bis dahin? Oder soll ich ihm schreiben?«

»Der gute Basil! Ich habe ihn eine Woche lang nicht zu Gesicht bekommen. Das ist ganz abscheulich von mir, zumal er mir mein Porträt in einem wundervollen Rahmen geschickt hat, den er selber entworfen hat, und obwohl ich ein wenig eifersüchtig auf das Bild bin, weil es einen ganzen Monat jünger ist als ich, muß ich gestehen, daß es mich entzückt. Vielleicht ist es besser, wenn Sie ihm schreiben. Ich möchte nicht allein zu ihm gehen. Er sagt Dinge, die mich ärgern. Er gibt mir gute Ratschläge.«

Lord Henry lächelte. »Die Menschen geben nun einmal gerne das, was sie selber am meisten nötig hätten. Das nenne ich den Gipfel der Freigebigkeit.«

»Oh, Basil ist der beste Kerl, aber er kommt mir ein klein wenig wie ein Philister vor. Seitdem ich Sie kenne, Harry, ist mir das aufgegangen.«

»Basil, mein lieber Junge, legt allen Charme, den er besitzt, in sein Werk. Die Folge davon ist, daß ihm für das Leben nichts weiter übrigbleibt als seine Vorurteile, seine Prinzipien und sein gesunder Menschenverstand. Die einzigen Künstler aus meinem Bekanntenkreis, die als Menschen reizend sind, sind miserable Künstler. Gute Künstler existieren nur in dem, was sie schaffen, und folglich sind sie völlig uninteressant in dem, was sie sind. Ein großer Dichter, ein wirklich großer Dichter, ist das unpoetischste Wesen überhaupt. Mittelmäßige Dichter hingegen sind einfach faszinierend. Je schlechter ihre Reime sind, um so malerischer sehen sie aus. Schon die Tatsache, daß ein Mann einen Band mit zweitklassigen Sonetten veröffentlicht hat, macht ihn ganz und gar unwiderstehlich. Er lebt die Poesie, die er nicht schreiben kann. Die anderen schreiben die Dichtung, die sie nicht zu verwirklichen wagen.«

»Ob es sich tatsächlich so verhält, Harry?« sagte Dorian Gray und goß aus einem großen Flakon mit goldener Verschlußkappe, der auf dem Tisch stand, ein wenig Parfüm auf sein Taschentuch. »Doch es muß wohl so sein, wenn Sie es sagen. Jetzt muß ich aber fort. Imogen wartet auf mich. Denken Sie an morgen. Auf Wiedersehen.«

Als er das Zimmer verlassen hatte, senkten sich Lord Henrys schwere Lider, und er begann nachzudenken. Zweifellos hatten ihn nur wenige Menschen so sehr interessiert wie Dorian Gray, und dennoch verursachte ihm die verrückte Verehrung des Jungen für jemanden anders nicht die mindeste Qual der Kränkung oder Eifersucht. Er freute sich sogar darüber. Dadurch wurde er zu einem noch interessanteren Studienobjekt. Er hatte sich schon immer für die Methoden der Naturwissenschaft begeistert, aber der übliche Forschungsgegenstand dieser Wissenschaft erschien ihm trivial und belanglos. Und so hatte er damit begonnen, sich selber zu vivisezieren, und damit geendet, andere zu vivisezieren. Das menschliche Leben – das schien für ihn das einzige zu sein, was erforscht zu werden verdiente. Im Vergleich dazu war alles andere ohne jeglichen Wert. Freilich, wenn man das Leben in seinem wunderlichen Schmelztiegel von Leid und Lust betrachtete, konnte man vor dem Gesicht keine Glasmaske tragen und auch nicht verhindern, daß die Schwefeldämpfe das Gehirn angriffen und die Phantasie mit ungeheuerlichen Vorstellungen und mißgestalten Träumen trübten. Es gab so feine Gifte, daß man an ihnen erkranken mußte, um ihre Eigenschaften ergründen zu können. Es gab so eigenartige Leiden, daß man sie durchmachen mußte, wenn man ihr Wesen begreifen wollte. Und doch, welch großer Lohn wurde einem dann zuteil! Wie wunderbar erschien einem die ganze Welt! Die seltsam strenge Logik der Leidenschaft und das emotional gefärbte Leben des Geistes zu erkennen – zu beobachten, wo sie zusammentrafen und wo sie sich trennten und an welchem Punkt sie im Einklang standen und an welchem Punkt sie uneins waren –, darin lag höchste Wonne! Was machte es schon, wie hoch der Preis war? Für eine Sensation kann man gar keinen zu hohen Preis zahlen.

Er war sich bewußt – und der Gedanke brachte einen freudigen Schimmer in seine braunen Achataugen –, daß er durch bestimmte Worte, wohllautende Worte, die wohllautend gesprochen worden waren, Dorian Grays Seele bewogen hatte, sich diesem weißen Mädchen zuzuwenden und sich anbetend vor ihm zu verneigen. In hohem Maße war der Junge seine eigene Schöpfung. Er hatte ihn vorzeitig reifen lassen. Das war immerhin etwas. Gewöhnliche Menschen warteten, bis ihnen das Leben seine Geheimnisse enthüllte, aber den wenigen, den Auserwählten, offenbarten sich die Mysterien des Lebens, noch bevor der Schleier weggezogen wurde. Zuweilen war dies die Wirkung der Kunst, vor allem die der Literatur, die sich ja unmittelbar mit den Leidenschaften und dem Geist befaßt. Doch hin und wieder tritt eine komplexe Persönlichkeit auf den Plan und übernimmt die Aufgabe der Kunst, wird gar auf ihre Weise ein echtes Kunstwerk, denn auch das Leben bringt seine kunstvollen Meisterwerke hervor, genauso wie die Dichtung oder die Bildhauerei oder die Malerei.

Ja, der Knabe war vor der Zeit gereift. Er brachte seine Ernte ein, obwohl noch Frühling war. Der Pulsschlag und die Leidenschaft der Jugend waren in ihm, aber er wurde schon sich seiner selbst bewußt. Es war herrlich, ihn zu beobachten. Mit seinem schönen Gesicht und seiner schönen Seele war er ein Wesen, das Staunen hervorrief. Es spielte keine Rolle, wie das alles enden würde oder wie es ihm bestimmt war zu enden. Er glich einer jener anmutigen Gestalten in einem Festzug oder einem Schauspiel, deren Freuden uns fern zu sein scheinen, aber deren Leiden unseren Schönheitssinn erregen und deren Wunden wie rote Rosen sind.

Seele und Leib, Leib und Seele – wie waren sie doch geheimnisvoll! In der Seele verbarg sich Animalisches, und der Leib kannte Momente der Vergeistigung. Die Sinne konnten sich verfeinern, und der Geist konnte entarten. Wer vermochte zu sagen, wo der fleischliche Trieb aufhörte und der seelische Trieb begann? Wie oberflächlich waren doch die willkürlichen Definitionen der konventionellen Psychologen! Und dennoch, wie schwierig war es, sich zwischen den Ansprüchen der verschiedenen Richtungen zu entscheiden! War die Seele ein Schatten, der im Haus der Sünde wohnte? Oder war der Leib tatsächlich von der Seele umfangen, wie Giordano Bruno annahm? Die Trennung von Geist und Materie war ein Geheimnis, und die Einheit von Geist und Materie war ebenfalls ein Geheimnis.

Er begann darüber nachzudenken, ob wir aus der Psychologie wohl jemals eine so absolute Wissenschaft machen könnten, daß sich uns jeder kleine Lebenstrieb enthüllte. Vorerst mißverstanden wir stets uns selber und verstanden nur selten die anderen. Der Erfahrung kam kein ethischer Wert zu. Sie war bloß der Name, den die Menschen ihren Irrtümern gaben. Die Moralisten hatten sie in der Regel als eine Art Warnung betrachtet, hatten ihr eine gewisse ethische Wirkung bei der Charakterbildung zugesprochen, hatten sie als ein Mittel gepriesen, das uns lehre, was wir befolgen und was wir meiden sollten. Doch die Erfahrung enthielt keine bewegende Kraft. Sie war ebensowenig ein aktiver Antrieb wie das Gewissen. Im Grunde demonstrierte sie uns nur, daß unsere Zukunft nicht anders aussehen würde als unsere Vergangenheit und daß wir die Sünde, die wir einmal, und zwar mit Abscheu, begangen hatten, noch viele Male begehen würden, und zwar mit Freude.

Es war ihm klar, daß die experimentelle Methode die einzige war, durch die man überhaupt zu einer wissenschaftlichen Analyse der Leidenschaften gelangen konnte; und Dorian Gray war gewiß als Objekt für ihn wie geschaffen und schien reiche und ergiebige Resultate zu versprechen. Seine plötzliche verrückte Liebe zu Sibyl Vane war ein psychologisches Phänomen von nicht geringem Interesse. Es bestand kein Zweifel, daß Neugier dabei eine große Rolle spielte, Neugier und das Verlangen nach neuen Erfahrungen; dennoch war es keine einfache, sondern vielmehr eine sehr komplexe Leidenschaft. Was an rein sinnlichen Instinkten des Knabenalters in ihr steckte, war umgeformt worden durch das Wirken der Phantasie, hatte sich verwandelt in etwas, was dem Jungen selbst von Sinnlichkeit weit entfernt zu sein schien, und war aus ebendiesem Grund um so gefährlicher. Gerade die Leidenschaften, über deren Ursprung wir uns täuschen, tyrannisieren uns am meisten. Unsere schwächsten Antriebe sind jene, über deren Wesen wir uns im klaren sind. Es kommt häufig vor, daß wir glauben, wir experimentierten mit anderen, während wir in Wahrheit mit uns selber experimentieren.

Als Lord Henry dasaß und über diese Dinge nachsann, klopfte es an der Tür, und sein Diener trat ein und erinnerte ihn daran, daß es Zeit sei, sich zum Essen umzukleiden. Er stand auf und blickte hinaus auf die Straße. Der Sonnenuntergang hatte die oberen Fenster des gegenüberliegenden Hauses in scharlachrotes Gold getaucht. Die Scheiben glühten wie erhitzte Metallplatten. Der Himmel darüber glich einer verblichenen Rose. Er dachte an das junge, flammende Leben seines Freundes und fragte sich, wie das alles enden werde.

Als er gegen halb eins wieder heimkam, sah er auf dem Tisch der Empfangshalle ein Telegramm liegen. Er öffnete es und stellte fest, daß es von Dorian Gray war. Es sollte ihm mitteilen, daß er sich mit Sibyl Vane verlobt hatte.

5. KAPITEL

»Mutter, Mutter, ich bin so glücklich!« flüsterte das Mädchen und verbarg sein Gesicht im Schoß der verwelkten, müde wirkenden Frau, die, den Rücken dem grellen, zudringlichen Licht zugewandt, in dem einzigen Lehnstuhl saß, den ihr schmuddeliges Wohnzimmer enthielt. »Ich bin so glücklich!« wiederholte das Mädchen, »und du sollst auch glücklich sein.«

Mrs. Vane zuckte zusammen und legte ihre mageren, mit Wismut weiß geschminkten Hände auf den Kopf ihrer Tochter. »Glücklich!« wiederholte sie, »ich bin nur dann glücklich, Sibyl, wenn ich dich spielen sehe. Du darfst an nichts anderes denken als an dein Spiel. Mr. Isaacs ist sehr gut zu uns gewesen, und wir schulden ihm Geld.«

Das Mädchen blickte auf und schmollte. »Geld, Mutter?« rief sie. »Was liegt schon am Geld? Liebe ist mehr als Geld.«

»Mr. Isaacs hat uns fünfzig Pfund vorgestreckt, damit wir unsere Schulden bezahlen und für James eine anständige Ausstattung kaufen können. Das darfst du nicht vergessen, Sibyl. Fünfzig Pfund sind eine sehr große Summe. Mr. Isaacs ist überaus aufmerksam gewesen.«

»Er ist kein Gentleman, Mutter, und ich hasse die Art, wie er mit mir spricht«, sagte das Mädchen, stand auf und ging zum Fenster hinüber.

»Ich weiß nicht, wie wir ohne ihn durchkommen könnten«, antwortete die alte Frau kläglich.

Sibyl Vane warf den Kopf zurück und lachte. »Wir brauchen ihn nicht mehr, Mutter. Der Märchenprinz ist jetzt für unser Leben zuständig.« Dann hielt sie inne. Eine Röte stieg in ihrem Blut auf und überzog ihre Wangen. Schnelle Atemzüge entfalteten die Blütenblätter ihrer Lippen. Sie zitterten. Ein südlicher Wind der Leidenschaft fuhr über sie dahin und bewegte die zierlichen Falten ihres Kleides. »Ich liebe ihn«, sagte sie einfach.

»Dummes Kind! Dummes Kind!« kam die Antwort wie Papageiengeplapper. Das Wedeln gekrümmter, mit unechten Steinen beringter Finger verlieh den Worten etwas Groteskes.

Das Mädchen lachte wieder. Die Freude eines gefangenen Vogels war in ihrer Stimme. Ihre Augen fingen die Melodie auf und warfen sie strahlend zurück; dann schlossen sie sich einen Augenblick lang, als wollten sie ihr Geheimnis bewahren. Als sie sich wieder öffneten, war der Schleier eines Traums über sie hinweggezogen.

Dünnlippige Weisheit sprach vom abgenutzten Lehnstuhl her auf sie ein, mahnte zur Klugheit, zitierte aus jenem Buch der Feigheit, dessen Verfasser den Namen »gesunder Menschenverstand« nachäfft. Sie hörte nicht zu. Sie war frei in ihrem Gefängnis der Leidenschaft. Ihr Prinz, der Märchenprinz, war bei ihr. Sie hatte die Erinnerung aufgefordert, ihn neu zu erschaffen. Sie hatte ihre Seele ausgesandt, nach ihm zu suchen, und sie hatte ihn zurückgebracht. Wieder brannte sein Kuß auf ihrem Mund. Ihre Lider waren warm von seinem Atem.

Dann änderte die Weisheit ihre Methode und sprach von Auskundschaften und Entdecken. Dieser junge Mann könnte ja reich sein. Falls dem so sei, solle man eine Heirat in Erwägung ziehen. An der Muschel ihres Ohrs brachen sich die Wellen irdischer Schlauheit. Die Pfeile der List flogen an ihr vorbei. Sie sah, wie sich die dünnen Lippen bewegten, und lächelte.

Plötzlich verspürte sie das Bedürfnis zu sprechen. Das wortreiche Schweigen bedrückte sie. »Mutter, Mutter«, rief sie, »warum liebt er mich so sehr? Ich weiß, warum ich ihn liebe. Ich liebe ihn, weil er so ist, wie die Liebe selber sein soll. Aber was findet er an mir? Ich bin seiner nicht würdig. Und doch – ich kann nicht sagen warum –, obgleich ich fühle, daß ich tief unter ihm stehe, fühle ich mich nicht niedrig. Ich bin stolz, schrecklich stolz. Mutter, hast du meinen Vater so geliebt, wie ich den Märchenprinzen liebe?«

Die alte Frau erblaßte unter dem groben Puder, der ihre Wangen übertünchte, und ihre trockenen Lippen zuckten in einem qualvollen Krampf. Sibyl eilte zu ihr, schlang ihr die Arme um den Hals und küßte sie. »Verzeih mir, Mutter. Ich weiß, es tut dir weh, über unseren Vater zu sprechen. Doch es tut dir nur deshalb weh, weil du ihn so sehr geliebt hast. Schau nicht so traurig. Ich bin heute so glücklich, wie du es vor zwanzig Jahren warst. Ach! laß mich auf immer glücklich sein!«

»Mein Kind, du bist viel zu jung, um an Liebe zu denken. Im übrigen, was weißt du schon von diesem jungen Mann? Du kennst nicht einmal seinen Namen. Das Ganze ist höchst unschicklich, und ich muß sagen, wenn James jetzt nach Australien fährt und ich soviel im Kopf habe, hättest du wirklich mehr Rücksicht beweisen sollen. Allerdings, wie ich vorhin sagte, wenn er reich ist …«

»Ach! Mutter, Mutter, laß mich glücklich sein!«

Mrs. Vane blickte sie an und schloß sie mit einer jener falschen theatralischen Gebärden, die einem Schauspieler so oft zur zweiten Natur werden, in die Arme. In diesem Augenblick öffnete sich die Tür, und ein junger Bursche mit struppigem braunem Haar trat ein. Er war von untersetzter Gestalt, und seine Hände und Füße waren groß und ein wenig ungeschlacht in ihren Bewegungen. Er war nicht so fein geartet wie seine Schwester. Man hätte das enge Verwandtschaftsverhältnis, das zwischen ihnen bestand, schwerlich vermuten können. Mrs. Vane richtete ihren Blick auf ihn und verstärkte ihr Lächeln. Im Geiste erhob sie ihren Sohn in den Rang eines Publikums. Sie war überzeugt, daß das Tableau wirkungsvoll war.

»Du könntest ein paar Küsse für mich aufheben, Sibyl, finde ich«, sagte der Bursche mit einem gutmütigen Knurren.

»Ah! du magst es doch gar nicht, wenn man dich küßt, Jim«, rief sie. »Du bist ein schrecklicher alter Bär.« Und sie lief durch das Zimmer und umarmte ihn.

James Vane blickte seiner Schwester zärtlich ins Gesicht.

»Ich möchte einen Spaziergang mit dir machen, Sibyl. Ich glaube kaum, daß ich dieses scheußliche London noch einmal wiedersehen werde. Auf jeden Fall habe ich kein Verlangen danach.«

»Mein Sohn, sag nicht so furchtbare Dinge«, murmelte Mrs. Vane, wobei sie seufzend ein flitterhaftes Theaterkostüm in die Hand nahm und zu flicken begann. Sie war etwas enttäuscht, daß er sich nicht in das Gruppenbild eingefügt hatte. Dadurch wäre das theatralisch Pittoreske der Situation noch gesteigert worden.

»Warum denn nicht, Mutter? Ich meine es ernst.«

»Du tust mir weh, mein Sohn. Ich vertraue darauf, daß du als wohlhabender Mann aus Australien zurückkehren wirst. Ich glaube, in den Kolonien gibt es keine Gesellschaft irgendwelcher Art, nichts, was ich als Gesellschaft bezeichnen würde; wenn du also dein Glück gemacht hast, mußt du zurückkommen und dich in London durchsetzen.«

»Gesellschaft!« brummte der junge Mann. »Davon will ich überhaupt nichts wissen. Ich möchte etwas Geld verdienen, damit ich dich und Sibyl vom Theater wegholen kann. Ich hasse es.«

»O Jim!« sagte Sibyl lachend, »das ist aber gar nicht freundlich von dir! Aber willst du wirklich mit mir spazierengehen? Das wäre nett! Ich habe schon befürchtet, du wolltest dich von deinen Freunden verabschieden – von Tom Hardy, der dir diese gräßliche Pfeife geschenkt hat, oder von Ned Langton, der sich über dich lustig macht, weil du sie rauchst. Es ist ganz reizend von dir, daß du deinen letzten Nachmittag mir schenkst. Wohin sollen wir gehen? Gehen wir doch in den Park.«

»Ich sehe zu schäbig aus«, erwiderte er stirnrunzelnd. »In den Park gehen nur feine Leute.«

»Unsinn, Jim«, flüsterte sie und strich ihm über den Jackenärmel.

Er zögerte einen Augenblick. »Na schön«, sagte er endlich, »aber brauch nicht zu lange zum Umziehen.«

Sie tanzte zur Tür hinaus. Man konnte sie singen hören,

als sie die Treppe hinaufrannte. Ihre kleinen Füße trippelten oben umher.

Er ging zwei- oder dreimal im Zimmer auf und ab. Dann wandte er sich der stillen Gestalt im Lehnsessel zu. »Mutter, sind meine Sachen fertig?« fragte er.

»Ganz fertig, James«, antwortete sie, ohne die Augen von ihrer Arbeit zu heben. Seit einigen Monaten hatte sie ein unbehagliches Gefühl, wenn sie mit ihrem groben, strengen Sohn allein war. Ihr oberflächliches verborgenes Wesen war jedesmal beunruhigt, wenn ihre Blicke einander trafen. Sie fragte sich immer wieder, ob er etwas argwöhnte. Das Schweigen, denn er machte keine weitere Bemerkung, wurde ihr unerträglich. Sie fing an zu klagen. Frauen verteidigen sich, indem sie angreifen, genauso wie sie durch unvermitteltes und befremdliches Nachgeben angreifen. »Ich hoffe, daß dir dein Seefahrerleben zusagt, James«, sagte sie. »Vergiß nicht, daß du es selbst so gewollt hast. Du hättest in ein Anwaltsbüro eintreten können. Anwälte sind ein sehr angesehener Stand, und auf dem Lande dinieren sie oft bei den besten Familien.«

»Ich hasse Büros, und ich hasse Schreiberlinge«, entgegnete er. »Aber du hast völlig recht. Ich habe mir mein Leben selber ausgesucht. Ich sag nur das eine: gib acht auf Sibyl. Paß auf, daß ihr nichts zustößt. Mutter, du mußt auf sie achtgeben.«

»James, du redest wirklich sehr merkwürdig. Natürlich gebe ich acht auf Sibyl.«

»Wie ich gehört habe, kommt jeden Abend ein Herr ins Theater und geht hinter die Bühne, um sich mit ihr zu unterhalten. Ist das wahr? Wie verhält es sich damit?«

»Du redest von Dingen, die du nicht verstehst, James. In unserem Beruf sind wir es gewöhnt, allerlei höchst angenehme Aufmerksamkeiten zu empfangen. Ich meinerseits habe früher einmal viele Buketts bekommen. Das war damals, als man von der Schauspielkunst wirklich noch etwas verstand. Was Sibyl betrifft, so kann ich im Augenblick noch nicht sagen, ob ihre Neigung ernst ist oder nicht. Doch es besteht kein Zweifel, daß der fragliche junge Mann ein vollendeter Gentleman ist. Mir gegenüber ist er stets äußerst höflich. Überdies sieht er so aus, als ob er reich wäre, und die Blumen, die er schickt, sind herrlich.«

»Trotzdem weißt du nicht einmal, wie er heißt«, sagte der Bursche schroff.

»Nein«, erwiderte seine Mutter mit gelassener Miene. »Er hat bis jetzt seinen wirklichen Namen noch nicht verraten. Ich finde das ganz romantisch von ihm. Er gehört wahrscheinlich der Aristokratie an.«

James Vane biß sich auf die Lippen. »Gib acht auf Sibyl, Mutter«, rief er, »gib acht auf sie!«

»Mein Sohn, du bekümmerst mich sehr. Sibyl steht immer unter meiner besonderen Obhut. Doch wenn dieser Herr reich ist, besteht natürlich kein Grund, warum sie nicht eine Verbindung mit ihm eingehen sollte. Ich nehme als sicher an, daß er zur Aristokratie gehört. Er sieht ganz danach aus, muß ich sagen. Das wäre vielleicht eine überaus glänzende Partie für Sibyl. Die beiden gäben ein reizendes Paar ab. Sein gutes Aussehen ist wirklich ganz erstaunlich; es fällt jedem auf.«

Der junge Mann brummte etwas vor sich hin und trommelte mit seinen derben Fingern an die Fensterscheibe. Er hatte sich gerade umgewendet, um etwas zu sagen, als die Tür aufging und Sibyl hereineilte.

»Wie ernst ihr beide seid!« rief sie. »Was ist denn los?«

»Nichts«, antwortete er. »Vermutlich muß man ab und zu auch einmal ernst sein. Auf Wiedersehen, Mutter; ich komme um fünf Uhr zum Essen. Bis auf die Hemden ist alles gepackt; du brauchst dich also um nichts mehr zu kümmern.«

»Auf Wiedersehen, mein Sohn«, entgegnete sie und verneigte sich mit übertriebener Würde.

Sie war im höchsten Maße verärgert über den Ton, den er ihr gegenüber angeschlagen hatte, und es war etwas in seinem Blick, was ihr angst machte.

»Gib mir einen Kuß, Mutter«, sagte das Mädchen. Ihre blumengleichen Lippen berührten die verwelkte Wange und erwärmten deren Frost.

»Mein Kind! mein Kind!« rief Mrs. Vane und blickte zur Decke empor, als hielte sie Ausschau nach einer imaginären Galerie.

»Komm, Sibyl«, sagte ihr Bruder ungeduldig. Er haßte das affektierte Benehmen seiner Mutter.

Sie traten hinaus in das flimmernde, winddurchwehte Sonnenlicht und schlenderten die trostlose Euston Road hinab. Die Passanten betrachteten verwundert den verdrossenen, schwerfälligen Jungen in seinem derben, schlecht sitzenden Anzug, der in der Begleitung eines so anmutigen, elegant aussehenden Mädchens war. Er glich einem gewöhnlichen Gärtner, der mit einer Rose spazierengeht.

Jim runzelte von Zeit zu Zeit die Brauen, wenn er den forschenden Blick eines Fremden auffing. Er hatte eine Abneigung vor dem Angestarrtwerden, die Genies spät im Leben überkommt und Durchschnittsmenschen nie verlorengeht. Sibyl hingegen war sich überhaupt nicht der Wirkung bewußt, die sie hervorrief. Ihre Liebe zitterte im Lachen auf ihren Lippen. Sie dachte an den Märchenprinzen, und damit sie um so besser an ihn denken konnte, sprach sie nicht von ihm, sondern plapperte unentwegt von dem Schiff, mit dem Jim fahren wollte, von dem Gold, das er bestimmt finden würde, von der wunderschönen Erbin, die er vor gemeinen Buschräubern in roten Hemden retten würde. Denn er sollte kein Matrose bleiben, auch kein Frachtaufseher oder was er sonst werden wollte. O nein! Das Matrosenleben war schrecklich. Man stelle sich vor, man ist in ein gräßliches Schiff eingepfercht, in das die rauhen, buckligen Wogen einzudringen versuchen, und ein finsterer Sturm bläst die Masten um und zerfetzt die Segel zu langen jaulenden Streifen! Er solle das Schiff in Melbourne verlassen, sich höflich vom Kapitän verabschieden und sich sogleich zu den Goldfeldern verfügen. Spätestens nach einer Woche würde er auf einen großen Klumpen reines Gold stoßen, den größten Goldklumpen, der jemals entdeckt worden sei, und ihn mit einem von sechs berittenen Polizisten bewachten Wagen an die Küste schaffen. Dreimal würden die Buschräuber sie überfallen und in einem entsetzlichen Gemetzel geschlagen werden. Oder nein. Er solle überhaupt nicht zu den Goldfeldern reisen. Das seien abscheuliche Gegenden, wo die Männer sich betränken und einander in den Bars totschössen und schlimme Reden führten. Er solle ein netter Schafzüchter werden, und eines Abends würde er auf dem Heimritt beobachten, wie ein Räuber auf einem schwarzen Pferd die wunderschöne Erbin entführte, und dann würde er die Verfolgung aufnehmen und sie retten. Natürlich würde sie sich in ihn verlieben, und er in sie, und sie würden heiraten und heimkommen und in einem riesigen Haus in London wohnen. Ja, es stünden ihm herrliche Abenteuer bevor. Aber er müsse sehr brav sein und nicht die Beherrschung verlieren oder sein Geld verschwenden. Sie sei zwar nur ein Jahr älter als er, aber sie kenne das Leben soviel besser. Er müsse ihr auch bestimmt mit jeder Post schreiben und jeden Abend vor dem Einschlafen sein Gebet sprechen. Gott sei sehr gütig und werde über ihn wachen. Sie wolle gleichfalls für ihn beten, und in ein paar Jahren werde er ganz reich und glücklich wiederkehren.

Der Bursche hörte ihr mürrisch zu und gab keine Antwort. Sein Herz war bekümmert, weil er seine Heimat verlassen sollte.

Doch das war es nicht allein, was ihn düster und verdrießlich stimmte. So unerfahren er auch war, er hatte doch ein ausgeprägtes Gefühl für die Gefahr, in der sich Sibyl befand. Dieser junge Dandy, der ihr den Hof machte, konnte für sie nichts Gutes bedeuten. Er war ein Gentleman, und deswegen haßte er ihn, haßte ihn infolge eines sonderbaren Familieninstinkts, den er sich nicht erklären konnte und der ihn aus diesem Grunde um so stärker beherrschte. Auch kannte er die Oberflächlichkeit und Eitelkeit seiner Mutter, und darin erblickte er eine unendliche Gefahr für Sibyl und Sibyls Glück. Zunächst lieben Kinder ihre Eltern; wenn sie älter werden, urteilen sie über sie; manchmal vergeben sie ihnen.

Seine Mutter! Ihm lag etwas auf der Seele, was er sie fragen wollte, etwas, worüber er viele Monate lang schweigend nachgegrübelt hatte. Eine zufällige Wendung, die er im Theater gehört hatte, eine geflüsterte hämische Bemerkung, die eines Abends, als er am Bühneneingang wartete, an sein Ohr gedrungen war, hatten eine Kette von entsetzlichen Gedanken in ihm ausgelöst. Er erinnerte sich daran, als wenn ihm jemand eine Reitpeitsche quer über das Gesicht gezogen hätte. Seine Brauen kniffen sich zusammen zu einer keilförmigen Furche, und in einem jäh aufzuckenden Schmerz biß er sich auf die Unterlippe.

»Du hörst überhaupt nicht zu, was ich dir sage, Jim«, rief Sibyl, »und dabei schmiede ich für dich die herrlichsten Zukunftspläne. Sag doch endlich etwas.«

»Was soll ich dir denn sagen?«

»Oh! daß du brav sein willst und uns nicht vergessen wirst«, antwortete sie und lächelte ihm zu.

Er zuckte die Achseln. »Vermutlich wirst du mich eher vergessen als ich dich, Sibyl.«

Sie errötete. »Was meinst du damit, Jim?« fragte sie.

»Du hast einen neuen Freund, wie ich höre. Wer ist es? Warum hast du mir nichts von ihm erzählt? Er meint es nicht gut mir dir.«

»Halt, Jim!« rief sie aus. »Du darfst nichts gegen ihn sagen. Ich liebe ihn.«

»Wie? Du kennst ja nicht einmal seinen Namen«, erwiderte der Junge. »Wer ist er? Ich habe ein Recht, das zu erfahren.«

»Er heißt Märchenprinz. Gefällt dir der Name nicht? Oh! du dummer Junge! du solltest ihn nie vergessen. Wenn du ihn nur einmal sähest, würdest du ihn für den wunderbarsten Menschen der Welt halten. Eines Tages wirst du ihn kennenlernen: wenn du aus Australien zurückkommst. Du wirst ihn sehr gern haben. Alle mögen ihn, und ich … liebe ihn. Ich wünschte, du könntest heute abend ins Theater kommen. Er wird da sein, und ich soll die Julia spielen. Oh! und wie ich sie spielen werde! Stell dir doch vor, Jim, verliebt sein und die Julia spielen! Wissen, daß er da sitzt! Spielen zu seiner Freude! Ich fürchte, daß ich das Publikum erschrecke, erschrecke oder verzaubere. Verliebt sein heißt über sich selber hinauswachsen. Der arme gräßliche Mr. Isaacs wird seinen Kumpanen am Büfett das Wort ›Genie‹ zubrüllen. Er hat mich als Dogma gepredigt; heute abend wird er mich als Offenbarung verkünden. Ich spüre es. Und das alles verdanke ich ihm, ihm allein, dem Märchenprinzen, meinem wunderbaren Geliebten, meinem Gott der Grazien. Doch ich bin arm neben ihm. Arm? Was macht das schon? Wenn die Armut bei der Tür hereinkriecht, fliegt die Liebe durchs Fenster herein. Unsere Sprichwörter müßten umgeschrieben werden. Sie entstanden im Winter; und jetzt ist Sommer; Frühling für mich, glaube ich, nichts als ein Tanz von Blüten unter blauen Himmeln.«

»Er ist ein Gentleman«, sagte der Junge mürrisch.

»Ein Prinz!« rief sie melodisch aus. »Was willst du mehr?«

»Er will dich versklaven.«

»Mich schaudert es bei dem Gedanken, frei zu sein.«

»Ich möchte, daß du dich vor ihm in acht nimmst.«

»Ihn sehen heißt ihn anbeten, ihn kennen heißt ihm vertrauen.«

»Sibyl, du hast seinetwegen den Verstand verloren.«

Sie lachte und nahm seinen Arm. »Du lieber alter Jim, du redest, als ob du hundert wärst. Eines Tages wirst du dich selber verlieben. Dann merkst du, wie das ist. Schau nicht so grämlich drein. Eigentlich solltest du dich freuen bei dem Gedanken, daß du mich, obwohl du abreist, glücklicher zurückläßt, als ich es früher jemals gewesen bin. Das Leben war hart für uns beide, schrecklich hart und schwierig. Doch nun wird es anders werden. Du fährst in eine neue Welt, und ich habe auch eine neue Welt entdeckt. Da sind zwei Stühle; setzen wir uns doch hin und sehen wir den feinen Leuten zu, die vorübergehen.«

Sie nahmen Platz inmitten einer Schar von Zuschauern. Die Tulpenbeete auf der anderen Straßenseite flammten wie flackernde Feuerringe. Ein weißer Dunst, offenbar eine zitternde Wolke von Veilchenwurz, schwebte in der flimmernden Luft. Die grellbunten Sonnenschirme tanzten und gaukelten wie riesenhafte Schmetterlinge.

Sie brachte ihren Bruder dazu, von sich selber zu sprechen, von seinen Hoffnungen, seinen Aussichten. Er sprach langsam und mit Anstrengung. Sie schoben einander die Worte zu, wie es Spieler mit ihren Jetons tun. Sibyl war bedrückt. Sie konnte ihre Freude nicht mitteilen. Ein schwaches Lächeln, das seinen mürrischen Mund umspielte, war das einzige Echo, das ihr zuteil wurde. Nach einiger Zeit verfiel sie in Schweigen. Plötzlich erhaschte ihr Blick goldene Haare und lachende Lippen, und in einem offenen Wagen fuhr Dorian Gray mit zwei Damen vorüber.

Sie sprang auf die Füße. »Da ist er!« rief sie.

»Wer?« fragte Jim Vane.

»Der Märchenprinz«, erwiderte sie und blickte der Viktoria nach.

Er sprang auf und packte sie derb am Arm. »Zeig ihn mir. Welcher ist es? Zeig ihn mir genau. Ich muß ihn sehen!« rief er aus; aber in diesem Augenblick kam der Vierspänner des Herzogs von Berwick dazwischen, und als er den Blick wieder freigab, war der Wagen bereits aus dem Park gerollt.

»Er ist weg«, murmelte Sibyl traurig. »Ich wollte, du hättest ihn gesehen.«

»Das wollte ich auch, denn so wahr ein Gott im Himmel lebt, wenn er dir jemals etwas antut, bringe ich ihn um.«

Sie schaute ihn entsetzt an. Er wiederholte seine Worte. Sie durchschnitten die Luft wie ein Dolch. Die Umstehenden begannen schon zu gaffen. Eine Dame neben ihr kicherte.

»Komm fort, Jim; komm fort«, flüsterte sie. Er folgte ihr verbissen, als sie durch die Menge schritt. Er war froh über das, was er gesagt hatte.

Als sie bei der Achillesstatue ankamen, wandte sie sich um. In ihren Augen war Mitleid, das sich auf ihren Lippen in Lachen verwandelte. Sie schüttelte den Kopf über ihn. »Du bist verrückt, Jim, ganz und gar verrückt; ein schlechtgelaunter Junge, weiter nichts. Wie kannst du nur so furchtbare Sachen sagen? Du weißt nicht, was du redest. Du bist bloß eifersüchtig und böse. Ach! ich wollte, du würdest dich verlieben. Die Liebe macht die Menschen gut, und was du gesagt hast, war gemein.«

»Ich bin sechzehn«, entgegnete er, »und ich weiß, was ich will. Mutter ist dir keine Hilfe. Sie ist nicht fähig, auf dich aufzupassen. Am liebsten würde ich jetzt überhaupt nicht nach Australien fahren. Ich hätte große Lust, die ganze Sache abzublasen. Ich täte es, wenn mein Kontrakt nicht schon unterschrieben wäre.«

»Oh, sei doch nicht so ernst, Jim. Du führst dich auf wie einer der Helden in den albernen Melodramen, in denen Mutter immer so gern aufgetreten ist. Ich will mich nicht mit dir streiten. Ich habe ihn gesehen, und oh! ihn zu sehen ist vollkommenes Glück. Wir wollen nicht streiten. Ich weiß doch, du würdest einem Menschen, den ich liebe, nie etwas zuleide tun, nicht wahr?«

»Nicht, solange du ihn liebst, nehme ich an«, lautete die mürrische Antwort.

»Ich werde ihn immer lieben!« rief sie.

»Und er?«

»Auch immer!«

»Das möchte ich ihm auch raten.«

Sie schrak vor ihm zurück. Dann lachte sie und legte ihm die Hand auf den Arm. Er war ja noch ein kleiner Junge.

Beim Marble Arch hielten sie einen Omnibus an, der sie ganz in der Nähe ihrer schäbigen Wohnung in der Euston Road absetzte. Es war nach fünf Uhr, und Sibyl mußte sich noch ein paar Stunden vor ihrem Auftritt hinlegen. Jim bestand darauf. Er sagte, er wolle sich lieber von ihr verabschieden, solange ihre Mutter nicht da sei. Sie würde bestimmt eine Szene machen, und ihm seien Szenen in jeder Form zuwider.

In Sibyls Zimmer nahmen sie Abschied voneinander. Es war Eifersucht im Herzen des Jungen und ein wilder, mörderischer Haß auf den Fremden, der, wie es ihm schien, zwischen sie getreten war. Doch als sich ihre Arme um seinen Hals schlangen und ihre Finger durch sein Haar fuhren, wurde er weich und küßte sie mit echter Zuneigung. Ihm standen Tränen in den Augen, als er die Treppe hinabstieg.

Seine Mutter wartete unten auf ihn. Sie murrte über seine Unpünktlichkeit, als er eintrat. Er gab keine Antwort, sondern setzte sich nieder zu seiner kärglichen Mahlzeit. Die Fliegen umsummten den Tisch und krabbelten über das fleckige Tischtuch. Durch das Rumpeln der Omnibusse und das Rattern der Droschken hindurch vernahm er die dröhnende Stimme, die jede ihm noch verbleibende Minute verschlang.

Nach einer Weile stieß er den Teller von sich und stützte den Kopf in die Hände. Er fühlte, daß er ein Recht hatte, es zu erfahren. Man hätte es ihm schon längst sagen müssen, wenn es sich so verhielt, wie er argwöhnte. Bleiern vor Angst sah ihm seine Mutter zu. Worte kamen mechanisch zwischen ihren Lippen hervor. Ein zerrissenes Spitzentaschentuch wand sich in ihren Fingern. Als die Uhr sechs schlug, stand er auf und ging zur Tür. Dann drehte er sich um und blickte sie an. Ihre Augen trafen sich. In den ihren las er ein ungehemmtes Flehen um Gnade. Es brachte ihn in Wut.

»Mutter, ich muß dich etwas fragen«, sagte er. Ihr Blick wanderte unsicher im Zimmer umher. Sie antwortete nicht. »Sag mir die Wahrheit. Ich habe ein Recht, sie zu erfahren. Warst du mit meinem Vater verheiratet?«

Sie stieß einen tiefen Seufzer aus. Es war ein Seufzer der Erleichterung. Der schreckliche Augenblick, der Augenblick, den sie Tag und Nacht, seit Wochen und Monaten gefürchtet hatte, war endlich da, und dennoch spürte sie kein Entsetzen. Ja, in gewissem Sinne war das für sie sogar eine Enttäuschung. Die grobe Direktheit der Frage verlangte nach einer direkten Antwort. Die Situation war nicht allmählich vorbereitet worden. Sie war kraß. Sie erinnerte sie an eine schlechte Probe.

»Nein«, antwortete sie, verwundert über die nüchterne Einfachheit des Lebens.

»Mein Vater war also ein Schuft!« rief der Bursche und ballte die Fäuste.

Sie schüttelte den Kopf. »Ich wußte, daß er nicht frei war. Wir haben einander sehr geliebt. Wenn er am Leben geblieben wäre, hätte er für uns vorgesorgt. Sag nichts gegen ihn, mein Sohn. Er war dein Vater und ein Gentleman. Er hatte sogar vornehme Verbindungen.«

Ein Fluch kam von seinen Lippen. »Es geht mir nicht um mich«, rief er aus, »aber laß Sibyl nicht ... Es ist ein Gentleman, nicht wahr, der sich in sie verliebt hat, oder zumindest sagt er es? Vermutlich ebenfalls mit vornehmen Verbindungen.«

Einen Augenblick lang überkam die Frau ein gräßliches Gefühl der Erniedrigung. Ihr Kopf sank herab. Sie wischte sich die Augen mit flatternden Händen. »Sibyl hat eine Mutter«, murmelte sie; »ich hatte keine.«

Der Junge war gerührt. Er trat auf sie zu, beugte sich nieder und küßte sie. »Es tut mir leid, wenn ich dir mit der Frage nach meinem Vater weh getan habe«, sagte er, »aber ich konnte nicht anders. Ich muß jetzt gehen. Auf Wiedersehen. Vergiß nicht, daß du in Zukunft nur noch ein Kind hast, auf das du achtgeben mußt, und glaube mir, wenn dieser Mann meiner Schwester etwas antut, so werde ich herausbekommen, wer er ist, ich werde ihn aufspüren und ihn umbringen wie einen Hund. Ich schwöre es.«

Die Überspanntheit der Drohung, die leidenschaftliche Geste, die sie begleitete, die besessenen melodramatischen Worte ließen ihr das Leben intensiver erscheinen. Diese Atmosphäre war ihr vertraut. Sie atmete freier, und zum erstenmal seit vielen Monaten bewunderte sie wirklich ihren Sohn. Sie hätte die Szene gern auf dem gleichen Gefühlsniveau fortgesetzt, aber er schnitt ihr das Wort ab. Koffer mußten nach unten getragen und Halstücher gesucht werden. Das Pensionsfaktotum lief ein und aus. Dann folgten die Verhandlungen mit dem Droschkenkutscher. Der große Augenblick ging in Trivialitäten unter. In einem neuerlichen Gefühl der Enttäuschung winkte sie mit dem zerrissenen Spitzentaschentuch aus dem Fenster, als ihr Sohn davonfuhr. Sie war sich bewußt, daß eine große Chance vertan worden war. Um sich zu trösten, erzählte sie Sibyl, wie leer ihr Leben fortan sein werde, da sie jetzt nur noch ein Kind habe, auf das sie achtgeben müsse. Diese Wendung fiel ihr wieder ein. Sie hatte ihr gefallen. Von der Drohung sagte sie nichts. Sie war so heftig und dramatisch ausgesprochen worden. Sie hatte das Gefühl, daß sie alle eines Tages darüber lachen würden.

6. KAPITEL

»Wahrscheinlich haben Sie die Neuigkeit schon gehört, Basil?« sagte Lord Henry an jenem Abend, als Hallward in ein kleines Séparée im Bristol geführt wurde, wo für drei Personen zum Abendessen gedeckt war.

»Nein, Harry«, antwortete der Künstler und übergab Hut und Mantel dem sich verbeugenden Kellner. »Worum geht es? Hoffentlich nicht um Politik? Die interessiert mich nicht. Im Unterhaus sitzt kaum jemand, der es verdient, gemalt zu werden; vielen würde allerdings das Weißen gut bekommen.«

»Dorian Gray hat sich verlobt«, sagte Lord Henry, wobei er den anderen genau beobachtete.

Hallward zuckte zusammen und runzelte dann die Stirn. »Dorian verlobt!« rief er. »Unmöglich!«

»Es ist die reine Wahrheit.«

»Mit wem?«

»Mit irgend so einer kleinen Schauspielerin.«

»Ich kann es nicht glauben. Dorian ist dazu viel zu vernünftig.«

»Dorian ist viel zu gescheit, um nicht hin und wieder eine Torheit zu begehen, mein lieber Basil.«

»Heiraten ist kaum eine Sache, die man hin und wieder tun kann, Harry.«

»Außer in Amerika«, entgegnete Lord Henry lässig. »Aber ich habe nicht gesagt, er sei verheiratet. Ich habe gesagt, daß er sich verlobt hat. Das ist ein großer Unterschied. Ich erinnere mich sehr genau daran, daß ich verheiratet bin, doch ich kann mich nicht entsinnen, jemals verlobt gewesen zu sein. Ich neige zu der Auffassung, daß ich nie verlobt war.«

»Aber bedenken Sie doch Dorians Herkunft und seine Position und seinen Reichtum. Es wäre verrückt von ihm, so tief unter seinem Stand zu heiraten.«

»Wenn Sie dafür sorgen wollen, daß er das Mädchen heiratet, so sagen Sie ihm das, Basil. Dann tut er es bestimmt. Wenn ein Mann etwas völlig Törichtes tut, geschieht es stets aus den edelsten Motiven.«

»Hoffentlich ist es ein gutes Mädchen, Harry. Ich möchte Dorian nicht an irgendein gemeines Geschöpf gebunden sehen, das seine Natur entwürdigen und seinen Geist verderben könnte.«

»Oh, sie ist besser als gut – sie ist schön«, murmelte Lord Henry und nippte an einem Glas Wermut mit Orangenbitter. »Dorian sagt, sie sei schön; und in solchen Dingen irrt er sich selten. Das Porträt, das Sie von ihm gemalt haben, hat sein Urteil über die persönliche Erscheinung anderer Menschen geschärft. Unter anderem hat es auch diese hervorragende Wirkung gehabt. Wir sollen sie heute abend kennenlernen, wenn der Junge seine Verabredung nicht vergißt.«

»Ist das Ihr Ernst?«

»Mein völliger Ernst, Basil. Ich wäre unglücklich, wenn ich jemals ernster sein müßte als in diesem Augenblick.«

»Aber billigen Sie das denn, Harry?« fragte der Maler, der im Zimmer auf und ab ging und sich auf die Lippen biß. »Sie können es doch unmöglich billigen. Es ist eine alberne Vernarrtheit.«

»Heutzutage billige oder mißbillige ich überhaupt nichts. Das ist eine absurde Einstellung dem Leben gegenüber. Wir sind nicht dazu in der Welt, um unsere moralischen Vorurteile zu verkünden. Ich kümmere mich nie im geringsten um das, was gewöhnliche Leute sagen, und ich mische mich nie ein in das, was charmante Leute tun. Wenn mich ein Mensch fasziniert, erscheint mir jede Ausdrucksform, die dieser Mensch wählt, einfach köstlich. Dorian Gray verliebt sich in ein schönes Mädchen, das die Julia spielt, und macht ihm einen Heiratsantrag. Warum nicht? Wenn er Messalina ehelichte, wäre er deshalb nicht weniger interessant. Sie wissen, ich bin kein Verfechter der Ehe. Der eigentliche Nachteil der Ehe besteht darin, daß man durch sie uneigennützig wird. Und uneigennützige Menschen sind farblos. Ihnen fehlt es an Individualität. Doch es gibt bestimmte Temperamente, die durch die Ehe an Vielfalt gewinnen. Sie behalten ihren Egoismus bei und fügen ihm viele andere Egos hinzu. Sie sind gezwungen, mehr als ein Leben zu führen. Sie werden höher organisiert, und hoch organisiert zu sein bedeutet, so meine ich, das Ziel der menschlichen Existenz. Im übrigen hat jede Erfahrung ihren Wert, und was man auch gegen die Ehe einwenden mag, sie ist zweifellos eine Erfahrung. Ich hoffe, daß Dorian Gray dieses Mädchen zu seiner Frau macht, sie ein halbes Jahr leidenschaftlich anbetet und sich dann plötzlich von einer anderen faszinieren läßt. Er wäre ein großartiges Studienobjekt.«

»Sie glauben von alledem kein einziges Wort, Harry; das wissen Sie. Wenn Dorian Grays Leben zugrunde gerichtet würde, dann würde niemand das mehr bedauern als Sie. Sie sind viel besser, als Sie zu sein vorgeben.«

Lord Henry lachte. »Der Grund, weshalb wir alle gerne so gut von anderen denken, liegt darin, daß wir alle Angst vor uns selber haben. Die Grundlage des Optimismus ist schiere Furcht. Wir halten uns für großmütig, weil wir unserem Nächsten den Besitz jener Tugenden zubilligen, die uns wahrscheinlich von Nutzen sein werden. Wir loben den Bankier, damit wir unser Konto überziehen können, und entdecken in einem Straßenräuber gute Eigenschaften in der Hoffnung, daß er unsere Taschen verschont. Ich glaube alles, was ich gesagt habe. Ich empfinde die größte Verachtung für den Optimismus. Was das zugrunde gerichtete Leben angeht: kein Leben wird zugrunde gerichtet außer dem, das in seinem Wachstum gehemmt wird. Wenn man einen Charakter verderben will, braucht man ihn nur zu bessern. Was die Ehe angeht, so wäre sie natürlich eine Torheit, doch es gibt andere und interessantere Bindungen zwischen Mann und Frau. Ich befürworte sie entschieden. Sie haben den Reiz, fashionable zu sein. Aber da kommt ja Dorian selber. Er wird Ihnen mehr erzählen, als ich es vermag.«

»Mein lieber Harry, mein lieber Basil, Sie müssen mir beide gratulieren!« sagte der Junge, indem er den Abendumhang mit den satingefütterten Schößen abwarf und seinen Freunden nacheinander die Hand schüttelte. »Ich bin noch niemals so glücklich gewesen. Freilich kommt das überraschend; das gilt für alle wahrhaft köstlichen Dinge. Und doch scheint es mir das eine zu sein, nach dem ich mein ganzes Leben lang Ausschau gehalten habe.« Er war rot vor Erregung und Freude und sah ungewöhnlich hübsch aus.

»Ich hoffe, Sie werden immer sehr glücklich sein, Dorian«, sagte Hallward, »aber ich kann Ihnen nicht ganz verzeihen, daß Sie mir nichts von Ihrer Verlobung gesagt haben. Harry haben Sie davon erzählt.«

»Und ich kann Ihnen nicht verzeihen, daß Sie zu spät zum Essen kommen«, warf Lord Henry ein, wobei er dem Jungen die Hand auf die Schulter legte und lächelte. »Setzen wir uns doch und probieren wir, was der neue Chefkoch zustande bringt, und dann erzählen Sie uns, wie alles gekommen ist.«

»Da ist wirklich nicht viel zu erzählen«, rief Dorian, als sie an dem kleinen runden Tisch Platz nahmen. »Was passierte, war einfach Folgendes. Nachdem ich Sie gestern abend verlassen hatte, Harry, habe ich mich umgezogen, habe in dem kleinen italienischen Restaurant in der Rupert Street, wo Sie mich eingeführt haben, eine Kleinigkeit gegessen und bin dann um acht Uhr ins Theater gegangen. Sibyl spielte die Rosalinde. Natürlich war die Dekoration entsetzlich und der Orlando albern. Aber Sibyl! Sie hätten sie sehen müssen! Als sie in Knabenkleidern auftrat, war sie einfach wunderbar. Sie trug ein moosgrünes Samtkoller mit zimtfarbenen Ärmeln, enganliegende braune Kniehosen mit kreuzweise geschnürten Bändern, ein flottes grünes Käppchen mit einer Falkenfeder, die von einem Edelstein gehalten wurde, und einen dunkelrot gefütterten Kapuzenumhang. Sie war mir noch nie so anmutig erschienen. Sie besaß die ganze zerbrechliche Grazie jenes Tanagrafigürchens, das in Ihrem Atelier steht, Basil. Ihr Haar umrahmte ihr Gesicht wie dunkles Laub eine blasse Rose. Was ihr Spiel angeht – nun, Sie werden sie ja heute abend sehen. Sie ist einfach eine geborene Künstlerin. Ich saß in der schmuddeligen Loge und war vollkommen hingerissen. Ich vergaß, daß ich mich in London und im neunzehnten Jahrhundert befand. Ich war weit weg mit meiner Liebsten in einem Wald, den kein Mensch je erblickt hat. Nach der Vorstellung ging ich hinter die Bühne und sprach mit ihr. Als wir beisammensaßen, trat in ihre Augen plötzlich ein Ausdruck, den ich vorher noch nie gesehen hatte. Meine Lippen näherten sich den ihren. Wir küßten einander. Ich kann Ihnen nicht beschreiben, was ich in diesem Augenblick empfand. Es kam mir so vor, als ob sich mein Leben auf diesen einen vollkommenen Höhepunkt rosenfarbiger Freude verengt hätte. Sie bebte am ganzen Leib und erzitterte wie eine weiße Narzisse. Dann warf sie sich auf die Knie und küßte meine Hände. Ich habe das Gefühl, daß ich Ihnen all dies nicht erzählen sollte, aber ich kann nicht anders. Selbstverständlich ist unsere Verlobung ein großes Geheimnis. Sie hat es nicht einmal ihrer Mutter anvertraut. Ich weiß nicht, was meine Vormünder dazu sagen werden. Lord Radley wird bestimmt in Rage geraten. Das ist mir egal. In weniger als einem Jahr bin ich mündig, und dann kann ich tun, was mir beliebt. Ich habe doch recht daran getan, nicht wahr, Basil, meine Liebe aus der Poesie zu holen und meine Frau in Shakespeares Dramen zu suchen? Lippen, die Shakespeare sprechen gelehrt hat, haben mir ihr Geheimnis ins Ohr geflüstert. Ich habe Rosalindes Arme um mich gespürt und Julias Mund geküßt.«

»Ja, Dorian, ich nehme an, Sie haben recht daran getan«, sagte Hallward langsam.

»Haben Sie sie heute schon gesehen?« fragte Lord Henry.

Dorian Gray schüttelte den Kopf. »Ich ließ sie zurück im Ardennerwald und werde sie in einem Garten zu Verona wiederfinden.«

Lord Henry nippte nachdenklich an seinem Champagner. »Zu welchem bestimmten Zeitpunkt haben Sie das Wort Heirat erwähnt, Dorian? Und welche Antwort hat sie darauf gegeben? Vielleicht haben Sie das alles vergessen.«

»Mein lieber Harry, ich habe das nicht als eine geschäftliche Transaktion betrachtet und ihr keinen formellen Antrag gemacht. Ich habe ihr gesagt, daß ich sie liebe, und sie erwiderte, sie sei nicht würdig, meine Frau zu werden. Nicht würdig! Und dabei bedeutet mir die ganze Welt nichts im Vergleich zu ihr.«

»Frauen sind wunderbar praktisch«, murmelte Lord Henry, »– viel praktischer als wir. In einer solchen Situation vergessen wir häufig, vom Heiraten zu sprechen, aber sie erinnern uns stets daran.«

Hallward legte ihm die Hand auf den Arm. »Nicht doch, Harry. Sie haben Dorian gekränkt. Er ist nicht wie andere Menschen. Er würde nie jemanden ins Elend stürzen. Dazu ist seine Natur zu fein geartet.«

Lord Henry blickte über den Tisch hinweg. »Dorian läßt sich durch mich nicht kränken«, antwortete er. »Ich habe die Frage aus dem denkbar besten Grund gestellt, ja aus dem einzigen Grund, der es rechtfertigt, daß man überhaupt Fragen stellt – aus reiner Neugierde. Ich habe eine Theorie, nach der es stets die Frauen sind, die uns Anträge machen, und nicht wir, die ihnen Anträge machen. Ausgenommen natürlich in der Mittelschicht. Aber die Mittelschicht ist schließlich nicht tonangebend.«

Dorian Gray lachte und warf den Kopf hoch. »Sie sind ganz unverbesserlich, Harry; aber es macht mir nichts aus. Man kann Ihnen unmöglich böse sein. Wenn Sie Sibyl Vane sehen, werden Sie spüren, daß der Mann, der ihr etwas zuleide tun könnte, ein Tier sein müßte, ein Tier ohne Herz. Ich kann nicht begreifen, wie jemand den Wunsch haben kann, das Wesen zu schänden, das er liebt. Ich liebe Sibyl Vane. Ich möchte sie auf ein Piedestal aus Gold stellen und zusehen, wie die Welt die Frau anbetet, die mir gehört. Was ist die Ehe? Ein unwiderrufliches Gelöbnis. Deshalb spotten Sie darüber. Ach! spotten Sie nicht. Es ist ein unwiderrufliches Gelöbnis, das ich ablegen möchte. Ihr Vertrauen macht mich treu, ihr Glaube macht mich gut. Wenn ich bei ihr bin, bedaure ich alles, was Sie mir beigebracht haben. Ich werde ein anderer als der, den Sie kennen. Ich bin verwandelt, und schon die Berührung von Sibyl Vanes Hand läßt mich Sie und all Ihre falschen, faszinierenden, giftigen, köstlichen Theorien vergessen.«

»Und die wären …?« fragte Lord Henry und nahm sich etwas Salat.

»Oh, Ihre Theorien über das Leben, Ihre Theorien über die Liebe, Ihre Theorien über das Genießen. Überhaupt alle Ihre Theorien, Harry.«

»Das Genießen ist das einzige, was eine Theorie verlohnt«, erwiderte er mit seiner bedächtigen, melodischen Stimme. »Aber leider kann ich meine Theorie nicht als meine eigene ausgeben. Sie stammt von der Natur, nicht von mir. Der Genuß ist der Prüfstein der Natur, ihr Zeichen der Zustimmung. Wenn wir glücklich sind, sind wir immer gut, doch wenn wir gut sind, sind wir nicht immer glücklich.«

»Ah! aber was meinen Sie mit gut?« rief Basil Hallward.

»Ja«, kam es als Echo von Dorian Gray, der sich in seinem Stuhl zurücklehnte und Lord Henry über die schweren Büschel der purpurlippigen Schwertlilien hinweg anblickte, die in der Mitte des Tisches standen, »was meinen Sie mit gut, Harry?«

»Gut sein heißt mit seinem Ich harmonieren«, entgegnete er, wobei er mit seinen bleichen, feingliedrigen Fingern den dünnen Stiel seines Glases berührte. »Eine Dissonanz entsteht, wenn man gezwungen ist, mit anderen Menschen zu harmonieren. Das eigene Leben – das ist das Entscheidende. Was das Leben seiner Mitmenschen betrifft, so kann man, falls man prüde oder puritanisch sein will, mit seinen moralischen Auffassungen vor ihnen renommieren, aber sie gehen einen nichts an. Außerdem hat der Individualismus wirklich das höhere Ziel. Die moderne Moral besteht darin, daß man die Maßstäbe seiner Zeit akzeptiert. Nach meiner Meinung ist für jeden kultivierten Menschen die Akzeptierung der Maßstäbe seiner Zeit eine Form krassester Unmoral.«

»Doch wenn man nur für sich selber lebt, Harry, muß man dafür bestimmt einen entsetzlichen Preis zahlen?« warf der Maler ein.

»Ja, heutzutage werden wir bei allem überfordert. Ich könnte mir vorstellen, daß die wahre Tragödie der Armen darin liegt, daß sie sich nichts leisten können außer Entsagung. Schöne Sünden sind, genauso wie schöne Dinge, das Vorrecht der Reichen.«

»Man muß auf andere Weise bezahlen als mit Geld.«

»Auf welche Weise, Basil?«

»Oh! ich möchte meinen, mit Reue, mit Leiden, mit ... nun, mit dem Bewußtsein der Erniedrigung.«

Lord Henry zuckte die Achseln. »Mein Lieber, die mittelalterliche Kunst ist reizend, aber mittelalterliche Gefühle sind aus der Mode gekommen. Man kann sie in der Dichtung verwenden, natürlich. Doch schließlich sind die einzigen Dinge, die man in der Dichtung verwenden kann, ebenjene, die man im wirklichen Leben nicht mehr verwendet. Glauben Sie mir, kein zivilisierter Mensch bedauert jemals einen Genuß, und kein unzivilisierter Mensch weiß überhaupt, was ein Genuß ist.«

»Ich weiß, was Genuß ist«, rief Dorian Gray. »Er besteht darin, daß man jemanden anbetet.«

»Das ist jedenfalls besser, als angebetet zu werden«, erwiderte er und spielte mit ein paar Früchten. »Angebetet zu werden ist eine Plage. Die Frauen behandeln uns so, wie die Menschheit ihre Götter behandelt. Sie verehren uns und bedrängen uns ständig, etwas für sie zu tun.«

»Ich hätte gesagt, daß sie all das, was sie fordern, zunächst uns schenken«, murmelte der Junge mit Bedacht. »Sie erzeugen Liebe in uns. Sie haben ein Recht, sie zurückzuverlangen.«

»Das ist völlig richtig, Dorian«, rief Hallward.

»Nichts ist jemals völlig richtig«, sagte Lord Henry.

»Dies schon«, unterbrach ihn Dorian. »Sie müssen zugeben, Harry, daß die Frauen den Männern das wahre Gold ihres Lebens schenken.«

»Möglich«, seufzte er, »aber sie möchten es unweigerlich in ganz kleiner Münze zurückhaben. Das ist der Kummer. Die Frauen geben uns, wie es ein geistreicher Franzose einmal ausgedrückt hat, das Verlangen ein, Meisterwerke zu schaffen, und hindern uns stets daran, sie auszuführen.«

»Harry, Sie sind schrecklich! Ich weiß gar nicht, warum ich Sie so gern habe.«

»Sie werden mich immer gern haben, Dorian«, entgegnete er. »Nehmt ihr noch einen Kaffee, meine Freunde? – Kellner, bringen Sie Kaffee und *fine Champagne* und Zigaretten. Nein: lassen Sie die Zigaretten; ich habe welche. Basil, ich kann Ihnen nicht erlauben, Zigarren zu rauchen. Sie müssen eine Zigarette probieren. Eine Zigarette ist das vollkommene Musterbeispiel eines vollkommenen Genusses. Sie ist köstlich und läßt einen unbefriedigt. Was kann man mehr verlangen? Ja, Dorian, Sie werden mich immer mögen. Ich bin für Sie die Verkörperung all der Sünden, die zu begehen Sie nie den Mut hatten.«

»Was reden Sie für Unsinn, Harry!« rief der junge Mann und zündete sich eine Zigarette an dem feuerspeienden Silberdrachen an, den der Kellner auf den Tisch gestellt hatte. »Gehen wir ins Theater. Wenn Sibyl die Bühne betritt, werden Sie ein neues Lebensideal entdecken. Sie wird für Sie etwas darstellen, was Sie noch nie kennengelernt haben.«

»Ich habe alles kennengelernt«, sagte Lord Henry mit einem müden Ausdruck in den Augen, »doch ich bin stets auf eine neue Gefühlsregung vorbereitet. Ich befürchte allerdings, daß es, zumindest für mich, so etwas nicht gibt. Immerhin, Ihr wunderbares Mädchen könnte mich rühren. Ich liebe die Schauspielerei. Sie ist soviel wirklicher als das Leben. Gehen wir. Dorian, Sie kommen mit mir. Es tut mir leid, Basil, aber im Brougham ist nur Platz für zwei. Sie müssen uns in einem Hansom folgen.«

Sie standen auf, zogen die Mäntel an und tranken im Stehen ihren Kaffee. Der Maler war schweigsam und in Gedanken versunken. Düsterkeit lag über ihm. Er konnte diese Heirat nicht ertragen, und doch erschien sie ihm besser als manches andere, was hätte geschehen können. Nach einigen Minuten gingen sie alle nach unten. Er fuhr allein los, wie vereinbart, und beobachtete die blitzenden Lichter des kleinen Brougham, der vor ihm war. Ein seltsames Gefühl des Verlorenseins befiel ihn. Er spürte, daß Dorian Gray ihm nie wieder das sein werde, was er in der Vergangenheit gewesen war. Das Leben hatte sich zwischen sie gedrängt... Ihm wurde dunkel vor den Augen, und die überfüllten, schimmernden Straßen verschwammen vor seinem Blick. Als der Wagen vor dem Theater vorfuhr, war es ihm, als sei er um zehn Jahre gealtert.

7. KAPITEL

Aus irgendeinem Grunde war das Haus an diesem Abend überfüllt, und der dicke jüdische Direktor, der sie an der Tür begrüßte, erstrahlte von einem Ohr zum anderen in einem öligen, wabernden Lächeln. Er geleitete sie mit einer Art pompöser Unterwürfigkeit zu ihrer Loge, wobei er seine fetten, juwelengeschmückten Hände schwenkte und mit höchster Lautstärke redete. Dorian Gray verabscheute ihn noch mehr als je zuvor. Ihm war zumute, als sei er gekommen, um Miranda zu suchen, und an ihrer Stelle sei ihm Caliban entgegengetreten. Lord Henry hingegen fand einigen Gefallen an ihm. Zumindest behauptete er das und ließ es sich nicht nehmen, ihm die Hand zu schütteln und ihm zu versichern, daß er stolz sei, einen Mann kennenzulernen, der ein echtes Genie entdeckt und einem Dichter zuliebe bankrott gemacht habe. Hallward fand Vergnügen daran, die Gesichter im Parkett zu mustern. Die Hitze war entsetzlich drückend, und der riesige Scheinwerfer flammte auf wie eine ungeheure Dahlie mit Blütenblättern aus gelbem Feuer. Die jungen Leute auf der Galerie hatten die Röcke und Westen ausgezogen und über die Brüstung gehängt. Sie unterhielten sich quer durch das Theater und teilten sich ihre Orangen mit den aufgedonnerten Mädchen, die neben ihnen saßen. Ein paar Frauen lachten im Parkett. Ihre Stimmen waren unangenehm schrill und mißtönend. Vom Büfett drang das Geräusch knallender Korken herüber.

»Was für ein Ort, seine Göttin zu finden!« sagte Lord Henry.

»Ja!« antwortete Dorian Gray. »Hier habe ich sie gefunden, und sie ist so göttlich wie kein anderes lebendes Wesen. Wenn sie spielt, werden Sie alles andere vergessen. Diese gewöhnlichen, rohen Leute mit ihren derben Gesichtern und ihrem ungehobelten Gebaren verändern sich völlig, sobald sie auf der Bühne steht. Sie sitzen schweigend da und schauen ihr zu. Sie weinen und lachen, wie sie es ihnen gebietet. Sie läßt sie erklingen wie eine Geige. Sie vergeistigt sie, und man spürt, daß sie vom gleichen Fleisch und Blut sind wie unsereiner.«

»Vom gleichen Fleisch und Blut wie unsereiner! Oh, hoffentlich nicht!« rief Lord Henry aus, der die Besatzung der Galerie durch sein Opernglas sondierte.

»Achten Sie nicht auf ihn, Dorian«, sagte der Maler. »Ich verstehe, was Sie meinen, und ich glaube an dieses Mädchen. Wer von Ihnen geliebt wird, muß wunderbar sein, und jedes Mädchen, das so wirkt, wie Sie es beschreiben, muß schön und vornehm sein. Seine Zeit vergeistigen – das ist ein lohnendes Unterfangen. Wenn dieses Mädchen jenen eine Seele verleihen kann, die bisher keine besaßen, wenn sie den Schönheitssinn in Menschen wecken kann, deren Leben schmutzig und häßlich war, wenn sie ihnen die Selbstsucht nehmen und Tränen für die Leiden anderer zu schenken vermag, dann ist sie Ihrer ganzen Anbetung würdig, der Anbetung der Welt würdig. Diese Heirat ist ganz richtig. Zuerst habe ich nicht so gedacht, aber jetzt gebe ich es zu. Die Götter haben Sibyl Vane für Sie geschaffen. Ohne sie wären Sie unvollständig geblieben.«

»Danke, Basil«, antwortete Dorian Gray und drückte ihm die Hand. »Ich habe gewußt, daß Sie mich verstehen würden. Harry ist so zynisch, er erschreckt mich. Aber jetzt fängt das Orchester an. Es ist entsetzlich, doch es dauert nur ungefähr fünf Minuten. Dann geht der Vorhang auf, und Sie werden das Mädchen erblicken, dem ich mein ganzes Leben schenken will, dem ich alles geschenkt habe, was gut in mir ist.«

Eine Viertelstunde später betrat Sibyl Vane unter einem ungewöhnlichen Beifallssturm die Bühne. Ja, sie war wirklich reizend anzuschauen – eines der reizendsten Geschöpfe, dachte Lord Henry, die er jemals gesehen hatte. Es war etwas von einem jungen Reh in ihrer scheuen Anmut und ihren erschrockenen Augen. Eine feine Röte, wie der Schatten einer

Rose in einem silbernen Spiegel, stieg ihr in die Wangen, als sie in den überfüllten, begeisterten Zuschauerraum blickte. Sie trat ein paar Schritte zurück, und ihre Lippen schienen zu beben. Basil Hallward sprang auf und begann zu applaudieren. Bewegungslos und wie ein Träumender saß Dorian Gray da und starrte sie an. Lord Henry lugte durch sein Glas und murmelte: »Bezaubernd! bezaubernd!«

Der Schauplatz war der Saal in Capulets Haus, und Romeo in seinem Pilgerkleid war mit Mercutio und seinen anderen Freunden aufgetreten. Die Kapelle spielte ein paar Takte, so gut sie es vermochte, und der Tanz begann. Durch die Menge plumper, schäbig gekleideter Schauspieler bewegte sich Sibyl Vane wie ein Wesen aus einer höheren Welt. Ihr Körper wiegte sich im Tanz, wie eine Pflanze sich im Wasser wiegt. Die Biegung ihres Halses glich der Biegung einer weißen Lilie. Ihre Hände schienen aus kühlem Elfenbein zu bestehen.

Dennoch war sie seltsam teilnahmslos. Sie verriet kein Zeichen der Freude, als ihre Augen auf Romeo ruhten. Die wenigen Worte, die sie zu sagen hatte –

»Nein, Pilger, lege nichts der Hand zuschulden
Für ihren sittsam-andachtsvollen Gruß.
Der Heil'gen Rechte darf Berührung dulden,
Und Hand in Hand ist frommer Waller Gruß« –,

und der anschließende kurze Dialog wurden in einer durchaus gekünstelten Manier gesprochen. Die Stimme war erlesen, doch hinsichtlich der Betonung völlig falsch. Sie hatte nicht die richtige Färbung. Sie nahm den Versen alles Leben. Sie ließ die Leidenschaft unwirklich erscheinen.

Dorian Gray erbleichte, während er sie beobachtete. Er war verwirrt und betroffen. Seine beiden Freunde wagten nicht, das Wort an ihn zu richten. Sie machte auf sie den Eindruck absoluter Unfähigkeit. Sie waren schrecklich enttäuscht.

Doch sie wußten, daß der eigentliche Prüfstein für eine jede Julia die Balkonszene im zweiten Akt ist. Darauf warteten sie nun. Sollte sie dort versagen, dann war nichts mit ihr los.

Sie sah entzückend aus, als sie ins Mondlicht hinaustrat. Das ließ sich nicht leugnen. Aber die Theatralik ihres Spiels war unerträglich und wurde immer schlimmer. Ihre Gesten wirkten lächerlich geziert. Sie übertrieb alles, was sie zu sagen hatte. Die schöne Stelle:

»Du weißt, die Nacht verschleiert mein Gesicht,
Sonst färbte Mädchenröte meine Wangen
Um das, was du vorhin mich sagen hörtest ...«

deklamierte sie mit der peinlichen Genauigkeit einer Schülerin, die bei einem zweitklassigen Professor der Beredsamkeit Sprechunterricht genommen hat. Als sie sich über den Balkon beugte und an die wunderbaren Verse kam:

»Obwohl ich dein mich freue,
Freu ich mich nicht des Bundes dieser Nacht.
Er ist zu rasch, zu unbedacht, zu plötzlich;
Gleicht allzusehr dem Blitz, der nicht mehr ist,
Noch eh man sagen kann: es blitzt. – Schlaf süß!
Des Sommers warmer Hauch kann diese Knospe
Der Liebe wohl zur schönen Blum entfalten,
Bis wir das nächste Mal uns wiedersehn«,

sprach sie die Worte, als bleibe ihr Sinn ihr verschlossen. Das lag nicht an der Nervosität. Ja, sie war weit davon entfernt, nervös zu sein, sondern vielmehr vollkommen gesammelt. Es war einfach schlechte Kunst. Sie war ein völliger Versager.

Selbst die gewöhnlichen, ungebildeten Zuschauer im Parkett und auf der Galerie verloren das Interesse an dem Stück. Sie wurden unruhig und begannen laut zu reden und zu pfeifen. Der jüdische Prinzipal, der im Hintergrund des ersten Ranges stand, stampfte mit den Füßen auf und fluchte vor Wut. Der einzige Mensch, der ungerührt blieb, war das Mädchen selber.

Als der zweite Akt zu Ende war, brach ein Zischsturm los, und Lord Henry erhob sich von seinem Stuhl und zog den

Mantel an. »Sie ist sehr schön, Dorian«, sagte er, »aber sie kann nicht spielen. Gehen wir.«

»Ich will mir das Stück bis zum Ende ansehen«, entgegnete der junge Mann mit harter, bitterer Stimme. »Es tut mir schrecklich leid, daß ich Ihnen einen Abend verdorben habe, Harry. Ich bitte Sie beide um Entschuldigung.«

»Mein lieber Dorian, ich meine, Miß Vane ist krank«, warf Hallward ein. »Wir kommen ein andermal wieder.«

»Ich wollte, sie wäre krank«, erwiderte er. »Aber sie wirkt auf mich einfach gefühllos und kalt. Sie ist völlig verändert. Gestern abend war sie eine große Künstlerin. Heute abend ist sie bloß eine gewöhnliche, mittelmäßige Schauspielerin.«

»Sprechen Sie nicht so von jemandem, den Sie lieben, Dorian. Die Liebe ist etwas Wunderbareres als die Kunst.«

»Beides ist nur eine Form der Nachahmung«, bemerkte Lord Henry. »Doch gehen wir. Dorian, Sie dürfen nicht länger hierbleiben. Der Anblick schlechter Schauspielerei bekommt unserer Moral nicht. Außerdem glaube ich nicht, daß Sie von Ihrer Frau erwarten, sie solle Theater spielen. Was macht es also aus, ob sie die Julia wie eine Holzpuppe spielt? Sie ist sehr hübsch, und wenn sie vom Leben ebensowenig weiß wie vom Theaterspielen, wird sie eine köstliche Erfahrung sein. Es gibt nur zwei Sorten Menschen, die wirklich faszinierend sind – Menschen, die schlechthin alles wissen, und Menschen, die schlechthin nichts wissen. Um Himmels willen, mein lieber Junge, machen Sie doch nicht so ein tragisches Gesicht! Das Geheimnis des Jungbleibens liegt darin, daß man sich nie einem Gefühl überläßt, das einem nicht steht. Kommen Sie mit Basil und mir in den Klub. Wir wollen Zigaretten rauchen und auf die Schönheit von Sibyl Vane trinken. Sie ist schön. Was können Sie mehr verlangen?«

»Gehen Sie, Harry«, rief der Junge. »Ich möchte allein sein. Basil, Sie müssen gehen. Ach! sehen Sie denn nicht, daß mir das Herz bricht?« Heiße Tränen stiegen ihm in die Augen. Seine Lippen bebten, er stürzte zur Rückseite der Loge, lehnte sich gegen die Wand und verbarg das Gesicht in den Händen.

»Gehen wir, Basil«, sagte Lord Henry mit einer seltsamen Zärtlichkeit in der Stimme; und die beiden jungen Männer gingen zusammen hinaus.

Wenige Augenblicke darauf flammten die Rampenlichter auf, und der Vorhang hob sich zum dritten Akt. Dorian Gray begab sich wieder an seinen Platz. Er sah blaß und stolz und gleichgültig aus. Die Vorstellung schleppte sich dahin und schien kein Ende nehmen zu wollen. Die Hälfte der Zuschauer ging, stampfend in schweren Stiefeln und lachend. Das Ganze war ein Fiasko. Der letzte Akt wurde vor fast leeren Bänken gespielt. Der Vorhang fiel unter Gekicher und vereinzeltem Murren.

Sobald alles vorbei war, eilte Dorian Gray hinter die Bühne in den Aufenthaltsraum der Schauspieler. Das Mädchen stand dort allein, mit einem triumphierenden Ausdruck im Gesicht. Ihre Augen leuchteten in einem herrlichen Feuer. Ein Glanz umgab sie. Ihre leicht geöffneten Lippen lächelten über ein Geheimnis, das nur sie kannten.

Als er eintrat, blickte sie ihn an, und ein Ausdruck unendlicher Freude kam über sie. »Wie miserabel ich heute abend gespielt habe, Dorian!« rief sie.

»Entsetzlich!« antwortete er und starrte sie bestürzt an, »entsetzlich! Es war furchtbar. Bist du krank? Du ahnst ja gar nicht, wie es war. Du ahnst nicht, wie ich gelitten habe.«

Das Mädchen lächelte. »Dorian«, entgegnete sie und ließ ihre Stimme in einer lang gedehnten Melodie bei seinem Namen verweilen, als sei er den roten Blütenblättern ihres Mundes süßer als Honig. »Dorian, du hättest es verstehen müssen. Doch jetzt verstehst du, nicht wahr?«

»Was soll ich verstehen?« fragte er verärgert.

»Warum ich heute abend so schlecht war. Warum ich immer schlecht sein werde. Warum ich nie wieder gut spielen werde.«

Er zuckte die Achseln. »Du bist krank, nehme ich an. Wenn du krank bist, solltest du nicht spielen. Du machst dich nur lächerlich. Meine Freunde waren entsetzt. Ich auch.«

Sie schien ihm nicht zuzuhören. Sie war verzückt vor Freude. Eine Ekstase des Glücks beherrschte sie.

»Dorian, Dorian«, rief sie, »bevor ich dich kannte, war Theaterspielen das einzig Wirkliche in meinem Leben. Nur auf der Bühne lebte ich. Ich hielt das alles für wahr. An einem Abend war ich Rosalinde und am nächsten Portia. Beatrices Freude war meine Freude, und Cordelias Schmerzen waren die meinen. Ich glaubte an alles. Die gewöhnlichen Menschen, die zusammen mit mir spielten, kamen mir wie Götter vor. Die gemalten Kulissen waren meine Welt. Ich kannte nur Schatten und meinte, sie wären wirklich. Dann kamst du – o mein schöner Geliebter! –, und du befreitest meine Seele aus dem Gefängnis. Du lehrtest mich, was die Wirklichkeit wirklich ist. Heute abend, zum erstenmal in meinem Leben, durchschaute ich die Hohlheit, den Trug, die Dummheit des leeren Schaugepränges, in dem ich ständig mitgespielt habe. Heute abend wurde mir zum erstenmal bewußt, daß der Romeo widerwärtig und alt und geschminkt, daß das Mondlicht im Garten unecht, daß die Dekoration vulgär war und daß die Worte, die ich zu sprechen hatte, unwirklich waren, nicht meine Worte, nicht das, was ich gern gesagt hätte. Du hast mir etwas Höheres gegeben, etwas, wovon alle Kunst nur ein Widerschein ist. Du hast mich begreifen lassen, was die Liebe wirklich ist. Mein Liebster! mein Liebster! Märchenprinz! Prinz des Lebens! Ich bin der Schatten überdrüssig. Du bist mir mehr, als alle Kunst jemals sein kann. Was habe ich zu schaffen mit den Marionetten eines Spiels? Als ich heute abend auftrat, konnte ich nicht verstehen, wieso alles von mir gewichen war. Ich dachte, ich würde wunderbar sein. Doch ich entdeckte, daß ich nichts vermochte. Plötzlich dämmerte es mir in meiner Seele, was das alles bedeutete. Das war für mich eine köstliche Erkenntnis. Ich hörte die Leute zischen, und ich lächelte. Was konnten sie von einer Liebe wie der unseren wissen? Nimm mich fort von hier, Dorian – geh mit mir dorthin, wo wir ganz allein sein können. Ich hasse die Bühne. Ich könnte eine Leidenschaft darstellen, die ich nicht empfinde, aber ich kann keine darstellen, die mich wie Feuer brennt. O Dorian, Dorian, verstehst du nun, was es bedeutet? Selbst wenn ich es könnte, wäre es für mich eine Entweihung, die Liebende zu spielen. Das habe ich durch dich erkannt.«

Er warf sich auf das Sofa und wandte das Gesicht ab. »Du hast meine Liebe getötet«, murmelte er.

Sie betrachtete ihn erstaunt und lachte. Er gab keine Antwort. Sie ging zu ihm hinüber und streichelte mit ihren kleinen Fingern sein Haar. Sie kniete nieder und drückte seine Hände an ihre Lippen. Er zog sie fort, und ein Schauder rann durch ihn hindurch.

Dann sprang er auf und ging zur Tür. »Ja«, schrie er, »du hast meine Liebe getötet. Früher hast du meine Phantasie erregt. Jetzt erregst du nicht einmal meine Neugier. Du hast einfach alle Wirkung eingebüßt. Ich habe dich geliebt, weil du wunderbar warst, weil du Genie und Geist hattest, weil du den Träumen großer Dichter Wirklichkeit und den Schatten der Kunst Gestalt und Inhalt verliehst. All das hast du weggeworfen. Du bist seicht und dumm. Mein Gott! wie verrückt war ich doch, dich zu lieben! Was für ein Narr war ich! Du bedeutest mir jetzt nichts mehr. Ich will dich niemals wiedersehen. Ich will nie mehr an dich denken. Ich will nie wieder deinen Namen erwähnen. Du weißt nicht, was du mir einmal bedeutet hast. Ja, einmal … Oh, der Gedanke daran ist mir unerträglich! Ich wünschte, meine Augen hätten dich nie erblickt! Du hast den Roman meines Lebens verdorben. Wie wenig weißt du von Liebe, wenn du sagst, sie richte deine Kunst zugrunde! Ohne deine Kunst bist du nichts. Ich hätte dich berühmt, glänzend und groß gemacht. Die Welt hätte dich angebetet, und du hättest meinen Namen getragen. Was bist du jetzt? Eine drittklassige Schauspielerin mit einem hübschen Gesicht.«

Das Mädchen wurde weiß und zitterte. Sie krampfte die Hände zusammen, und die Stimme schien ihr in der Kehle steckenzubleiben. »Das ist doch nicht dein Ernst, Dorian?« murmelte sie. »Du spielst Theater.«

»Theater spielen! Das überlasse ich dir. Du kannst das ja so gut«, antwortete er bitter.

Sie erhob sich von ihren Knien und kam mit einem mitleiderregenden Ausdruck des Schmerzes im Gesicht quer durch den Raum auf ihn zu. Sie legte ihm die Hand auf den Arm und blickte ihm in die Augen. Er stieß sie zurück. »Rühr mich nicht an!« rief er.

Ein dumpfes Stöhnen brach aus ihr hervor, und sie warf sich ihm zu Füßen und lag da wie eine zertretene Blume. »Dorian, Dorian, verlaß mich nicht!« flüsterte sie. »Es tut mir leid, daß ich nicht gut gespielt habe. Ich habe die ganze Zeit über an dich gedacht. Aber ich will es versuchen – ja, ich will es versuchen. Sie kam so plötzlich über mich, meine Liebe zu dir. Ich hätte sie wohl niemals kennengelernt, wenn du mich nicht geküßt hättest – wenn wir einander nicht geküßt hätten. Küß mich noch einmal, mein Liebster. Geh nicht fort von mir. Mein Bruder … Nein; nicht doch. Er hat es nicht so gemeint. Es war nur ein Scherz … Aber du, oh! kannst du mir nicht verzeihen, was heute abend geschehen ist? Ich will mir große Mühe geben und versuchen, mich zu bessern. Sei nicht grausam zu mir, weil ich dich mehr liebe als alles andere auf der Welt. Schließlich habe ich dir nur ein einziges Mal nicht gefallen. Doch du hast ganz recht, Dorian. Ich hätte mehr zeigen sollen, daß ich eine Künstlerin bin. Es war albern von mir; und doch konnte ich nicht anders. Oh, verlaß mich nicht, verlaß mich nicht!« Ein leidenschaftliches Schluchzen erstickte ihre Stimme. Sie kauerte auf dem Boden wie ein verwundetes Tier, und Dorian Gray blickte mit seinen schönen Augen auf sie hinab, und seine feingemeißelten Lippen verzogen sich in erlesener Verachtung. Die Empfindungen der Menschen, die man nicht mehr liebt, haben stets etwas Lächerliches an sich. Sibyl Vane kam ihm abgeschmackt melodramatisch vor. Ihre Tränen und ihr Geschluchze waren ihm lästig.

»Ich gehe«, sagte er mit seiner gelassenen, klaren Stimme. »Ich möchte nicht unfreundlich sein, aber ich kann dich nicht mehr wiedersehen. Du hast mich enttäuscht.«

Sie weinte lautlos und gab keine Antwort, kroch aber näher an ihn heran. Ihre kleinen Hände streckten sich hilflos aus und schienen ihn zu suchen. Er drehte sich auf dem Absatz um und ging aus dem Zimmer. In wenigen Augenblicken stand er vor dem Theater.

Wohin er ging, wußte er kaum. Er erinnerte sich, daß er durch spärlich erleuchtete Straßen gewandert war, an unheimlichen schwarz beschatteten Torbogen und böse aussehenden Häusern vorbei. Frauen mit heiseren Stimmen und grellem Lachen hatten hinter ihm her gerufen. Betrunkene waren fluchend vorübergeschwankt und hatten mit sich selber geredet wie übergroße Affen. Er hatte groteske Kinder auf den Türschwellen hocken sehen und Schreie und Flüche aus düsteren Innenhöfen vernommen.

Beim ersten Anbruch der Dämmerung fand er sich in der Nähe von Covent Garden. Das Dunkel lichtete sich, und von matten Feuern gerötet, wölbte sich der Himmel zu einer vollkommenen Perle. Riesige Karren, beladen mit nickenden Lilien, rumpelten langsam die spiegelblanke, leere Straße entlang. Die Luft war schwer vom Duft der Blumen, und deren Schönheit schien seinem Schmerz Linderung zu bringen. Er folgte ihnen bis zum Markt und sah den Männern beim Entladen ihrer Wagen zu. Ein Fuhrmann im weißen Kittel bot ihm ein paar Kirschen an. Er dankte ihm, wunderte sich, warum der Mann sich weigerte, Geld dafür zu nehmen, und begann sie zerstreut zu essen. Sie waren um Mitternacht gepflückt worden, und die Kühle des Mondes hatte sie durchdrungen. In einer langen Reihe zogen Jungen, die Körbe mit gestreiften Tulpen und gelben und roten Rosen trugen, an ihm vorüber und bahnten sich einen Weg durch die gewaltigen jadegrünen Gemüseberge. Unter dem Portal mit seinen grauen, sonnengebleichten Säulen lungerte eine Schar schmuddeliger, barhäuptiger Mädchen herum, die auf das Ende der Versteigerung warteten. Andere drängten sich um die Schwingtüren des Kaffeehauses auf der Piazza. Die schweren Karrengäule rutschten und stampften auf dem groben Steinpflaster und schüttelten ihre

Glocken und Geschirre. Einige Fuhrleute lagen schlafend auf einem Haufen Säcke. Mit irisfarbenem Hals und rosigen Füßen trippelten die Tauben umher und pickten Körner auf.

Nach einer kleinen Weile hielt er eine Droschke an und ließ sich heimfahren. Einige Augenblicke lang zögerte er auf der Schwelle und warf einen Blick auf den stillen Platz mit den nichtssagenden, fest verschlossenen Fenstern und den starrenden Markisen. Der Himmel war inzwischen ein reiner Opal geworden, und die Hausdächer hoben sich silbrig schimmernd von ihm ab. Aus einem Kamin gegenüber stieg ein dünner Rauchkringel empor. Er kräuselte sich als violettes Band durch die perlmuttfarbene Luft.

In der mächtigen vergoldeten venezianischen Laterne, einem Beutestück aus der Barke eines Dogen, die von der Decke der großen eichengetäfelten Eingangshalle herabhing, brannten noch immer drei flackernde Gaslichter; wie dünne, blaue flammende Blütenblätter sahen sie aus, eingefaßt von weißer Glut. Er löschte sie aus, und nachdem er seinen Hut und Umhang auf den Tisch geworfen hatte, ging er durch die Bibliothek zur Tür seines Schlafzimmers, eines großen achteckigen Raumes im Erdgeschoß, den er kürzlich in seinem neu erwachten Gefühl für Luxus hatte ausschmücken und mit einigen schlüpfrigen Renaissancegobelins ausstatten lassen, welche man in einer unbenutzten Dachkammer in Selby Royal stapelweise entdeckt hatte. Als er den Türgriff drehte, fiel sein Blick auf das Porträt, das Basil Hallward von ihm gemalt hatte. Er fuhr zurück, gleichsam überrascht. Dann trat er mit leicht betroffener Miene in sein Zimmer. Als er die Knopflochblume abgenommen hatte, schien er zu zögern. Schließlich kehrte er um, ging zum Bild hinüber und untersuchte es. In dem schwachen, gedämpften Licht, das sich durch die cremefarbenen Seidenvorhänge mühte, erschien ihm das Gesicht ein wenig verändert. Der Ausdruck war anders geworden. Man hätte sagen können, ein Anflug von Grausamkeit umgebe den Mund. Das war allerdings merkwürdig.

Er drehte sich um, ging zum Fenster und zog den Vorhang

zurück. Das helle Morgenlicht durchflutete das Zimmer und vertrieb die phantastischen Schatten in dunkle Winkel, wo sie schaudernd verharrten. Doch der seltsame Ausdruck, den er im Gesicht des Porträts bemerkt hatte, schien zu verweilen, ja sich noch zu verstärken. Das flirrende, glühende Sonnenlicht zeigte ihm die grausamen Linien um den Mund so deutlich, wie wenn er nach einer schrecklichen Tat in den Spiegel sähe.

Er zuckte zusammen, nahm vom Tisch einen von elfenbeinernen Liebesgöttern umrahmten ovalen Spiegel, eines von Lord Henrys zahlreichen Geschenken, und warf einen raschen Blick in die blanke Tiefe. Keine solche Linie entstellte seine roten Lippen. Was hatte das zu bedeuten?

Er rieb sich die Augen und trat dicht vor das Bild und untersuchte es noch einmal. Nichts deutete auf irgendwelche Veränderungen hin, wenn er das Gemalte an sich betrachtete, und dennoch gab es keinen Zweifel, daß der ganze Ausdruck gewechselt hatte. Das war nicht nur seine Einbildung. Der Tatbestand war erschreckend offenkundig.

Er warf sich in einen Sessel und begann nachzudenken. Plötzlich zuckte durch seinen Geist, was er in Basil Hallwards Atelier an jenem Tag gesagt hatte, als das Bild fertig geworden war. Ja, er erinnerte sich genau daran. Er hatte den wahnsinnigen Wunsch geäußert, daß er selber jung bleiben und das Porträt altern möge; daß seine eigene Schönheit nicht getrübt werden möge und das Gesicht auf der Leinwand die Last seiner Leidenschaften und Sünden übernehmen solle; daß das gemalte Abbild von den Linien des Leidens und Denkens durchfurcht werde und daß er selber die ganze zarte Blüte und Lieblichkeit seiner eben erst zum Bewußtsein erwachten Jugend behalten möge. Sicherlich hatte sich sein Wunsch nicht erfüllt? So etwas war doch unmöglich. Schon der Gedanke kam ihm ungeheuerlich vor. Und doch, dort vor ihm stand das Bild und wies den grausamen Zug um den Mund auf.

Grausamkeit! War er grausam gewesen? Es war die Schuld des Mädchens, nicht die seine. Er hatte sie sich als eine große Künstlerin erträumt, hatte ihr seine Liebe geschenkt, weil er sie für groß gehalten hatte. Doch dann hatte sie ihn entäuscht. Sie war oberflächlich und unwürdig gewesen. Und trotzdem befiel ihn ein Gefühl unendlichen Bedauerns, als er daran dachte, wie sie zu seinen Füßen gelegen hatte, schluchzend wie ein Kind. Er erinnerte sich, mit welcher Teilnahmslosigkeit er sie betrachtet hatte. Warum war er so geschaffen? Warum war ihm eine solche Seele verliehen worden? Doch er selber hatte ebenfalls gelitten. In den drei entsetzlichen Stunden, die das Stück gedauert hatte, hatte er Jahrhunderte des Schmerzes durchlebt, Äonen um Äonen der Qual. Sein Leben war wohl das ihre wert. Sie hatte ihn für einen Augenblick zugrunde gerichtet, wenn er sie ein Leben lang verwundet hatte. Im übrigen waren Frauen eher imstande, Kummer zu ertragen, als Männer. Sie lebten von ihren Gefühlen. Sie dachten nur an ihre Gefühle. Wenn sie sich Liebhaber nahmen, so nur deshalb, um jemanden zu haben, dem sie Szenen machen konnten. Das hatte er von Lord Henry gehört, und Lord Henry kannte sich mit den Frauen aus. Warum sollte er sich über Sibyl Vane aufregen? Sie bedeutete ihm nichts.

Aber das Bild? Was sollte er dazu sagen? Es barg das Geheimnis seines Lebens und erzählte seine Geschichte. Es hatte ihn gelehrt, seine eigene Schönheit zu lieben. Würde es ihn lehren, seine eigene Seele zu verabscheuen? Würde er es jemals wieder anschauen?

Nein, es war nur eine Täuschung, die auf die verwirrten Sinne wirkte. Die schreckliche Nacht, die hinter ihm lag, hatte Phantome hinterlassen. Plötzlich war der winzige Scharlachfleck auf sein Gehirn gefallen, der die Menschen wahnsinnig macht. Das Bild hatte sich nicht verändert. Es war töricht, so etwas anzunehmen.

Dennoch beobachtete es ihn, mit seinem schönen, entstellten Gesicht und seinem grausamen Lächeln. Das helle Haar leuchtete in der frühen Morgensonne. Die blauen Augen begegneten den seinen. Ein Gefühl unermeßlichen Mitleids, nicht mit sich selber, sondern mit seinem gemalten

Abbild, überkam ihn. Es hatte sich bereits verändert, und es würde sich noch mehr verändern. Sein Gold würde welken zu Grau. Seine roten und weißen Rosen würden sterben. Für jede Sünde, die er beging, würde ein Makel seinen Liebreiz beflecken und zuschanden machen. Aber er würde nicht sündigen. Das Bild, verändert oder unverändert, würde für ihn das sichtbare Zeichen des Gewissens sein. Er würde der Versuchung widerstehen. Er wollte Lord Henry nicht mehr wiedersehen – wollte auf jeden Fall nicht mehr jenen heimtückischen, giftigen Theorien zuhören, die in Basil Hallwards Garten erstmals die Leidenschaft für das Unmögliche in ihm erregt hatten. Er wollte zu Sibyl Vane zurückkehren, bei ihr alles wiedergutmachen, sie heiraten, sie wieder zu lieben versuchen. Ja, das war seine Pflicht. Sie mußte mehr gelitten haben als er. Armes Kind! Er war egoistisch und grausam ihr gegenüber gewesen. Die Faszination, die sie auf ihn ausgeübt hatte, würde wiederkehren. Sie würden miteinander glücklich sein. Das Leben mit ihr würde schön und rein sein.

Er erhob sich aus seinem Sessel und schob einen großen Wandschirm vor das Porträt, bei dessen Anblick er erschauerte. »Wie schrecklich!« murmelte er vor sich hin, und dann ging er zur Glastür und öffnete sie. Als er auf den Rasen hinaustrat, atmete er tief auf. Die frische Morgenluft schien all seine düsteren Anwandlungen zu vertreiben. Er dachte nur an Sibyl. Ein leises Echo seiner Liebe kam zu ihm zurück. Immer wieder sprach er ihren Namen aus. Es war, als wollten die Vögel, die im taunassen Garten sangen, den Blumen von ihr erzählen.

8. KAPITEL

Die Mittagsstunde war längst vorüber, als er erwachte. Sein Diener war schon mehrmals auf Zehenspitzen ins Zimmer geschlichen, um nachzusehen, ob er sich rühre, und hatte sich gewundert, warum der junge Herr wohl so lange schlief. Endlich läutete er, und Victor trat leise ein mit einer Tasse Tee und einem Stapel Briefe, beides auf einem kleinen Tablett aus altem Sèvres-Porzellan, und zog die olivfarbenen Satinvorhänge mit ihrem schimmernden blauen Futter zurück, die vor den drei hohen Fenstern hingen.

»Monsieur hat heute morgen aber gut geschlafen«, sagte er mit einem Lächeln.

»Wie spät ist es, Victor?« fragte Dorian Gray schlaftrunken.

»Viertel nach eins, Monsieur.«

Wie spät es war! Er setzte sich auf, und nachdem er ein wenig Tee getrunken hatte, blätterte er die Briefe durch. Einer war von Lord Henry und war am Morgen durch einen Boten zugestellt worden. Er zögerte einen Augenblick und legte ihn dann beiseite. Die anderen öffnete er gelangweilt. Sie enthielten die übliche Kollektion von Visitenkarten, Einladungen zum Essen, Billetts für geschlossene Veranstaltungen, Programmen von Wohltätigkeitskonzerten und so fort, mit der elegante junge Herren während der Saison jeden Morgen überschüttet werden. Des weiteren war da noch eine ziemlich hohe Rechnung für eine silbergetriebene Louis-Quinze-Toilettengarnitur, die er seinen Vormündern zu schicken noch nicht den Mut gefunden hatte, ungemein altmodischen Leuten, die nicht einsahen, daß wir in einer Zeit leben, in der unnötige Dinge die einzig notwendigen sind; und hinzu kamen noch mehrere sehr verbindlich abgefaßte Mitteilungen von den Geldverleihern aus der Jermyn-Street, die sich erboten, jede beliebige Summe auf der Stelle und zum günstigsten Zinssatz vorzustrecken.

Nach ungefähr zehn Minuten stand er auf, warf sich einen kunstvoll gearbeiteten Morgenmantel aus seidenbestickter Kaschmirwolle über und begab sich in das onyxgekachelte Badezimmer. Das kühle Wasser erfrischte ihn nach dem langen Schlaf. Er schien alles vergessen zu haben, was er durchgemacht hatte. Einige Male überkam ihn das dumpfe Gefühl, an einer merkwürdigen Tragödie teilgehabt zu haben, aber sie hatte etwas von der Unwirklichkeit eines Traumes an sich.

Sobald er angekleidet war, ging er in die Bibliothek und nahm Platz zu einem leichten französischen Frühstück, das ihm auf einem kleinen runden Tisch neben dem offenen Fenster serviert worden war. Es war ein köstlicher Tag. Die warme Luft schien von würzigen Wohlgerüchen erfüllt zu sein. Eine Biene flog herein und summte um die Schale mit dem blauen Drachendekor, die voll schwefelgelber Rosen vor ihm stand. Er fühlte sich vollkommen glücklich.

Plötzlich fiel sein Blick auf den Wandschirm, den er vor das Porträt gestellt hatte, und er erschrak.

»Ist es Monsieur zu kalt?« fragte sein Diener, der gerade ein Omelett auf den Tisch stellte. »Soll ich das Fenster schließen?«

Dorian schüttelte den Kopf. »Mir ist nicht kalt«, murmelte er.

War das alles wahr? Hatte sich das Porträt tatsächlich verändert? Oder hatte ihm lediglich seine Phantasie einen bösen Ausdruck vorgegaukelt, wo ein freudiger Ausdruck war? Eine gemalte Leinwand konnte sich doch nicht verwandeln? Das Ganze war absurd. Es war bestenfalls ein Märchen, das er Basil eines Tages erzählen konnte. Er würde darüber lächeln.

Und doch, wie lebhaft war seine Erinnerung an die ganze Angelegenheit! Zuerst im trüben Dämmerlicht und dann am hellen Morgen hatte er den grausamen Zug um die entstellten Lippen gesehen. Er fürchtete sich beinahe davor, daß sein Diener das Zimmer verlassen würde. Er wußte, daß er das Porträt untersuchen mußte, sobald er allein war. Er hatte

Angst vor der Gewißheit. Als ihm der Kaffee und die Zigaretten gebracht worden waren und der Diener sich zum Gehen wandte, verspürte er ein wildes Verlangen, ihn zum Bleiben aufzufordern. Kaum hatte er die Tür hinter sich geschlossen, als er ihn zurückrief. Der Diener stand da und harrte seiner Befehle. Dorian sah ihn einen Augenblick lang an. »Ich bin für niemanden zu sprechen, Victor«, sagte er mit einem Seufzer. Der Mann verbeugte sich und zog sich zurück.

Dann stand er vom Tisch auf, zündete sich eine Zigarette an und warf sich auf eine verschwenderisch mit Kissen bedeckte Couch, die vor dem Wandschirm stand. Es war ein alter Wandschirm aus vergoldetem spanischem Leder, bedruckt und verziert mit einem reichlich überladenen Louis-Quatorze-Muster. Er musterte ihn neugierig und fragte sich, ob er schon jemals zuvor das Geheimnis eines Menschenlebens verborgen habe.

Sollte er ihn überhaupt beiseite schieben? Warum ihn nicht stehenlassen? Wozu war das Wissen schon nütze? Wenn die Geschichte der Wahrheit entsprach, war sie schrecklich. War sie nicht wahr, warum sich dann deswegen beunruhigen? Doch was wäre, wenn durch ein Mißgeschick oder einen schlimmeren Zufall andere Augen dahinter spähten und die entsetzliche Verwandlung erblickten? Was sollte er machen, wenn Basil Hallward herkäme und darum bäte, sein eigenes Bild anschauen zu dürfen? Das würde Basil bestimmt tun. Nein; die Sache mußte untersucht werden, und zwar sofort. Alles andere wäre besser als dieser entsetzliche Zustand der Ungewißheit.

Er stand auf und schloß beide Türen ab. Er wollte wenigstens allein sein, wenn er die Maske seiner Schande betrachtete. Dann zog er den Wandschirm zur Seite und erblickte sich selber von Angesicht zu Angesicht. Es war ganz und gar wahr. Das Porträt hatte sich verändert.

Wie er sich später oftmals und stets mit nicht geringer Verwunderung erinnerte, hatte er das Porträt zunächst mit einer fast wissenschaftlich interessierten Einstellung angestarrt. Daß eine solche Veränderung stattgefunden haben sollte, erschien ihm unglaublich. Und doch war sie eine Tatsache. Bestand irgendeine geheime Affinität zwischen den chemischen Atomen, die sich auf der Leinwand zu Form und Farbe fügten, und der Seele, die in ihm lebte? Konnte es sein, daß sie nachbildeten, was diese Seele dachte? – daß sie wahr machten, was sie träumte? Oder gab es eine andere, noch schrecklichere Ursache? Er erschauerte und hatte Angst, und wieder zur Couch zurückgekehrt, lag er dort und starrte auf das Bild mit grausigem Entsetzen.

Eines jedoch, das spürte er, hatte es in ihm bewirkt. Es hatte ihm bewußt gemacht, wie ungerecht, wie grausam er Sibyl Vane gegenüber gewesen war. Es war noch nicht zu spät, das wiedergutzumachen. Sie konnte immer noch seine Frau werden. Seine unechte und selbstsüchtige Liebe würde einer höheren Gewalt weichen, sich in eine edlere Leidenschaft verwandeln, und das Porträt, das Basil Hallward von ihm gemalt hatte, würde ihm ein Führer durchs Leben sein, würde für ihn das bedeuten, was manchen die Heiligkeit, anderen das Gewissen und uns allen die Furcht vor Gott bedeutet. Es gab Opiate gegen Gewissensbisse, Drogen, die das sittliche Gefühl einzuschläfern vermochten. Doch hier war ein sichtbares Symbol für die Erniedrigung durch die Sünde. Hier war ein allgegenwärtiges Zeichen für das Verderben, das die Menschen über ihre Seele brachten.

Drei Uhr schlug es und vier, und die halbe Stunde ließ ihre zwei Glockenschläge ertönen, aber Dorian Gray rührte sich nicht. Er versuchte, die scharlachroten Fäden des Lebens zu sammeln und zu einem Muster zu verweben, einen Weg durch das blutigrote Labyrinth der Leidenschaft zu finden, das er durchwanderte. Er wußte nicht, was er tun oder was er denken sollte. Schließlich ging er zum Tisch hinüber und schrieb einen leidenschaftlichen Brief an das Mädchen, das er geliebt hatte, flehte es um Vergebung an und beschuldigte sich selber des Wahnsinns. Seite um Seite bedeckte er mit wilden Worten des Kummers und noch wilderen Worten der Qual. Der Selbstanklage haftet etwas Überschwengliches an. Wenn wir uns selber tadeln, meinen wir, daß kein anderer ein Recht hat, uns zu tadeln. Es ist die Beichte, nicht der Priester, die uns die Absolution erteilt. Als Dorian den Brief beendet hatte, fühlte er, daß ihm vergeben worden war.

Plötzlich klopfte es an die Tür, und er hörte draußen die Stimme von Lord Henry. »Mein lieber Junge, ich muß Sie sprechen. Lassen Sie mich sofort ein. Ich kann es nicht zulassen, daß Sie sich so einschließen.«

Er gab zunächst keine Antwort, sondern verhielt sich ganz still. Das Klopfen hörte nicht auf und wurde noch lauter. Ja, es war wohl besser, Lord Henry hereinzulassen und ihm das neue Leben zu erläutern, das er fortan führen wollte, mit ihm zu streiten, falls sich ein Streit nicht umgehen ließ, und sich von ihm zu trennen, falls die Trennung unvermeidlich war. Er sprang auf, schob hastig den Wandschirm vor das Bild und schloß die Tür auf.

»Es tut mir alles so leid, Dorian«, sagte Lord Henry beim Eintreten. »Aber Sie dürfen sich nicht zuviel Gedanken darüber machen.«

»Meinen Sie über Sibyl Vane?« fragte der junge Mann.

»Ja, natürlich«, antwortete Lord Henry, der in einen Sessel sank und langsam seine gelben Handschuhe abstreifte. »Es ist furchtbar, von einem bestimmten Standpunkt aus betrachtet, aber es war nicht Ihre Schuld. Sagen Sie mir, sind Sie nach der Vorstellung hinter die Bühne gegangen und haben mit ihr gesprochen?«

»Ja.«

»Das dachte ich mir doch. Haben Sie ihr eine Szene gemacht?«

»Ich war brutal, Harry – durch und durch brutal. Aber jetzt ist alles wieder gut. Es tut mir nichts von dem leid, was geschehen ist. Es hat mich gelehrt, mich selber besser zu erkennen.«

»Ach, Dorian, ich bin ja so froh, daß Sie es so sehen! Ich hatte schon befürchtet, Sie würden sich Ihren Gewissensbissen hingeben und sich Ihr schönes lockiges Haar zerraufen.«

»Das alles habe ich bereits hinter mir«, sagte Dorian Gray kopfschüttelnd und lächelnd. »Ich bin jetzt vollkommen glücklich. Vor allem weiß ich nun, was Gewissen ist. Es ist nicht das, was Sie behauptet haben. Es ist das Göttlichste, was wir besitzen. Machen Sie keine hämischen Bemerkungen mehr darüber, Harry – zumindest nicht vor mir. Ich möchte gut sein. Ich kann die Vorstellung, meine Seele könnte abscheulich sein, nicht ertragen.«

»Eine höchst charmante künstlerische Grundlegung der Ethik, Dorian! Ich gratuliere Ihnen dazu. Aber wie wollen Sie das anfangen?«

»Indem ich Sibyl Vane heirate.«

»Sibyl Vane heiraten!« rief Lord Henry, der aufstand und ihn betroffen und erstaunt anblickte. »Aber, mein lieber Dorian ...«

»Ja, Harry, ich weiß, was Sie sagen wollen. Irgend etwas Furchtbares über die Ehe. Sagen Sie es nicht. Sagen Sie nie wieder solche Dinge zu mir. Vor zwei Tagen habe ich Sibyl gebeten, mich zu heiraten. Ich werde mein Wort nicht brechen. Sie soll meine Frau werden.«

»Ihre Frau! Dorian! ... Haben Sie denn meinen Brief nicht erhalten? Ich habe Ihnen heute morgen geschrieben und die Nachricht durch meinen Diener überbringen lassen.«

»Ihren Brief? Ach ja, ich erinnere mich. Ich habe ihn noch nicht gelesen, Harry. Ich hatte Angst, er könnte etwas enthalten, was mir nicht gefiele. Sie zerfetzen das Leben mit Ihren Epigrammen.«

»Demnach wissen Sie noch nichts?«

»Was meinen Sie damit?«

Lord Henry durchquerte das Zimmer, setzte sich neben Dorian Gray, nahm dessen Hände in die seinen und hielt sie fest. »Dorian«, sagte er, »mein Brief – erschrecken Sie nicht – sollte Ihnen berichten, daß Sibyl Vane tot ist.«

Ein Schrei des Schmerzes entrang sich dem Jungen, und er sprang auf und entriß seine Hände dem Griff Lord Henrys. »Tot! Sibyl tot! Es ist nicht wahr! Es ist eine furchtbare Lüge! Wie können Sie es wagen, sie auszusprechen?«

»Es ist völlig wahr, Dorian«, sagte Lord Henry ernst. »Es steht in allen Morgenzeitungen. Ich habe Ihnen geschrieben, um Sie zu bitten, niemanden zu empfangen, bis ich herkäme. Man wird natürlich eine Untersuchung einleiten, und Sie dürfen nicht in sie verwickelt werden. In Paris wird man durch so etwas fashionable. Aber in London sind die Leute so voreingenommen. Hier sollte man niemals mit einem Skandal debütieren. Das sollte man sich aufheben, um sich auf seine alten Tage interessant zu machen. Ich nehme an, daß man im Theater Ihren Namen nicht kennt? Wenn dem so ist, kann nichts passieren. Hat Sie jemand auf ihr Zimmer gehen sehen? Das ist ein wichtiger Punkt.«

Dorian gab zunächst keine Antwort. Er war benommen vor Entsetzen. Schließlich stammelte er mit erstickter Stimme: »Harry, sagten Sie, eine Untersuchung? Was haben Sie damit gemeint? Hat Sibyl …? Oh, Harry, ich kann es nicht ertragen! Doch machen Sie es kurz. Sagen Sie mir jetzt gleich alles.«

»Ich habe keinen Zweifel, daß es kein Unfall war, Dorian, obwohl es der Öffentlichkeit so dargestellt werden muß. Als sie zusammen mit ihrer Mutter das Theater verließ, so gegen halb eins, hat sie anscheinend gesagt, sie habe oben etwas vergessen. Man wartete einige Zeit auf sie, aber sie kam nicht mehr herunter. Am Ende fand man sie in ihrer Garderobe tot auf dem Boden liegen. Sie hatte versehentlich etwas geschluckt, irgend so ein scheußliches Zeug, das man beim Theater braucht. Ich weiß nicht, was es war, doch es enthielt entweder Blausäure oder Bleiweiß. Ich möchte meinen, daß es Blausäure war, denn sie scheint auf der Stelle tot gewesen zu sein.«

»Harry, Harry, es ist furchtbar!« rief der Junge.

»Ja, es ist freilich sehr tragisch, aber Sie dürfen sich nicht hineinziehen lassen. Ich entnehme dem ›Standard‹, daß sie siebzehn war. Ich hätte sie eigentlich fast noch für jünger gehalten. Sie sah so kindlich aus und verstand offenbar so wenig vom Theaterspielen. Dorian, Sie dürfen jetzt deswegen nicht die Nerven verlieren. Sie müssen mit mir essen kommen, und hinterher wollen wir noch in die Oper hineinschauen. Die Patti tritt heute abend auf, und alle Welt wird dort versammelt sein. Sie können mit in die Loge meiner Schwester kommen. Sie bringt ein paar schicke Frauen mit.«

»Ich habe also Sibyl Vane ermordet«, sagte Dorian Gray halb zu sich selbst, »so gewiß ermordet, als hätte ich ihr die kleine Kehle mit einem Messer durchschnitten. Dennoch sind die Rosen nicht weniger lieblich. Die Vögel singen noch genauso fröhlich in meinem Garten. Und heute abend werde ich mit Ihnen essen und dann in die Oper gehen und vermutlich nachher noch irgendwo zur Nacht speisen. Wie überaus dramatisch das Leben doch ist! Wenn ich das alles in einem Buch gelesen hätte, Harry, dann hätte ich wohl Tränen darüber vergossen. Doch merkwürdig, nachdem es tatsächlich geschehen ist, und zwar mir selber, erscheint es mir viel zu wunderbar für Tränen. Hier liegt der erste leidenschaftliche Liebesbrief, den ich jemals in meinem Leben geschrieben habe. Seltsam, daß mein erster leidenschaftlicher Liebesbrief an ein totes Mädchen gerichtet sein muß. Ich wüßte gern, ob sie noch Gefühle haben, diese bleichen, schweigenden Menschen, die wir Tote nennen. Sibyl! Kann sie fühlen oder wissen oder hören? Oh, Harry, wie sehr habe ich sie einmal geliebt! Jetzt kommt es mir vor, als läge es Jahre zurück. Sie bedeutete mir alles. Dann kam diese schreckliche Nacht – war es wirklich erst gestern? –, in der sie so schlecht spielte und mir das Herz fast gebrochen wäre. Sie erklärte mir alles. Es war furchtbar rührend. Aber ich war nicht im geringsten bewegt. Ich hielt sie für oberflächlich. Plötzlich geschah etwas, was mir angst machte. Ich kann Ihnen nicht sagen, was es war, aber es war furchtbar. Ich entschloß mich, zu ihr zurückzukehren. Ich spürte, daß ich unrecht getan hatte. Und jetzt ist sie tot. Mein Gott! mein Gott! Harry, was soll ich tun? Sie kennen nicht die Gefahr, in der ich schwebe, und es gibt nichts, was mich halten könnte. Sie hätte es gekonnt. Sie hatte nicht das Recht, sich zu töten. Es war selbstsüchtig von ihr.«

»Mein lieber Dorian«, antwortete Lord Henry, der seinem Etui eine Zigarette entnahm und eine Zündholzschachtel aus vergoldetem Messing hervorholte, »eine Frau kann einen Mann nur auf eine einzige Weise bessern, indem sie ihn nämlich so gründlich langweilt, daß er jedes mögliche Interesse am Leben verliert. Wenn Sie dieses Mädchen geheiratet hätten, wären Sie unglücklich geworden. Natürlich hätten Sie sie freundlich behandelt. Man kann immer freundlich zu Menschen sein, aus denen man sich nichts macht. Aber sie hätte bald gemerkt, daß sie Ihnen völlig gleichgültig war. Und wenn eine Frau das bei ihrem Mann merkt, wird sie entweder schrecklich schlampig, oder sie trägt sehr schicke Hüte, die der Ehemann einer anderen Frau bezahlen muß. Ich spreche nicht von dem gesellschaftlichen Fauxpas, der erniedrigend gewesen wäre und den ich selbstverständlich nicht zugelassen hätte, aber ich versichere Ihnen, daß die ganze Sache in jedem Fall ein völliger Fehlschlag geworden wäre.«

»Das kann schon sein«, murmelte der junge Mann, der im Zimmer auf und ab ging und erschreckend bleich aussah. »Aber ich meinte, es wäre meine Pflicht. Es ist nicht meine Schuld, daß diese furchtbare Tragödie mich daran gehindert hat, das Rechte zu tun. Ich erinnere mich, daß Sie einmal gesagt haben, über guten Vorsätzen walte ein Verhängnis – sie würden stets zu spät gefaßt. Auf die meinen trifft das zweifellos zu.«

»Gute Vorsätze sind sinnlose Versuche, wissenschaftliche Gesetze umzustoßen. Ihr Anlaß ist pure Eitelkeit. Ihr Resultat ist einfach gleich Null. Sie verschaffen uns hin und wieder einige jener überschwenglichen sterilen Gefühlsregungen, die für Schwächlinge einen gewissen Reiz haben. Das ist das einzige, was für sie spricht. Sie sind nichts weiter als Schecks, die man auf eine Bank ausstellt, bei der man kein Konto hat.«

»Harry«, rief Dorian Gray, indem er auf ihn zutrat und sich neben ihm niederließ, »wie kommt es, daß ich diese Tragödie nicht so nachempfinden kann, wie ich es gerne möchte? Ich glaube nicht, daß ich herzlos bin. Und Sie?«

»Sie haben in den letzten vierzehn Tagen zu viele Dummheiten begangen, um sich ein solches Prädikat zuerkennen zu dürfen, Dorian«, erwiderte Lord Henry mit seinem sanften, melancholischen Lächeln.

Der Junge runzelte die Stirn. »Diese Erklärung gefällt mir nicht, Harry«, gab er zurück, »doch ich freue mich, daß Sie mich nicht für herzlos halten. Ich bin es durchaus nicht. Das weiß ich. Und doch muß ich zugeben, daß mich das, was geschehen ist, nicht so berührt, wie es sollte. Es kommt mir einfach vor wie der wunderbare Schluß eines wunderbaren Theaterstücks. Es hat die ganze schreckliche Schönheit einer griechischen Tragödie, einer Tragödie, in der ich eine große Rolle gespielt habe, ohne indes verwundet worden zu sein.«

»Das ist eine interessante Frage«, sagte Lord Henry, dem es ein köstliches Vergnügen bereitete, mit dem unbewußten Egoismus des jungen Mannes zu spielen, »eine äußerst interessante Frage. Ich glaube, die richtige Erklärung lautet so: Es kommt häufig vor, daß sich die echten Lebenstragödien in einer so unkünstlerischen Form abspielen, daß sie uns durch ihre krasse Heftigkeit, ihre völlige Inkonsequenz, ihre absurde Sinnlosigkeit, ihren gänzlichen Mangel an Stil verletzen. Sie beeindrucken uns genauso, wie uns das Vulgäre beeindruckt. Sie machen auf uns den Eindruck schierer brutaler Gewalt, und wir lehnen uns dagegen auf. Zuweilen jedoch kreuzt eine Tragödie unser Dasein, die künstlerische Elemente der Schönheit besitzt. Wenn diese Schönheitselemente echt sind, spricht das Ganze unseren Sinn für dramatische Wirkungen an. Plötzlich stellen wir fest, daß wir nicht mehr die Akteure, sondern die Zuschauer des Stückes sind. Oder vielmehr, wir sind beides zugleich. Wir beobachten uns selber; und das bloße Wunder des Schauspiels nimmt uns gefangen. Was ist im gegenwärtigen Fall tatsächlich geschehen? Irgendwer hat sich aus Liebe zu Ihnen umgebracht. Ich wollte, ich hätte jemals eine solche Erfahrung gemacht. Durch sie hätte ich mich für den Rest meines Lebens in die Liebe verliebt. Die Menschen, die mich angebetet haben – es waren nicht sehr viele, aber immerhin einige –, wollten stets unbedingt weiterleben, lange nachdem sie mir gleichgültig geworden waren oder ich ihnen gleichgültig geworden war. Sie sind dick und langweilig geworden, und wenn ich ihnen begegne, schwelgen sie gleich in Erinnerungen. Dieses entsetzliche Gedächtnis der Frauen! Was für eine fürchterliche Sache das doch ist! Und was für einen grenzenlosen geistigen Stillstand es enthüllt! Man sollte die Buntheit des Lebens in sich aufnehmen, aber sich niemals an Details erinnern. Details sind immer vulgär.«

»Ich muß in meinem Garten Mohn aussäen«, seufzte Dorian.

»Das ist nicht nötig«, erwiderte sein Gefährte. »Das Leben hält stets Mohnblumen in seinen Händen. Natürlich gibt es bisweilen Verzögerungen. Ich habe einmal eine ganze Saison lang nichts als Veilchen getragen, gewissermaßen als künstlerische Trauer für eine Romanze, die nicht sterben wollte. Am Ende starb sie dann doch. Ich habe vergessen, was die Todesursache war. Ich glaube, es war ihr Angebot, mir die ganze Welt zu opfern. Das ist jedesmal ein schrecklicher Moment. Er erfüllt einen mit Grauen vor der Ewigkeit. Nun – können Sie so etwas glauben? – vor einer Woche, im Hause von Lady Hampshire, saß ich beim Diner neben der fraglichen Dame, und sie ließ es sich nicht nehmen, die ganze Geschichte zu rekapitulieren und die Vergangenheit auszugraben und die Zukunft durchzuhecheln. Ich hatte meine Romanze in einem Asphodelenbeet begraben. Sie zerrte sie wieder hervor und versicherte mir, ich hätte ihr Leben ruiniert. Ich muß allerdings feststellen, daß sie enorme Mengen vertilgte, so daß ich keinen Grund zur Beunruhigung hatte. Doch welchen Mangel an Geschmack legte sie dabei an den Tag! Der einzige Reiz der Vergangenheit beruht darauf, daß sie vergangen ist. Aber die Frauen merken nie, wann der Vorhang gefallen ist. Sie verlangen stets nach einem sechsten Akt, und sobald das Interesse an dem Stück völlig erloschen ist, schlagen sie eine Fortsetzung vor. Wenn man ihnen den Willen ließe, würde jede Komödie einen tragischen Abschluß finden und jede Tragödie in einer Farce gipfeln. Sie sind auf charmante Art künstlich, aber sie haben keinen Sinn für

Kunst. Dorian, Sie sind glücklicher daran als ich. Ich versichere Ihnen, daß keine der Frauen, die ich gekannt habe, für mich das getan hätte, was Sibyl Vane für Sie getan hat. Gewöhnliche Frauen wissen sich stets selber zu trösten. Manche tun es, indem sie für sentimentale Farben schwärmen. Trauen Sie nie einer Frau, gleich welchen Alters, die Mauve trägt, oder einer Frau über fünfunddreißig, die auf rosa Bänder versessen ist. Das läßt stets darauf schließen, daß sie eine Vergangenheit haben. Andere finden großen Trost darin, daß sie plötzlich die guten Eigenschaften ihrer Ehemänner entdecken. Sie stellen vor unseren Augen ihr eheliches Glück zur Schau, als ob es die faszinierendste aller Sünden wäre. Die Religion tröstet wieder andere. Ihre Mysterien besitzen den ganzen Zauber einer Liebelei, wie eine Frau mir einmal bestätigt hat; und das leuchtet mir durchaus ein. Übrigens fördert nichts unsere Eitelkeit so sehr wie die Versicherung, daß man ein Sünder sei. Das Gewissen macht Egotisten aus uns allen. Ja; es ist wirklich kein Ende der Tröstungen abzusehen, welche die Frauen dem modernen Leben abgewinnen. Und dabei habe ich die wichtigste noch gar nicht genannt.«

»Welche ist das, Harry?« sagte der junge Mann zerstreut.

»Oh, die nächstliegende. Einer anderen den Verehrer ausspannen, wenn man den eigenen verloren hat. In der guten Gesellschaft ist das die zuverlässigste Rehabilitierung für eine Frau. Doch wirklich, Dorian, wie verschieden muß Sibyl Vane von all den Frauen gewesen sein, die man sonst so trifft! Ich finde, daß ihr Tod etwas durchaus Schönes an sich hat. Ich bin froh, daß ich in einem Jahrhundert lebe, in dem solche Wunder geschehen. Sie lassen einen an die Wirklichkeit jener Dinge glauben, mit denen wir alle spielen, wie Romantik, Leidenschaft und Liebe.«

»Ich bin ihr gegenüber furchtbar grausam gewesen. Das vergessen Sie.«

»Ich fürchte, die Frauen haben für Grausamkeit, ausgemachte Grausamkeit, mehr übrig als für alles andere. Sie verfügen über herrlich primitive Instinkte. Wir haben sie emanzipiert, doch sie bleiben trotzdem Sklavinnen, die nach ihrem Gebieter Ausschau halten. Sie lieben es, beherrscht zu werden. Ich bin überzeugt, daß Sie großartig waren. Ich habe Sie noch nie richtig und maßlos wütend gesehen, doch ich kann mir vorstellen, wie reizend Sie dabei ausgesehen haben. Und im übrigen haben Sie vorgestern etwas zu mir gesagt, was mir damals nur phantastisch vorkam, was aber, wie ich jetzt einsehe, vollkommen wahr ist und den Schlüssel zu allem enthält.«

»Was soll das gewesen sein, Harry?«

»Sie sagten mir, Sibyl Vane verkörpere für Sie alle Heldinnen der Dichtung – an einem Abend sei sie Desdemona und am nächsten Ophelia; und wenn sie als Julia sterbe, erwache sie als Imogen wieder zum Leben.«

»Sie wird jetzt nie mehr zum Leben erwachen«, murmelte der junge Mann und barg sein Gesicht in den Händen.

»Nein, sie wird nie wieder zum Leben erwachen. Sie hat ihre letzte Rolle gespielt. Aber Sie müssen einfach an diesen einsamen Tod in der schäbigen Garderobe denken wie an ein absonderliches, düsteres Bruchstück irgendeiner Tragödie aus der Zeit Jakobs I., wie eine wunderbare Szene von Webster oder Ford oder Cyril Tourneur. Das Mädchen hat nie wirklich gelebt, und somit ist es auch nie wirklich gestorben. Zumindest für Sie ist sie stets ein Traum gewesen, ein Phantom, das durch Shakespeares Stücke huschte und sie durch seine Gegenwart verschönte, eine Flöte, durch die Shakespeares Musik voller und freudiger ertönte. In dem Augenblick, da sie das wirkliche Leben anrührte, zerstörte sie es, und es zerstörte sie, und so ging sie dahin. Trauern Sie um Ophelia, wenn Sie wollen. Streuen Sie Asche auf Ihr Haupt, weil Cordelia erwürgt worden ist. Schreien Sie zum Himmel, weil Brabantios Tochter starb. Aber verschwenden Sie nicht Ihre Tränen an Sibyl Vane. Sie war weniger wirklich als jene.« Es entstand ein Schweigen. Der Abend dunkelte im Zimmer. Lautlos und auf silbernen Füßen schlichen die Schatten vom Garten aus herein. Die Farben wichen träge aus den Dingen.

Nach einer Weile blickte Dorian Gray auf. »Sie haben mich mir selber erklärt, Harry«, murmelte er und stieß dabei so etwas wie einen Seufzer der Erleichterung aus. »Ich fühlte alles, was Sie mir gesagt haben, doch irgendwie habe ich mich davor gefürchtet, und ich konnte es selber nicht ausdrücken. Wie gut Sie mich kennen! Aber wir wollen nicht mehr von dem sprechen, was geschehen ist. Es war eine wunderbare Erfahrung. Weiter nichts. Ich möchte wissen, ob das Leben noch etwas so Wundervolles bereithält.«

»Das Leben hält für Sie alles bereit, Dorian. Es gibt nichts, was Sie mit Ihrem ungewöhnlich guten Aussehen nicht vermöchten.«

»Doch angenommen, Harry, ich werde hager und alt und runzlig? Was dann?«

»Ach, dann«, sagte Lord Henry und wandte sich zum Gehen, »dann, mein lieber Dorian, müssen Sie sich Ihre Siege erkämpfen. Vorerst jedoch werden sie Ihnen entgegengebracht. Nein, Sie müssen sich Ihr gutes Aussehen bewahren. Wir leben in einer Zeit, die zuviel liest, um weise zu sein, und zuviel denkt, um schön zu sein. Wir können nicht auf Sie verzichten. Und jetzt ziehen Sie sich am besten an und fahren in den Klub. Wir sind sowieso schon recht spät dran.«

»Ich glaube, ich treffe Sie erst in der Oper, Harry. Ich fühle mich zu müde, um etwas zu essen. Welche Nummer hat die Loge Ihrer Schwester?«

»Siebenundzwanzig, glaube ich. Sie ist im ersten Rang. Der Name steht an der Tür. Aber es tut mir leid, daß Sie nicht zum Essen mitkommen wollen.«

»Ich bin nicht in der Stimmung dazu«, sagte Dorian müde. »Doch ich bin Ihnen schrecklich dankbar für alles, was Sie mir gesagt haben. Sie sind doch mein bester Freund. Niemand hat mich jemals so gut verstanden wie Sie.«

»Wir stehen erst am Anfang unserer Freundschaft, Dorian«, antwortete Lord Henry und schüttelte ihm die Hand. »Auf Wiedersehen. Ich hoffe, daß ich Sie vor halb zehn sehe. Denken Sie daran, daß die Patti singt.«

Als er die Tür hinter sich geschlossen hatte, läutete Dorian

Gray, und nach wenigen Minuten erschien Victor mit den Lampen und ließ die Jalousien herab. Er wartete ungeduldig darauf, daß er wieder gehe. Der Diener schien sich bei allem unendlich viel Zeit zu lassen.

Sobald er gegangen war, stürzte Dorian Gray auf den Wandschirm zu und zog ihn zurück. Nein, das Bild zeigte keine weitere Veränderung. Es hatte die Nachricht von Sibyl Vanes Tod früher erhalten, als er selber davon gewußt hatte. Es erfuhr die Vorgänge des Lebens, sowie sie sich ereigneten. Die gemeine Grausamkeit, welche die feinen Linien des Mundes entstellten, waren zweifellos genau in dem Augenblick sichtbar geworden, als das Mädchen das Gift, welcherart es auch war, getrunken hatte. Oder verhielt es sich gleichgültig gegenüber äußeren Wirkungen? Nahm es nur Kenntnis von dem, was in der Seele vorging?

Er war sich darüber nicht im klaren und hoffte, er werde eines Tages mit eigenen Augen die Veränderung beobachten können, und indem er dies hoffte, schauderte er.

Die arme Sibyl! Was für ein Roman hatte sich hier abgespielt! Sie hatte auf der Bühne oft den Tod nachgeahmt, und dann hatte der Tod selber sie angerührt und mit sich fortgenommen. Wie hatte sie wohl diese entsetzliche letzte Szene gespielt? Hatte sie ihn im Sterben verflucht? Nein; sie war aus Liebe zu ihm gestorben, und die Liebe würde für ihn fortan immer ein Sakrament bleiben. Sie hatte alles gesühnt durch das Opfer, das sie mit ihrem Leben gebracht hatte. Er wollte nicht mehr an das denken, was sie ihm angetan hatte, an diesem schrecklichen Abend im Theater. Wenn er an sie dachte, dann nur noch an eine wunderbare tragische Gestalt, entsandt auf die Bühne der Welt, um die höchste Wirklichkeit der Liebe zu bezeugen. Eine wunderbare tragische Gestalt? Tränen traten ihm in die Augen, als er sich an ihre kindliche Erscheinung und sorglos launige Art und schüchtern bebende Anmut erinnerte. Er wischte sie hastig fort und blickte wieder auf das Bild.

Er spürte, daß für ihn allen Ernstes der Zeitpunkt gekommen war, sich zu entscheiden. Oder war seine Wahl bereits getroffen? Ja, das Leben hatte über ihn hinweg entschieden – das Leben und seine eigene unendliche Neugier auf das Leben. Ewige Jugend, unermeßliche Leidenschaft, verfeinerte und verschwiegene Genüsse, ungestüme Freuden und ungestümere Sünden – all das sollte ihm zuteil werden. Das Porträt sollte die Last seiner Schande auf sich nehmen: das war alles.

Ein Gefühl des Schmerzes durchzog ihn, als er an die Entweihung dachte, die dem schönen Antlitz auf der Leinwand bevorstand. Einmal hatte er in knabenhafter Nachahmung des Narzissus diese gemalten Lippen, die ihn jetzt so grausam anlächelten, geküßt oder wenigstens so getan, als ob er sie küßte. Jeden Morgen hatte er vor dem Porträt gesessen und seine Schönheit bestaunt, fast verliebt in sie, wie es ihm manchmal vorkam. Sollte es sich nun verändern mit jeder Laune, der er nachgab? Sollte es sich in einen gräßlichen und verabscheuenswerten Gegenstand verwandeln, der versteckt werden mußte in einem verschlossenen Raum, fern vom Licht der Sonne, das so oft das wogende Wunder seines Haars in leuchtenderes Gold getaucht hatte? Wie schade darum! wie schade darum!

Einen Augenblick lang dachte er daran, zu beten, daß die entsetzliche Übereinstimmung, die zwischen ihm und dem Bild bestand, aufhören möge. Es hatte sich auf eine Bitte hin verwandelt; vielleicht würde es auf eine andere Bitte hin unverändert bleiben. Und doch, welcher Mensch, der vom Leben etwas wußte, würde wohl auf die Möglichkeit verzichten, immer jung zu bleiben, so phantastisch diese Möglichkeit auch sein mochte oder welch verhängnisvolle Folgen sie auch nach sich ziehen sollte. Doch stand es wirklich in seiner Macht? Hatte tatsächlich eine Bitte die Wechselwirkung hervorgerufen? Konnte es nicht eine merkwürdige wissenschaftliche Ursache für alles geben? Wenn das Denken einen lebenden Organismus zu beeinflussen vermochte, könnte dann das Denken nicht auch leblose und anorganische Dinge beeinflussen? Ja, konnten nicht sogar ohne Denken oder bewußte Wunschvorstellungen äußere

Dinge im Einklang mit unseren Stimmungen und Leidenschaften in Schwingung geraten, wenn ein Atom sich dem anderen in geheimer Liebe oder seltsamer Wahlverwandtschaft mitteilte? Doch die Ursache war ohne Bedeutung. Nie wieder würde er durch eine Bitte eine schreckliche Macht herausfordern. Wenn sich das Bild verändern sollte, dann sollte es sich eben verändern. Das war alles. Warum allzu gründliche Nachforschungen anstellen?

Denn es muß ein echter Genuß darin liegen, es zu beobachten. Er würde imstande sein, seinem Geist in die verborgenen Winkel zu folgen. Dieses Porträt würde für ihn der beste Zauberspiegel sein. Wie es ihm seinen Körper offenbart hatte, würde es ihm auch seine Seele offenbaren. Und wenn der Winter über es hereinbricht, würde er noch immer dort stehen, wo der Frühling am Rande des Sommers verhält. Wenn das Blut aus seinem Gesicht wich und eine bleiche Kreidemaske mit bleiernen Augen zurückblieb, würde er noch den Glanz der Knabenhaftigkeit behalten. Nicht eine Blüte seiner Lieblichkeit würde jemals welken. Nicht ein Pulsschlag seines Lebens würde jemals schwächer werden. Gleich den Göttern der Griechen würde er stark und geschmeidig und fröhlich bleiben. Was lag schon daran, was mit dem gemalten Abbild auf der Leinwand geschah? Er würde in Sicherheit sein. Das allein zählte.

Er schob den Wandschirm lächelnd wieder an seinen alten Platz vor das Bild und begab sich ins Schlafzimmer, wo sein Diener bereits auf ihn wartete. Eine Stunde später war er in der Oper, und Lord Henry lehnte sich über seinen Stuhl.

9. KAPITEL

Als er am nächsten Morgen beim Frühstück saß, wurde Basil Hallward ins Zimmer geführt.

»Ich bin ja so froh, daß ich Sie gefunden habe, Dorian«, sagte er ernst. »Ich bin gestern abend vorbeigekommen, und da hieß es, Sie seien in der Oper. Natürlich wußte ich, daß das unmöglich stimmen konnte. Aber ich wünschte, Sie hätten eine Nachricht hinterlassen, wo Sie tatsächlich hingegangen waren. Ich habe einen schrecklichen Abend hinter mir, denn ich fürchtete schon, daß eine Tragödie der anderen folgen könnte. Ich finde, Sie hätten mir telegraphieren können, gleich nachdem Sie es erfahren hatten. Ich las es ganz zufällig in der letzten Ausgabe des ›Globe‹, die mir im Klub in die Hände fiel. Ich kam sofort her und war unglücklich, weil ich Sie nicht antraf. Ich kann Ihnen gar nicht sagen, wie mir die ganze Sache zu Herzen gegangen ist. Ich weiß, was Sie leiden müssen. Aber wo waren Sie? Sind Sie in die Stadt gefahren und haben die Mutter des Mädchens besucht? Einen Augenblick habe ich erwogen, Ihnen dorthin zu folgen. Die Adresse stand in der Zeitung. Irgendwo in der Euston Road, nicht wahr? Doch ich hatte Bedenken, mich in einen Schmerz einzudrängen, den ich nicht hätte lindern können. Die arme Frau! In was für einem Zustand muß sie sein! Und dazu noch ihr einziges Kind! Was hat sie denn zu alledem gesagt?«

»Mein lieber Basil, wie soll ich das wissen?« murmelte Dorian Gray, trank einen kleinen Schluck blaßgelben Wein aus einem zierlichen, mit Goldperlen verzierten Pokal aus venezianischem Glas und machte ein schrecklich gelangweiltes Gesicht. »Ich war in der Oper. Sie hätten auch kommen sollen. Ich bin dort zum erstenmal Lady Gwendolen, Harrys Schwester, begegnet. Wir waren in ihrer Loge. Sie ist einfach charmant; und die Patti hat himmlisch gesungen. Reden Sie nicht von abscheulichen Dingen. Wenn man über eine Sache nicht spricht, ist sie nicht geschehen. Nur durch die Sprache gewinnen die Dinge Wirklichkeit, wie Harry sagt. Ich möchte jedoch erwähnen, daß sie nicht das einzige Kind dieser Frau war. Es ist noch ein Sohn da, ein reizender Bursche, glaube ich. Aber er ist nicht beim Theater. Er ist Matrose oder etwas Ähnliches. Und nun erzählen Sie mir von sich und davon, was Sie gerade malen.«

»Sie sind in die Oper gegangen?« sagte Hallward, der sehr langsam sprach und in dessen Stimme ein angestrengt schmerzlicher Ton mitschwang. »Sie sind in die Oper gegangen, während Sibyl Vane tot in einer schmutzigen Mietwohnung lag? Sie können mir erzählen, andere Frauen seien charmant und die Patti habe himmlisch gesungen, bevor noch das Mädchen, das Sie geliebt haben, im Grab seine letzte Ruhe gefunden hat? Menschenskind, Entsetzliches steht ihrem kleinen weißen Leib bevor!«

»Halt, Basil! Das will ich nicht hören!« rief Dorian aufspringend. »Sie brauchen mir nichts zu erklären. Was geschehen ist, ist geschehen. Was vergangen ist, ist Vergangenheit.«

»Sie nennen den gestrigen Tag Vergangenheit?«

»Was hat der tatsächliche Ablauf der Zeit damit zu tun? Nur oberflächliche Menschen brauchen Jahre, um ein Gefühl loszuwerden. Jemand, der Herr seiner selbst ist, kann ein Leid ebenso leicht beenden wie ein Vergnügen erfinden. Ich möchte nicht meinen Gefühlen ausgeliefert sein. Ich möchte sie ausnutzen, sie auskosten und sie beherrschen.«

»Dorian, das ist ja entsetzlich! Irgend etwas hat Sie vollständig verwandelt. Sie sehen noch immer so aus wie der wunderbare Junge, der Tag für Tag in mein Atelier kam, um mir für sein Porträt zu sitzen. Aber damals waren Sie einfach, natürlich und liebevoll. Sie waren das unverdorbenste Wesen der ganzen Welt. Ich weiß nicht, was neuerdings über Sie gekommen ist. Sie reden, als hätten Sie kein Herz, kein Mitgefühl. Das alles ist Harrys Einfluß. Das sehe ich nun.«

Der junge Mann lief rot an, trat ans Fenster und blickte ein paar Augenblicke lang hinaus in den grünen, flimmernden, sonnendurchfluteten Garten. »Ich verdanke Harry sehr viel, Basil«, sagte er endlich, »mehr, als ich Ihnen verdanke. Sie haben mich nur gelehrt, eitel zu sein.«

»Nun, dafür bin ich bestraft worden, Dorian – oder werde es eines Tages.«

»Ich weiß nicht, was Sie damit meinen, Basil«, rief er aus, indem er sich umwandte. »Ich weiß nicht, was Sie wollen. Was wollen Sie?«

»Ich will den Dorian Gray wiederhaben, den ich gemalt habe«, sagte der Künstler traurig.

»Basil«, versetzte der Junge, der zu ihm hinüberging und ihm die Hand auf die Schulter legte, »Sie sind zu spät gekommen. Gestern, als ich erfuhr, daß Sibyl Vane sich umgebracht hat –«

»Sich umgebracht! Du lieber Himmel! besteht daran kein Zweifel?« rief Hallward, der mit einem Ausdruck des Entsetzens zu ihm aufblickte.

»Mein lieber Basil! Sie nehmen doch wohl nicht an, es sei ein ordinärer Unfall gewesen? Natürlich hat sie sich umgebracht.«

Der Ältere vergrub das Gesicht in den Händen. »Wie furchtbar«, stammelte er, und ein Erschauern durchrann ihn.

»Nein«, sagte Dorian Gray, »daran ist nichts Furchtbares. Es ist eine der großen romantischen Tragödien unserer Zeit. In der Regel führen Leute, die Theater spielen, ein ganz alltägliches Leben. Sie sind gute Ehemänner oder treue Ehefrauen oder sonst etwas Langweiliges. Sie wissen, was ich meine – gutbürgerliche Tugend und alles, was dazugehört. Wie anders war Sibyl doch! Sie lebte ihre schönste Tragödie. Sie war stets eine Heldin. An dem letzten Abend, an dem sie auftrat – an dem Abend, als Sie sie sahen –, spielte sie schlecht, weil sie die Wirklichkeit der Liebe kennengelernt hatte. Als sie ihre Unwirklichkeit erkannte, starb sie, so wie Julia gestorben sein mag. Sie kehrte zurück in die Welt der Kunst. Sie hat etwas von einer Märtyrin an sich. Ihr Tod hat die ganze rührende Sinnlosigkeit des Märtyrertums, seine ganze vergeudete Schönheit. Doch wie ich schon sagte, Sie dürfen nicht glauben, ich hätte nicht gelitten. Wenn Sie gestern in einem bestimmten Augenblick hergekommen wären – etwa um halb sechs vielleicht oder um viertel vor sechs –, dann hätten Sie mich in Tränen aufgelöst vorgefunden. Selbst Harry, der hier war, der mir die Nachricht überbrachte, hatte keine Ahnung, was ich durchmachen mußte. Ich habe unsäglich gelitten. Dann ging es vorbei. Ich kann eine Gefühlsregung nicht wiederholen. Niemand kann das außer den Sentimentalen. Und Sie sind schrecklich ungerecht, Basil. Sie kommen her, um mich zu trösten. Das ist reizend von Ihnen. Sie finden mich getröstet, und Sie geraten in Zorn. Das sieht aber einem mitfühlenden Menschen gar nicht ähnlich! Sie erinnern mich an eine Geschichte, die mir Harry von einem gewissen Philanthropen erzählt hat, der zwanzig Jahre seines Lebens auf den Versuch verwandte, einen Mißstand zu beseitigen oder ein ungerechtes Gesetz zu ändern – ich habe vergessen, was von beiden es war. Am Ende hatte er Erfolg damit, und nichts hätte größer sein können als seine Enttäuschung. Er hatte einfach nichts mehr zu tun, wäre fast an *ennui* gestorben und wurde ein eingefleischter Misanthrop. Und im übrigen, mein lieber alter Basil, wenn Sie mich wirklich trösten wollen, dann lehren Sie mich lieber, das Geschehene zu vergessen oder es von einem angemessenen künstlerischen Standpunkt aus zu betrachten. War es nicht Gautier, der von der *consolation des arts* schrieb? Ich entsinne mich, daß ich eines Tages in Ihrem Atelier ein kleines pergamentgebundenes Buch in die Hand nahm und zufällig auf diese köstliche Wendung stieß. Nun, ich bin nicht wie jener junge Mann, von dem Sie mir erzählt haben, als wir zusammen in Marlow waren, jener junge Mann, der die Meinung vertrat, gelber Satin könne einen über alle Unbilden des Daseins hinwegtrösten. Ich liebe schöne Dinge, die man anfassen und in die Hand nehmen kann. Alte Brokate, grüne Bronzen, Lackarbeiten, Elfenbeinschnitzereien, eine erlesene Umgebung, Luxus, Prunk, das alles vermag einem viel zu geben. Aber die künstlerische

Stimmung, die sie schaffen oder jedenfalls offenbaren, bedeutet mir noch mehr. Zum Zuschauer seines eigenen Lebens zu werden heißt, wie Harry sagt, den Leiden des Lebens zu entgehen. Ich weiß, es überrascht Sie, wenn ich so zu Ihnen rede. Es ist Ihnen entgangen, wie ich mich entwickelt habe. Ich war noch ein Schuljunge, als Sie mich kennenlernten. Jetzt bin ich ein Mann. Ich habe neue Leidenschaften, neue Gedanken, neue Ideen. Ich bin anders geworden, doch Sie dürfen mich deshalb nicht weniger lieben. Ich bin verwandelt, doch Sie müssen immer mein Freund bleiben. Natürlich habe ich Harry sehr gern. Aber ich weiß, daß Sie besser sind als er. Sie sind nicht stärker – Sie haben zuviel Angst vor dem Leben –, aber Sie sind besser. Und wie glücklich sind wir doch zusammen gewesen! Verlassen Sie mich nicht, Basil, und streiten Sie nicht mit mir. Ich bin, wie ich bin. Mehr ist dazu nicht zu sagen.«

Der Maler war seltsam bewegt. Der Junge war ihm unendlich teuer, und seine Persönlichkeit hatte die große Wende in seiner Kunst bewirkt. Ihm widerstrebte der Gedanke, ihm noch weitere Vorwürfe zu machen. Schließlich war seine Gleichgültigkeit vermutlich nur eine Laune, die vorübergehen würde. Es war so viel Gutes, so viel Edles in ihm.

»Nun, Dorian«, sagte er endlich mit einem traurigen Lächeln, »vom heutigen Tag an will ich mit Ihnen nie wieder von dieser schrecklichen Sache sprechen. Ich hoffe nur, daß Ihr Name nicht im Zusammenhang mit ihr erwähnt wird. Die Untersuchung soll heute nachmittag stattfinden. Hat man Sie vorgeladen?«

Dorian schüttelte den Kopf, und ein Ausdruck der Verärgerung glitt über sein Gesicht, als das Wort »Untersuchung« fiel. Dergleichen Dingen haftete etwas so Rohes und Vulgäres an. »Sie kennen meinen Namen nicht«, antwortete er.

»Aber sie hat ihn doch gekannt?«

»Nur meinen Vornamen, und ich bin ganz sicher, daß sie ihn niemandem gegenüber erwähnt hat. Sie hat mir einmal erzählt, daß alle gerne gewußt hätten, wer ich bin, und daß sie ihnen immer nur gesagt hat, ich hieße Märchenprinz.

Das war doch reizend von ihr. Sie müssen mir eine Zeichnung von Sibyl machen, Basil. Ich möchte von ihr gerne etwas mehr besitzen als die Erinnerung an ein paar Küsse und einige gestammelte, rührende Worte.«

»Ich will es versuchen, Dorian, wenn es Ihnen Freude macht. Aber Sie müssen auch selber wieder einmal zu mir kommen und mir sitzen. Ich komme ohne Sie nicht voran.«

»Ich kann Ihnen nie wieder sitzen, Basil. Es ist unmöglich!« rief er aus und fuhr zurück.

Der Maler starrte ihn an. »Mein lieber Junge, was soll der Unsinn?« rief er. »Wollen Sie damit sagen, daß Ihnen das Bild nicht gefällt, das ich von Ihnen gemacht habe? Wo ist es? Warum haben Sie den Wandschirm davorgestellt? Lassen Sie mich es anschauen. Es ist das Beste, was ich jemals gemacht habe. Nehmen Sie doch den Wandschirm weg, Dorian. Es ist einfach schändlich, daß Ihr Diener mein Werk so versteckt. Ich habe schon beim Eintreten gemerkt, daß sich das Zimmer verändert hat.«

»Mein Diener hat nichts damit zu tun, Basil. Sie glauben doch nicht, ich überließe ihm die Einrichtung meines Zimmers? Er arrangiert nur manchmal die Blumen für mich – das ist alles. Nein; ich habe es selber getan. Das Licht fiel zu stark auf das Porträt.«

»Zu stark! Nicht doch, mein Lieber! Es hängt dort ganz wunderbar. Lassen Sie es mich sehen.« Und damit ging Hallward auf die Ecke des Zimmers zu.

Ein Schrei des Entsetzens löste sich von Dorian Grays Lippen, und er stürzte sich zwischen den Maler und den Wandschirm. »Basil«, sagte er mit sehr bleichem Gesicht, »Sie dürfen es nicht anschauen. Ich will es nicht.«

»Mein eigenes Werk nicht anschauen! das ist doch nicht Ihr Ernst. Warum sollte ich es nicht anschauen?« rief Hallward lachend aus.

»Wenn Sie den Versuch machen, es anzuschauen, Basil, auf mein Wort, dann werde ich nie wieder mit Ihnen sprechen, solange ich lebe. Das meine ich ganz ernst. Ich gebe dafür keine Erklärung, und Sie dürfen auch keine von mir verlangen. Doch denken Sie daran: wenn Sie diesen Wandschirm anrühren, ist zwischen uns beiden alles aus.«

Hallward war wie vom Blitz getroffen. Er blickte Dorian Gray völlig verblüfft an. So hatte er ihn noch nie gesehen. Der junge Mann hatte vor Zorn alle Farbe verloren. Seine Hände waren zu Fäusten geballt, und die Pupillen seiner Augen glichen blauen Feuerscheiben. Er zitterte am ganzen Leib.

»Dorian!«

»Sagen Sie nichts!«

»Aber was ist denn los? Natürlich werde ich es nicht anschauen, wenn Sie es von mir verlangen«, sagte er ziemlich kalt, drehte sich auf dem Absatz um und ging hinüber zum Fenster. »Doch es kommt mir wirklich reichlich absurd vor, daß ich mein eigenes Werk nicht sehen soll, zumal ich es im Herbst in Paris ausstellen will. Ich muß vorher wahrscheinlich noch eine Firnisschicht auftragen, also muß ich es eines Tages anschauen, und warum denn nicht gleich heute?«

»Es ausstellen? Sie wollen es ausstellen?« rief Dorian Gray aus, wobei ihn ein sonderbares Gefühl des Entsetzens beschlich. Sollte der Welt sein Geheimnis vorgeführt werden? Sollten die Leute das Mysterium seines Lebens angaffen? Das war unmöglich. Irgend etwas – er wußte noch nicht, was – mußte geschehen.

»Ja; ich nehme an, Sie haben dagegen nichts einzuwenden. Georges Petit will meine besten Bilder für eine Sonderausstellung in der Rue de Sèze zusammentragen, die in der ersten Oktoberwoche eröffnet werden soll. Das Porträt wird nur einen Monat fort sein. Ich meine, für diese Zeit könnten Sie es leicht entbehren. Zudem sind Sie dann bestimmt nicht in der Stadt, und wenn Sie es ohnehin stets hinter einem Wandschirm verstecken, machen Sie sich offenbar nicht viel daraus.«

Dorian Gray fuhr sich mit der Hand über die Stirn. Sie war mit Schweißperlen bedeckt. Er spürte, daß er vor dem Abgrund einer schrecklichen Gefahr stand. »Vor einem Monat haben Sie mir erzählt, Sie würden es niemals ausstellen«, rief er. »Warum haben Sie Ihre Meinung geändert? Ihr Leute bildet euch etwas auf eure Konsequenz ein, und dabei habt ihr genauso viele Launen wie andere Menschen. Der einzige Unterschied besteht darin, daß eure Launen ziemlich sinnlos sind. Sie können doch nicht vergessen haben, daß Sie mir höchst feierlich zugesichert haben, nichts in der Welt könne Sie bewegen, das Bild auf eine Ausstellung zu schicken. Sie haben Harry genau dasselbe zugesagt.« Er hielt plötzlich inne, und ein Leuchten trat in seine Augen. Ihm fiel ein, daß Lord Henry ihm einmal halb im Ernst und halb im Scherz gesagt hatte: »Wenn Sie eine seltsame Viertelstunde erleben wollen, dann veranlassen Sie Basil, Ihnen zu erklären, warum er Ihr Bild nicht ausstellen will. Mir hat er den Grund genannt, und das war für mich eine Offenbarung.« Ja, vielleicht hatte auch Basil ein Geheimnis. Er wollte ihn fragen und auf die Probe stellen.

»Basil«, sagte er, indem er nahe an ihn herantrat und ihm direkt ins Gesicht sah, »jeder von uns hat sein Geheimnis. Verraten Sie mir das Ihre, und ich verrate Ihnen das meine. Aus welchem Grund haben Sie sich geweigert, mein Bild auszustellen?«

Der Maler erschauerte wider Willen. »Dorian, wenn ich es Ihnen erklärte, würden Sie mich weniger lieben als bisher, und Sie würden mich bestimmt auslachen. Ich könnte weder das eine noch das andere ertragen. Wenn Sie von mir verlangen, daß ich Ihr Bild nie wieder anschaue, bin ich zufrieden. Ich habe ja immer noch Sie zum Anschauen. Wenn Sie wollen, daß das beste Werk, das ich je gemalt habe, vor der Welt verborgen bleiben solle, so finde ich mich damit ab. Ihre Freundschaft ist mir teurer als alle Berühmtheit oder Anerkennung.«

»Nein, Basil, Sie müssen es mir sagen«, beharrte Dorian Gray. »Ich meine, ich habe ein Recht, es zu erfahren.« Sein Entsetzen war von ihm gewichen, und Neugier war an seine Stelle getreten. Er war entschlossen, Basil Hallwards Geheimnis zu lüften.

»Setzen wir uns doch, Dorian«, sagte der Maler mit

bekümmerter Miene. »Setzen wir uns. Und beantworten Sie mir nur eine Frage. Ist Ihnen an dem Bild irgend etwas Sonderbares aufgefallen? – etwas, was Ihnen zunächst wahrscheinlich entgangen ist, aber sich Ihnen dann plötzlich offenbarte?«

»Basil!« rief der Junge, der mit zitternden Händen die Armlehne seines Sessels umklammerte und ihn mit wilden, bestürzten Augen anstarrte.

»Ich sehe, daß es so war. Sagen Sie nichts. Warten Sie, bis Sie gehört haben, was ich zu sagen habe. Dorian, von dem Augenblick an, da ich Sie kennenlernte, hat Ihre Persönlichkeit einen höchst ungewöhnlichen Einfluß auf mich ausgeübt. Sie haben mich, meine Seele, mein Gehirn, meine Schaffenskraft beherrscht. Sie wurden für mich die sichtbare Inkarnation jenes unsichtbaren Idealbildes, dessen Ausstrahlung uns Künstler heimsucht wie ein köstlicher Traum. Ich habe Sie verehrt. Ich war eifersüchtig auf jeden Menschen, mit dem Sie sprachen. Ich wollte Sie ganz für mich haben. Ich war nur glücklich, wenn ich mit Ihnen zusammen war. Wenn Sie mich verlassen hatten, waren Sie noch immer gegenwärtig in meiner Kunst. ... Natürlich habe ich Ihnen davon nie etwas erzählt. Es wäre unmöglich gewesen. Sie hätten es nicht verstanden. Ich verstand es ja selber kaum. Ich wußte nur, daß ich die Vollkommenheit von Angesicht zu Angesicht geschaut hatte und daß die Welt in meinen Augen wunderbar geworden war – zu wunderbar vielleicht, denn in einer solch besessenen Verehrung liegt eine Gefahr, die Gefahr, sie zu verlieren, und nicht weniger die Gefahr, sie sich zu bewahren. ... Woche um Woche verging, und ich ließ mich immer mehr von Ihnen faszinieren. Dann trat eine neue Entwicklung ein. Ich hatte Sie als Paris in vornehmer Rüstung und als Adonis im Jagdgewand und mit blankem Eberspeer gezeichnet. Gekrönt mit schweren Lotusblüten, hatten Sie im Bug von Hadrians Barke gesessen und über den grünen, trüben Nil hinweggeblickt. Sie hatten sich über den stillen Teich in einer griechischen Waldlandschaft gebeugt und im schweigenden Silber des Wassers das

Wunder Ihres Gesichts erschaut. Und all das war gewesen, was die Kunst sein soll, unbewußt, ideal und fern. Dann kam ein Tag, ein verhängnisvoller Tag, wie ich manchmal glaube, an dem ich mich entschloß, ein wunderbares Porträt von Ihnen zu malen, so wie Sie tatsächlich sind, nicht im Kostüm vergangener Jahrhunderte, sondern in Ihrer eigenen Kleidung und in Ihrer eigenen Zeit. Ob es an dem Realismus der Darstellung oder an dem bloßen Wunder Ihrer Persönlichkeit lag, die sich mir nun ohne Nebel oder Schleier unmittelbar darbot, kann ich nicht sagen. Doch ich weiß, daß mir während der Arbeit daran jeder Farbtupfer und jede Farbschicht mein Geheimnis zu enthüllen schienen. Angst überkam mich, daß andere von meinem Götzenkult erfahren könnten. Ich fühlte, Dorian, daß ich zuviel gesagt, daß ich zuviel von mir selber hineingelegt hatte. Damals beschloß ich, niemals zuzulassen, daß das Bild ausgestellt würde. Sie waren ein wenig verärgert; aber zu der Zeit wußten Sie noch nicht, was es für mich bedeutete. Harry, mit dem ich darüber sprach, lachte mich aus. Aber das hat mir nichts ausgemacht. Als das Bild fertig war und ich allein davorsaß, spürte ich, daß ich recht hatte … Nun, ein paar Tage später verließ es mein Atelier, und sobald ich von der unerträglichen Faszination seiner Gegenwart befreit war, kam es mir töricht vor, daß ich mir eingebildet hatte, ich hätte etwas Besonderes in ihm gesehen, etwas anderes, als daß Sie ungewöhnlich schön sind und daß ich malen kann. Auch jetzt kann ich mich nicht des Gefühls erwehren, daß es ein Fehler ist, wenn man glaubt, die Leidenschaft, die man beim Schaffen empfindet, trete jemals im Werk, das man schafft, tatsächlich in Erscheinung. Die Kunst ist stets abstrakter, als wir meinen. Form und Farbe erzählen uns von Form und Farbe – das ist alles. Es kommt mir oft so vor, als verhülle die Kunst den Künstler weit vollständiger, als sie ihn je enthüllt. Und als ich dann dieses Angebot aus Paris erhielt, beschloß ich daher, Ihr Porträt zum Mittelpunkt meiner Ausstellung zu machen. Es ist mir nie in den Sinn gekommen, daß Sie sich weigern könnten. Ich sehe jetzt ein, daß Sie recht haben. Das Bild darf nicht öffentlich gezeigt werden. Sie dürfen mir nicht übelnehmen, Dorian, was ich Ihnen erzählt habe. Wie ich einmal zu Harry gesagt habe, sind Sie geschaffen, um angebetet zu werden.«

Dorian Gray holte tief Atem. Die Farbe kehrte in seine Wangen zurück, und ein Lächeln umspielte seine Lippen. Die Gefahr war vorüber. Fürs erste war er in Sicherheit. Doch er konnte nicht anders, er empfand unendliches Mitleid mit dem Maler, der ihm soeben dieses seltsame Geständnis gemacht hatte, und er fragte sich, ob ihn selber jemals die Persönlichkeit eines Freundes so sehr beherrschen könnte. Lord Henry hatte den Reiz, sehr gefährlich zu sein. Aber das war alles. Er war zu gescheit und zu zynisch, als daß man ihn wirklich gern haben konnte. Würde es je einen Menschen geben, der ihn zu einer solch absonderlichen Vergötzung hinreißen könnte? War das eines von den Dingen, die das Leben noch bereithielt?

»Es kommt mir ungewöhnlich vor, Dorian«, sagte Hallward, »daß Sie dies in dem Porträt gesehen haben sollten. Haben Sie es tatsächlich gesehen?«

»Ich habe etwas in ihm gesehen«, antwortete er, »etwas, was mir sehr sonderbar vorkam.«

»Nun, jetzt haben Sie wohl nichts mehr dagegen, daß ich mir das Ding anschaue?«

Dorian schüttelte den Kopf. »Das dürfen Sie nicht von mir verlangen, Basil. Ich kann unmöglich gestatten, daß Sie vor das Bild hintreten.«

»Doch bestimmt eines Tages?«

»Niemals.«

»Nun, vielleicht haben Sie recht. Und nun leben Sie wohl, Dorian. Sie waren der einzige Mensch in meinem Leben, der meine Kunst wirklich beeinflußt hat. Was ich je Gutes geschaffen habe, verdanke ich Ihnen. Ach! Sie wissen nicht, was es mich gekostet hat, Ihnen all das zu erzählen, was ich Ihnen erzählt habe.«

»Mein lieber Basil«, sagte Dorian, »was haben Sie mir denn schon erzählt? Doch nur, daß Sie das Gefühl haben, Sie hätten mich zu sehr bewundert. Das ist nicht einmal ein Kompliment.«

»Es war auch nicht als Kompliment gedacht. Es war ein Geständnis. Nachdem ich es jetzt abgelegt habe, scheine ich etwas verloren zu haben. Vielleicht sollte man seine Verehrung niemals in Worte fassen.«

»Es war ein enttäuschendes Geständnis.«

»Was haben Sie denn erwartet, Dorian? Sie haben nichts anderes in dem Bild gesehen, nicht wahr? Es war doch nichts anderes zu sehen?«

»Nein; es war nichts anderes zu sehen. Warum fragen Sie? Aber Sie dürfen nicht von Verehrung sprechen. Das ist albern. Sie und ich, wir sind Freunde, Basil, und wir müssen es immer bleiben.«

»Sie haben Harry«, sagte der Maler traurig.

»Oh, Harry!« rief der Junge und lachte leise. »Harry bringt seine Tage damit zu, Unglaubliches zu sagen, und seine Nächte damit, Unwahrscheinliches zu tun. Das ist genau das Leben, das ich gerne führen würde. Dennoch glaube ich nicht, daß ich zu Harry gehen würde, wenn ich in Schwierigkeiten wäre. Ich würde eher zu Ihnen kommen, Basil.«

»Sie wollen mir wieder einmal sitzen?«

»Unmöglich!«

»Sie zerstören mein Leben als Künstler durch Ihre Weigerung, Dorian. Kein Mensch begegnet zweimal seinem Ideal. Wenige begegnen ihm auch nur ein einziges Mal.«

»Ich kann es Ihnen nicht erklären, Basil, aber ich darf Ihnen nie wieder sitzen. Ein Porträt hat etwas Verhängnisvolles. Es führt ein Eigenleben. Ich komme einmal und trinke Tee mit Ihnen. Das ist mindestens genauso angenehm.«

»Angenehmer für Sie, fürchte ich«, murmelte Hallward bekümmert. »Und nun leben Sie wohl. Es tut mir leid, daß Sie mich das Bild nicht noch einmal anschauen lassen wollen. Aber das läßt sich nicht ändern. Ich verstehe durchaus, was Sie dabei empfinden.«

Als er das Zimmer verließ, lächelte Dorian Gray vor sich hin. Armer Basil! Wie wenig wußte er von dem wahren

Grund! Und wie seltsam war es doch, daß er, statt gezwungen worden zu sein, sein eigenes Geheimnis zu offenbaren, seinem Freund fast durch Zufall ein Geheimnis entlockt hatte! Wie vieles war ihm durch dieses merkwürdige Geständnis klargeworden! Die lächerlichen Eifersuchtsanfälle des Malers, seine ungestüme Verehrung, seine überschwenglichen Lobeshymnen, seine sonderbare Zurückhaltung – all dies verstand er nun, und es tat ihm leid. Es schien ihm etwas Tragisches in einer Freundschaft zu liegen, die so von Romantik gefärbt war.

Er seufzte und läutete. Das Porträt mußte um jeden Preis versteckt werden. Er konnte nicht noch einmal eine solche Gefahr des Entdecktwerdens auf sich nehmen. Es war Wahnsinn gewesen, das Ding auch nur eine Stunde lang in einem Zimmer zu belassen, zu dem alle seine Freunde Zutritt hatten.

10. KAPITEL

Als sein Diener eintrat, blickte er ihn unverwandt an und fragte sich, ob er wohl auf den Gedanken gekommen sein könnte, hinter den Wandschirm zu schauen. Der Mann war völlig gleichmütig und wartete auf seine Befehle. Dorian zündete sich eine Zigarette an, ging dann zum Spiegel hinüber und warf einen Blick hinein. Er konnte das Abbild von Victors Gesicht ganz genau sehen. Es war eine reglose Maske der Unterwürfigkeit. Von daher war nichts zu befürchten. Dennoch hielt er es für das beste, auf der Hut zu sein.

Sehr langsam sprechend, wies er ihn an, der Haushälterin auszurichten, daß er sie zu sehen wünsche, und darauf zum Rahmenmacher zu gehen und ihn zu bitten, unverzüglich zwei seiner Leute vorbeizuschicken. Als der Diener das Zimmer verließ, kam es ihm vor, als wandere sein Blick zum Wandschirm hinüber. Oder hatte er sich das nur eingebildet?

Wenige Augenblicke darauf stürmte Mrs. Leaf in ihrem schwarzen Seidenkleid und mit altmodischen Zwirnhandschuhen an den runzligen Händen in die Bibliothek. Er bat sie um den Schlüssel zum Schulzimmer.

»Das alte Schulzimmer, Mr. Dorian?« rief sie aus. »O je, das ist doch ganz voll Staub. Ich muß es aufräumen und herrichten lassen, bevor Sie hineingehen. Das ist nicht der rechte Anblick für Sie, so wie es jetzt aussieht, Sir. Wirklich nicht.«

»Ich möchte nicht, daß es hergerichtet wird, Leaf. Ich will nur den Schlüssel haben.«

»Nun, Sir, sie machen sich ganz voll Spinnweben, wenn Sie da hineingehen. Seit fast fünf Jahren ist niemand mehr dringewesen, seit dem Tod Seiner Lordschaft.«

Bei der Erwähnung seines Großvaters zuckte er zusammen. Die Erinnerung an ihn war ihm verhaßt. »Das macht nichts«, erwiderte er. »Ich möchte mir den Raum nur einmal ansehen – weiter nichts. Geben Sie mir den Schlüssel.«

»Da ist der Schlüssel, Sir«, sagte die alte Dame, die mit zitternden, unsicheren Händen den Bestand ihres Schlüsselbundes durchmusterte. »Hier ist der Schlüssel. Ich habe ihn gleich vom Bund losgemacht. Aber Sie wollen doch nicht da oben wohnen, Sir, wo Sie es hier so gemütlich haben?«

»Nein, nein«, rief er verdrießlich. »Danke, Leaf. Das wäre alles.«

Sie zögerte noch ein paar Augenblicke und schwatzte über irgendeine Bagatelle, die den Haushalt betraf. Er seufzte und sagte zu ihr, sie solle es so machen, wie sie es für richtig halte. Mit einem von Lächelfalten übersponnenen Gesicht verließ sie das Zimmer.

Sobald sich die Tür geschlossen hatte, steckte Dorian den Schlüssel in die Tasche und sah sich im Zimmer um. Sein Blick fiel auf eine große purpurne Satindecke mit schwerer Goldstickerei, eine hervorragende venezianische Arbeit aus dem späten siebzehnten Jahrhundert, die sein Großvater in einem Kloster bei Bologna entdeckt hatte. Ja, sie ließe sich dazu verwenden, das schreckliche Ding einzuwickeln. Sie hatte vielleicht schon oft als Sargtuch gedient. Jetzt sollte sie etwas verhüllen, was eine Verwesung besonderer Art in sich trug, schlimmer noch als die Verwesung des Todes – etwas, was Grauen gebären und doch niemals sterben würde. Was der Wurm für die Leiche war, das würden seine Sünden für das gemalte Ebenbild auf der Leinwand sein. Sie würden seine Schönheit entstellen und seine Anmut zerfressen. Sie würden es besudeln und schänden. Und doch würde das Ding weiterleben. Es würde immer am Leben bleiben.

Er schauderte, und einen Augenblick lang bedauerte er es, daß er Basil nicht den wahren Grund genannt hatte, warum er das Bild versteckt halten wollte. Basil hätte ihm geholfen, dem Einfluß von Lord Henry zu widerstehen und den noch giftigeren Einflüssen, die seiner eigenen Natur entsprangen. Die Liebe, die Basil ihm entgegenbrachte – denn es war wirklich Liebe –, enthielt nichts, was nicht edel und vergeistigt gewesen wäre. Es war nicht jene bloß physische Bewunderung der Schönheit, die aus den Sinnen erwächst und die stirbt, wenn die Sinne erlahmen. Es war eine Liebe, wie Michelangelo sie gekannt hatte und Montaigne und Winckelmann und auch Shakespeare. Ja, Basil hätte ihn retten können. Doch jetzt war es zu spät. Die Vergangenheit konnte stets aufgehoben werden. Reue, Verleugnung und Vergessen konnten das bewirken. Aber die Zukunft war unausweichlich. In ihm waren Leidenschaften angelegt, die grauenhaft hervorbrechen würden, Träume, die den Schatten ihrer Bosheit Wirklichkeit verleihen würden.

Er nahm von der Liege das große purpurn-goldene Gewebe, das sie bedeckte, und begab sich mit ihm hinter den Wandschirm. War das Gesicht auf der Leinwand widerlicher als zuvor? Es kam ihm unverändert vor; und doch hatte sich sein Abscheu vor ihm gesteigert. Das Goldhaar, die blauen Augen und die rosenroten Lippen – alles war noch da. Nur der Ausdruck hatte sich geändert. Er war schrecklich in seiner Grausamkeit. Verglichen mit dem Tadel oder Verweis, den er darin erblickte, wie oberflächlich waren dagegen die Vorwürfe, die Basil ihm wegen Sibyl Vane gemacht hatte! – wie oberflächlich und wie belanglos! Seine eigene Seele blickte ihn aus der Leinwand an und forderte Rechenschaft von ihm. Ein schmerzlicher Ausdruck kam in seine Züge, und er warf das kostbare Sargtuch über das Bild. Während er damit beschäftigt war, klopfte es an die Tür. Er kam hervor, als sein Diener eintrat.

»Die Leute sind da, Monsieur.«

Er spürte, daß er den Diener unverzüglich aus dem Weg räumen mußte. Er durfte nicht erfahren, wohin das Bild geschafft wurde. Er hatte etwas Verschlagenes an sich, und seine Augen waren aufmerksam und falsch. Dorian Gray setzte sich an den Schreibtisch und kritzelte ein paar Zeilen an Lord Henry, um ihn zu bitten, er möge ihm etwas zu lesen schicken, und um ihn daran zu erinnern, daß sie sich an diesem Abend um viertel nach acht treffen wollten.

»Warten Sie auf Antwort«, sagte er, indem er ihm den Brief aushändigte, »und führen Sie die Leute herein.«

Nach zwei oder drei Minuten klopfte es abermals, und Mr.

Hubbard persönlich, der berühmte Rahmenmacher aus der South Adley Street, trat mit einem etwas ungeschlacht aussehenden jungen Gehilfen ein. Mr. Hubbard war ein kleiner Mann mit rosigem Gesicht und rotem Schnurrbart, dessen Kunstbegeisterung stark beeinträchtigt wurde durch die ewige Geldnot der meisten Künstler, die bei ihm arbeiten ließen. In der Regel verließ er nie seinen Laden. Er erwartete, daß die Leute zu ihm kamen. Doch Dorian Gray zuliebe machte er stets eine Ausnahme. Dorian hatte etwas an sich, was jedermann bezauberte. Es war eine Freude, ihn nur zu sehen.

»Womit kann ich Ihnen dienen, Mr. Gray?« fragte er und rieb sich die feisten, sommersprossigen Hände. »Ich habe mir gedacht, ich erweise mir selber die Ehre und komme persönlich her. Ich habe gerade einen bildschönen Rahmen hereinbekommen. Hab ihn bei einer Versteigerung ergattert. Ein alter Florentiner. Stammt aus Fonthill, glaube ich. Hervorragend geeignet für ein religiöses Motiv, Mr. Gray.«

»Es tut mir sehr leid, daß Sie sich die Mühe gemacht haben, selber vorbeizukommen, Mr. Hubbard. Ich schaue bestimmt einmal herein und sehe mir den Rahmen an – obwohl ich im Augenblick nicht viel für religiöse Kunst übrig habe –, aber heute möchte ich nur, daß Sie mir ein Bild nach oben tragen. Es ist ziemlich schwer, deshalb habe ich mir gedacht, daß ich Sie um ein paar von Ihren Leuten bitte.«

»Das ist überhaupt kein Problem, Mr. Gray. Ich freue mich, wenn ich Ihnen einen Gefallen tun kann. Um welches Kunstwerk geht es denn?«

»Um dieses da«, entgegnete Dorian und rückte den Wandschirm beiseite. »Können Sie es tragen, mitsamt der Umhüllung, so wie es ist? Ich möchte nicht, daß es beim Hinauftragen zerkratzt wird.«

»Da gibt es keine Schwierigkeiten, Herr«, sagte der wohlmeinende Rahmenmacher und begann, unterstützt von seinem Gehilfen, das Bild von den langen Messingketten loszuhaken, an denen es aufgehängt war. »Und wohin sollen wir es jetzt tragen, Mr. Gray?«

»Ich zeige es Ihnen, Mr. Hubbard, wenn Sie mir gütigst folgen wollen. Oder vielleicht gehen besser Sie voran. Es ist leider ganz oben im Haus. Wir nehmen die Vordertreppe, denn die ist breiter.«

Er hielt den beiden die Tür weit auf, und sie gingen hinaus in die Empfangshalle und begannen mit dem Aufstieg. Durch den reichverzierten Rahmen war das Bild äußerst unhandlich geworden, und trotz den untertänigen Protesten Mr. Hubbards, dem es als echtem Handwerksmann lebhaft mißfiel, daß ein Gentleman etwas Nützliches tat, legte Dorian ab und zu mit Hand an, um den beiden zu helfen.

»Eine ganz schöne Last, Sir«, keuchte der kleine Mann, als sie den obersten Treppenabsatz erreicht hatten. Und dabei wischte er sich die glänzende Stirn.

»Ja, es ist leider ziemlich schwer«, murmelte Dorian, während er die Tür zu dem Raum aufschloß, der das merkwürdige Geheimnis seines Lebens bewahren und seine Seele vor den Augen der Menschen verbergen sollte.

Er hatte die Kammer seit mehr als vier Jahren nicht mehr betreten – ja, tatsächlich nicht mehr seit der Zeit, da er sie zunächst als Spielzimmer benutzt hatte, als er noch ein Kind war, und später dann als Studierzimmer, als er schon etwas älter war. Es war ein großer, gutproportionierter Raum, den der verstorbene Lord Kelso eigens für seinen kleinen Enkel hatte ausbauen lassen, den er wegen dessen seltsamer Ähnlichkeit mit seiner Mutter und auch aus anderen Gründen stets gehaßt hatte und von sich fernhalten wollte. Das Zimmer kam Dorian nur wenig verändert vor. Da war der riesige italienische *cassone* mit seinen phantastisch bemalten Füllungen und seinen nachgedunkelten vergoldeten Ornamenten, in dem er sich als Junge so oft versteckt hatte. Dort stand der Bücherschrank aus Seidenholz, vollgestopft mit seinen Schulbüchern, die voller Eselsohren waren. An der Wand dahinter hing noch derselbe zerrissene flämische Gobelin, auf dem ein verblaßter König mit seiner Königin in einem Garten Schach spielte, während eine Gruppe von Falkenieren vorüberritt, die auf ihren gepanzerten Fäusten gehaubte Vögel trugen. Wie gut erinnerte er sich an all das! Jeder Augenblick seiner einsamen Kindheit wurde wieder in ihm lebendig, als er sich umschaute. Er entsann sich der fleckenlosen Lauterkeit seines Knabendaseins, und es kam ihm entsetzlich vor, daß ausgerechnet hier das verhängnisvolle Porträt versteckt werden sollte. Wie wenig hatte er in jenen abgelebten Tagen all das vorausgesehen, was seiner harrte!

Doch im Haus war keine andere Stelle vor neugierigen Blicken so sicher wie diese. Er besaß den Schlüssel, und niemand sonst konnte hier herein. Unter seinem purpurnen Sargtuch konnte das gemalte Gesicht tierisch, aufgedunsen und schmutzig werden. Was machte das schon? Niemand konnte es sehen. Auch er selber würde es nicht sehen. Warum sollte er die grauenhafte Zersetzung seiner Seele beobachten? Er behielt seine Jugend – das genügte. Und im übrigen, war es nicht möglich, daß sein Wesen sich besserte? Es bestand kein Grund, daß die Zukunft so schmachvoll sein sollte. Eine Liebe konnte ja in seinem Leben auftauchen und ihn läutern und ihn vor jenen Sünden beschützen, die sich bereits im Geist und im Fleisch zu regen schienen – vor jenen seltsamen ungemalten Sünden, deren Geheimnis ihnen gerade ihre Feinheit und ihren Reiz verlieh. Vielleicht würde eines Tages der grausame Ausdruck aus der scharlachroten sensiblen Mundpartie verschwunden sein, und er könnte dann der Welt Basil Hallwards Meisterwerk zeigen.

Nein, das war unmöglich. Stunde um Stunde und Woche um Woche alterte das Bild auf der Leinwand. Es mochte dem Grauen der Sünde entgehen, aber das Grauen des Alters war ihm zugedacht. Die Wangen würden hohl oder schlaff werden. Gelbe Krähenfüße würden um die verblassenden Augen kriechen und sie gräßlich entstellen, das Haar würde seinen Glanz verlieren, der Mund klaffen oder einfallen, stumpfsinnig und ungestalt, wie die Münder alter Männer sind. Dann würde der verschrumpelte Hals zum Vorschein kommen, die kalten, blaugeäderten Hände, der zusammengekrümmte Körper, wie er ihn von seinem Großvater in Erinnerung hatte, der ihn als Knaben so streng behandelt hatte. Das Bild mußte verborgen gehalten werden. Es gab keine andere Lösung.

»Bringen Sie es bitte herein, Mr. Hubbard«, sagte er müde und wandte sich um. »Es tut mir leid, daß ich Sie so lange aufgehalten habe. Ich habe gerade an etwas anderes gedacht.«

»Ich freue mich immer, wenn ich eine Pause machen kann, Mr, Gray«, antwortete der Rahmenmacher, der noch nach Luft schnappte. »Wo sollen wir es hinstellen, Sir?«

»Oh, irgendwohin. Hierher: das reicht. Es braucht nicht aufgehängt zu werden. Lehnen Sie es nur einfach an die Wand. Danke.«

»Darf man sich das Kunstwerk einmal anschauen, Sir?«

Dorian fuhr zusammen. »Es würde Sie nicht interessieren, Mr. Hubbard«, sagte er, während er den Mann im Auge behielt. Er spürte, daß er bereit war, sich auf ihn zu stürzen und ihn zu Boden zu werfen, falls er es wagen sollte, die prunkvolle Decke hochzuheben, die das Geheimnis seines Lebens verhüllte. »Ich möchte Sie jetzt nicht weiter bemühen. Ich bin Ihnen sehr verbunden, daß Sie so freundlich waren herzukommen.«

»Keine Ursache, keine Ursache, Mr. Gray. Stets zu Ihren Diensten, Sir.« Und damit stapfte Mr. Hubbard die Treppe hinab, gefolgt von seinem Gehilfen, der sich mit einem Ausdruck scheuer Verwunderung in seinem derben, häßlichen Gesicht nach Dorian umsah. Er hatte noch nie einen so wunderschönen Menschen gesehen.

Als das Geräusch ihrer Schritte verklungen war, schloß Dorian die Tür ab und steckte den Schlüssel in die Tasche. Er fühlte sich jetzt sicher, niemand würde jemals das gräßliche Ding sehen. Kein anderes Auge als das seine würde seine Schande je erblicken.

Beim Betreten der Bibliothek stellte er fest, daß es kurz nach fünf und der Tee bereits serviert war. Auf einem Tischchen aus dunklem, wohlriechendem und reich mit Perlmutt eingelegtem Holz, einem Geschenk von Lady Radley, der

Frau seines Vormunds, einer hübschen Person, die sozusagen von Berufs wegen krank war und den letzten Winter in Kairo verbracht hatte, lagen ein Brief von Lord Henry und daneben ein gelb broschiertes Buch mit leicht abgegriffenem Einband und schmutzigem Schnitt. Jemand hatte ein Exemplar der dritten Ausgabe der »St. James's Gazette« auf das Tablett gelegt. Victor war offensichtlich zurückgekehrt. Er fragte sich, ob der Diener wohl in der Halle mit den Männern zusammengetroffen war, als diese das Haus verließen, und aus ihnen herausgeholt hatte, was sie gemacht hatten. Er würde das Bild bestimmt vermissen – hatte es zweifellos bereits vermißt, als er das Teegeschirr hereinbrachte. Der Wandschirm war nicht an seine alte Stelle gerückt worden, und an der Wand war eine leere Fläche sichtbar. Vielleicht würde er ihn eines Nachts dabei erwischen, wie er die Treppe hinaufschlich und die Tür zur Kammer mit Gewalt zu öffnen versuchte. Es war schrecklich, einen Spion im Hause zu haben. Er hatte von reichen Leuten gehört, die ihr Leben lang von einem Diener erpreßt wurden, der einen Brief gelesen oder eine Unterhaltung belauscht oder eine Karte mit einer Adresse an sich genommen oder unter einem Kissen eine verwelkte Blume oder ein Stück zerknitterter Spitze gefunden hatte.

Er seufzte, und nachdem er sich etwas Tee eingeschenkt hatte, öffnete er Lord Henrys Brief. Darin teilte dieser ihm lediglich mit, daß er ihm die Abendzeitung und ein Buch geschickt habe, das ihn vielleicht interessiere, und daß er um Viertel nach acht im Klub sein werde. Er schlug gelangweilt die »St. James's« auf und überflog sie. Auf der fünften Seite fiel ihm ein roter Bleistiftstrich ins Auge. Er lenkte seine Aufmerksamkeit auf folgenden Absatz:

»GERICHTLICHE UNTERSUCHUNG IM FALLE EINER SCHAUSPIELERIN. – Eine gerichtliche Untersuchung wurde heute morgen in der Bell Tavern, Hoxton Road, vom Bezirks-Leichenbeschauer Mr. Danby an der Leiche von Sibyl Vane vorgenommen, einer jungen Schauspielerin, die zuletzt am Royal Theatre in Holborn engagiert war. Man erkannte auf

Tod durch Unglücksfall. Sehr viel Anteilnahme wurde der Mutter der Verstorbenen entgegengebracht, die während ihrer eigenen Aussage und der von Dr. Birrell, der die Obduktion vorgenommen hatte, sehr mitgenommen wirkte.«

Er runzelte die Stirn, zerriß die Zeitung, ging im Zimmer auf und ab und warf die Papierfetzen fort. Wie häßlich das alles war! Und wie entsetzlich wirklich ließ die Häßlichkeit die Dinge erscheinen! Er war ein wenig verärgert über Lord Henry, weil er ihm den Bericht geschickt hatte. Und es war einfach töricht von ihm, ihn mit Rotstift anzustreichen. Victor konnte ihn gelesen haben. Dazu verstand der Mann mehr Englisch als genug.

Vielleicht hatte er ihn gelesen und bereits Verdacht geschöpft. Und doch, was lag schon daran? Was hatte Dorian Gray mit Sibyl Vanes Tod zu schaffen? Es war nichts zu befürchten. Dorian Gray hatte sie nicht umgebracht.

Sein Blick fiel auf das gelbe Buch, das Lord Henry ihm geschickt hatte. Was mochte es wohl enthalten, fragte er sich. Er ging auf den kleinen perlfarbigen, achteckigen Ständer zu, der ihm stets wie das Werk gewisser absonderlicher ägyptischer Bienen vorkam, die Silber verarbeiteten, nahm den Band in die Hand, warf sich in einen Sessel und begann zu blättern. Nach wenigen Minuten war er ganz vertieft. Es war das seltsamste Buch, das er je gelesen hatte. Ihm war, als zögen in köstlichen Gewändern und zu zärtlichem Flötenklang die Sünden der Welt als Pantomime an ihm vorüber. Dinge, von denen er dumpf geträumt hatte, wurden plötzlich Wirklichkeit für ihn. Dinge, von denen er niemals geträumt hatte, enthüllten sich ihm allmählich.

Es war ein Roman ohne Handlung und mit nur einer Person, im Grunde nichts anderes als eine psychologische Studie über einen gewissen jungen Pariser, der sein Leben mit dem Versuch zubrachte, im neunzehnten Jahrhundert alle die Leidenschaften und Denkweisen zu verwirklichen, die allen Jahrhunderten außer seinem eigenen zugehörten, und gewissermaßen in sich selber die verschiedenen Stimmungen zu vereinen, die der Weltgeist jemals durchgemacht hatte, wobei er jene Verzichte, welche die Menschen törichterweise Tugend genannt haben, um ihrer bloßen Künstlichkeit willen ebenso liebte wie jene natürlichen Rebellionen, die gescheite Menschen noch immer Sünde nennen. Geschrieben war das Buch in jenem seltsam schmuckvollen, lebendigen und zugleich dunklen Stil voller Argot und Archaismen, voller Fachausdrücke und kunstvoller Umschreibungen, der das Werk einiger der besten Künstler der französischen Symbolistenschule auszeichnet. Es enthielt Metaphern, so monströs wie Orchideen und ebenso raffiniert in den Farben. Das Leben der Sinne war mit den Begriffen der mystischen Philosophie umschrieben. Zuweilen vermochte man kaum zu sagen, ob man die geistigen Ekstasen eines mittelalterlichen Heiligen oder die morbiden Bekenntnisse eines modernen Sünders las. Es war ein Buch, das Gift ausströmte. Der schwere Duft des Weihrauchs schien seinen Seiten anzuhaften und das Gehirn zu verwirren. Die bloße Kadenz der Sätze, die geheime Monotonie ihrer Musik, voll von komplizierten Refrains und kunstvoll wiederholten Bewegungen, erzeugten im Geist des jungen Mannes, während er von einem Kapitel zum anderen überging, eine Art Träumerei, eine Traumkrankheit, in der ihm der versinkende Tag und die schleichenden Schatten nicht bewußt wurden.

Wolkenlos und durchbohrt nur von einem einzigen einsamen Stern, schimmerte ein kupfergrüner Himmel durch die Fenster. In seinem schwindenden Licht las er weiter, bis er nicht mehr lesen konnte. Nachdem ihn sein Diener mehrmals an die späte Stunde erinnert hatte, stand er auf, begab sich ins Nebenzimmer, legte das Buch auf den kleinen florentinischen Tisch, der stets neben seinem Bett stand, und begann sich zum Abendessen umzukleiden.

Es war fast neun Uhr, als er im Klub ankam, wo er Lord Henry vorfand, der allein im Lesezimmer saß und sehr gelangweilt dreinschaute.

»Es tut mir ja so leid, Harry«, rief er, »aber das ist wirklich ganz allein Ihre Schuld. Das Buch, das Sie mir geschickt haben, hat mich so fasziniert, daß ich gar nicht gemerkt habe, wie die Zeit verging.«

»Ja: ich dachte mir, daß es Ihnen gefallen würde«, entgegnete sein Gastgeber und erhob sich.

»Ich habe nicht gesagt, daß es mir gefällt, Harry. Ich sagte, daß es mich fasziniert. Das ist ein großer Unterschied.«

»Ah, das haben Sie also entdeckt?« murmelte Lord Henry. Und sie gingen hinüber in den Speisesaal.

11. KAPITEL

Jahrelang konnte sich Dorian Gray nicht dem Einfluß dieses Buches entziehen. Oder vielleicht wäre es richtiger zu sagen, daß er niemals versuchte, sich ihm zu entziehen. Er ließ sich aus Paris nicht weniger als neun unbeschnittene Exemplare der Erstausgabe kommen und in verschiedenen Farben einbinden, so daß sie seinen unterschiedlichen Stimmungen und den wechselnden Launen seiner Natur entsprachen, über die er zeitweise fast völlig die Herrschaft verloren zu haben schien. Der Held, der wunderbare junge Pariser, in dem die romantischen und die wissenschaftlichen Neigungen so seltsam verschmolzen waren, wurde für ihn so etwas wie ein vorausgeahntes Abbild seiner selbst. Und in der Tat kam es ihm so vor, als enthalte das ganze Buch die Geschichte seines eigenen Lebens, niedergeschrieben, ehe er es noch durchlebt hatte.

In einer Hinsicht war er indes glücklicher dran als der phantastische Held des Romans. Er kannte nie – er hatte allerdings auch keinen Anlaß dazu – jene leicht groteske Angst vor Spiegeln und polierten Metallflächen und unbewegtem Wasser, die den jungen Pariser schon so früh in seinem Leben befiel und ihre Ursache hatte in dem jähen Verfall einer Schönheit, die einstmals offenbar so erstaunlich gewesen war. Mit einer fast grausamen Freude – und vielleicht liegt in nahezu jeder Freude und gewiß in jedem Genuß ein gut Teil Grausamkeit – las er immer wieder den letzten Teil des Buches mit dem wirklich tragischen, wenngleich etwas übertriebenen Bericht über das Leiden und die Verzweiflung eines Menschen, der das verloren hatte, was er an anderen und an der Welt am höchsten schätzte.

Denn die wunderbare Schönheit, die Basil Hallward und viele andere außer ihm so fasziniert hatte, schien ihn selber nie zu verlassen. Selbst diejenigen, welche die übelsten Geschichten über ihn gehört hatten – und hin und wieder schlichen merkwürdige Gerüchte über seine Lebensführung durch London und wurden in den Klubs breitgetreten –, konnten nichts Unehrenhaftes von ihm glauben, wenn sie ihn sahen. Er sah stets aus wie jemand, der sich unbefleckt von der Welt bewahrt hat. Männer, die schmutzige Reden führten, verstummten, wenn Dorian Gray den Raum betrat. In der Reinheit seines Gesichts war etwas, was sie zurechtwies. Seine bloße Gegenwart schien in ihnen die Erinnerung an die Unschuld zu erwecken, die sie besudelt hatten. Sie wunderten sich, daß ein so charmanter und anmutiger Mensch wie er der Schande einer Zeit hatte entgehen können, die zugleich schmutzig und sinnlich war.

Oft wenn er von einer jener geheimnisvollen und ausgedehnten Abwesenheiten heimkehrte, die bei denen, die seine Freunde waren oder zu sein vorgaben, solche merkwürdigen Mutmaßungen bewirkten, schlich er sich zu dem verschlossenen Zimmer hinauf, öffnete die Tür mit dem Schlüssel, den er nun ständig bei sich trug, und stellte sich mit einem Spiegel vor das Porträt hin, das Basil Hallward von ihm gemalt hatte, und dabei blickte er abwechselnd in das gemeine und alternde Gesicht auf der Leinwand und in das schöne, jugendliche Gesicht, das ihm aus dem blanken Glas entgegenlachte. Schon der scharfe Kontrast steigerte sein Lustgefühl. Er verliebte sich immer mehr in seine eigene Schönheit, immer mehr interessierte er sich für die Verderbnis seiner eigenen Seele. Mit peinlicher Aufmerksamkeit und bisweilen mit einer ungeheuerlichen und entsetzlichen Wonne untersuchte er die abscheulichen Linien, welche die runzlige Stirn entstellten oder um den schweren, sinnlichen Mund krochen, und dann fragte er sich manchmal, was schrecklicher sei, die Zeichen der Sünde oder die Zeichen des Alters. Er legte seine weißen Hände neben die groben, aufgedunsenen Hände des Bildes und lächelte. Er verhöhnte den mißgestalteten Körper und die verkümmernden Glieder.

Es gab allerdings Augenblicke in der Nacht, in denen er, wenn er schlaflos in seinem von zarten Wohlgerüchen erfüllten Zimmer oder in der schmutzigen Kammer der kleinen verrufenen Spelunke bei den Docks lag, die er unter einem falschen Namen und in Verkleidung aufzusuchen pflegte, an das Verderben dachte, das er über seine Seele gebracht hatte, erfüllt von einem Mitleid, das ihn um so mehr peinigte, als es ganz und gar selbstsüchtig war. Aber dergleichen Augenblicke waren selten. Jene Neugier auf das Leben, die erstmals Lord Henry in ihm erregt hatte, als sie im Garten ihres Freundes beisammengesessen hatten, schien mit der Befriedigung nur noch zu wachsen. Je mehr er wußte, desto mehr begehrte er zu wissen. Er hatte einen wahnsinnigen Hunger, der um so gieriger wurde, je mehr er ihn stillte.

Dennoch war er nicht eigentlich unbesonnen, jedenfalls nicht in seinen Beziehungen zur Gesellschaft. Ein- oder zweimal in den Wintermonaten und an jedem Mittwochabend während der Saison öffnete er sein herrliches Haus der Welt und ließ seine Gäste von den gefeiertsten Musikern der Zeit mit den Wunderwerken ihrer Kunst verzaubern. Seine kleinen Diners, die ihm Lord Henry stets arrangieren half, waren berühmt sowohl wegen der sorgfältigen Auswahl und Placierung der Geladenen als auch wegen des erlesenen Geschmacks, der sich in der Tafeldekoration bekundete, in den raffinierten symphonischen Zusammenstellungen exotischer Blumen, den gestickten Decken und dem antiken Gold- und Silbergeschirr. Ja, es gab viele, zumal unter den ganz jungen Männern, die in Dorian Gray die echte Verwirklichung eines Typs sahen oder zu sehen vermeinten, von dem sie oft in Eton oder Oxford geträumt hatten, eines Typs, der einiges von der wahren Kultur des Gelehrten mit der ganzen Eleganz und Vornehmheit und vollendeten Gesittung eines Weltbürgers verband. Für sie gehörte er zu der Schar jener, von denen Dante sagt, sie hätten versucht, »sich durch die Anbetung des Schönen zu vervollkommnen«. Wie Gautier war er einer, für den »die sichtbare Welt existierte«.

Und sicherlich war für ihn das Leben selbst die höchste, die größte Kunst, und für sie waren alle anderen Künste offenbar nichts weiter als eine Vorstufe. Die Mode, durch die das wahrhaft Phantastische einen Augenblick lang allgemeingültig wird, und das Dandytum, das auf seine Weise ein Versuch ist, die absolute Modernität der Schönheit zu bestätigen, hatten natürlich für ihn etwas Faszinierendes. Seine Art, sich zu kleiden, und die besonderen Stile, die er sich von Zeit zu Zeit zu eigen machte, übten einen entschiedenen Einfluß auf die jungen Stutzer auf den Mayfair-Bällen und an den Fenstern der Pall-Mall-Klubs aus, die ihn in allem, was er tat, kopierten und den zufälligen Reiz seiner anmutigen, wenn auch von ihm selber nur halb ernst gemeinten Extravaganzen nachzuahmen suchten.

Denn obgleich er nur allzu bereit war, die Position einzunehmen, die ihm fast unmittelbar nach seiner Mündigkeit zufiel, und obgleich er tatsächlich ein subtiles Vergnügen empfand bei dem Gedanken, er könnte für das London seiner Tage das werden, was einst der Verfasser des »Satyrikon« für das kaiserliche Rom Neros gewesen war, wünschte er sich doch im innersten Herzen, etwas mehr zu sein als ein bloßer *arbiter elegantiarum,* den man über die Anbringung eines Schmuckstücks oder das Binden einer Krawatte oder die richtige Haltung eines Spazierstocks befragte. Er war bestrebt, ein neues Lebenssystem zu erarbeiten, das auf einer vernunftgemäßen Philosophie und geordneten Grundsätzen beruhen und in der Vergeistigung der Sinne seine höchste Verwirklichung finden sollte.

Der Kult der Sinne ist oft und mit großem Recht verurteilt worden, weil die Menschen instinktiv vor Leidenschaften und Gefühlsregungen zurückschrecken, die stärker zu sein scheinen als sie selber und von denen sie wissen, daß sie sie mit weniger hoch entwickelten Lebensformen gemeinsam haben. Doch Dorian Gray hatte den Eindruck, daß die wahre Natur der Sinne noch nie richtig verstanden worden sei und daß sie nur deshalb wild und animalisch geblieben seien, weil die Welt es darauf angelegt habe, sie durch Unterdrückung auszuhungern oder durch Schmerz abzutöten, statt sich zu bemühen, sie zu Elementen einer neuen Geistigkeit zu machen, deren bestimmendes Merkmal ein kultivierter Schönheitssinn sein sollte. Wenn er den Weg des Menschen durch die Geschichte überblickte, quälte ihn ein Gefühl des Verlustes. So vieles war preisgegeben worden! und zu einem so dürftigen Zweck! Es hatte besessene, eigensinnige Verzichte gegeben, monströse Formen der Selbstkasteiung und Selbstverleugnung, deren Ursprung Angst und deren Folge eine unendlich furchtbarere Erniedrigung war als jene eingebildete Erniedrigung, der die Menschen in ihrer Unwissenheit zu entrinnen suchten, während doch die Natur in ihrer wundersamen Ironie den Anachoreten hinaustreibt, damit er sich mit den wilden Tieren der Wüste ernähre, und dem Eremiten die Tiere des Feldes zu Gefährten gibt.

Ja: es mußte, wie Lord Henry vorausgesagt hatte, ein neuer Hedonismus entstehen, der das Leben neu erschuf und es vor jenem strengen, unerfreulichen Puritanismus errettete, der in unseren Tagen eine sonderbare Renaissance erlebt. Sicherlich mußte er auch den Dienst am Geist umfassen; doch er durfte sich niemals auf eine Theorie oder Lehre berufen, die den Verzicht auf irgendeine Form leidenschaftlicher Erfahrung mit sich brachte. Sein Ziel mußte in der Tat die Erfahrung selbst sein und nicht die Früchte der Erfahrung, so süß oder bitter sie auch sein mochten. Von der Askese, welche die Sinne abtötet, und von vulgärer Zügellosigkeit, die sie abstumpft, sollte er sich gleichermaßen fernhalten. Vielmehr mußte er den Menschen lehren, sich auf die Augenblicke des Lebens zu konzentrieren, das selber nur ein Augenblick ist.

Es gibt nur wenige unter uns, die nicht zuweilen vor dem Morgengrauen erwacht wären, entweder nach einer jener traumlosen Nächte, die uns fast in den Tod verliebt machen, oder nach einer jener Nächte des Grauens und der mißgestalten Lust, wenn durch die Kammern des Gehirns Phantome huschen, die entsetzlicher sind als die Wirklichkeit selbst und erfüllt sind von jenem gesteigerten Leben, das in allem Grotesken lauert und der gotischen Kunst ihre beständige Kraft verleiht, denn diese Kunst ist, so möchte man meinen, vor allem die Kunst jener, deren Gemüt überschattet wird von der Krankheit des Träumens. Langsam schieben sich bleiche Finger durch die Vorhänge und scheinen zu zittern. Als schwarze phantastische Gestalten kriechen stumme Schatten in die Zimmerecken und kauern dort. Draußen ist das Rascheln der Vögel im Laub oder das Geräusch der Menschen, die zur Arbeit gehen, oder das Seufzen und Stöhnen des Windes, der von den Bergen kommt und um das stille Haus wandert, als fürchte er, die Schlafenden zu wecken, und müsse dennoch den Schlaf aus seiner purpurnen Höhle hervorrufen. Ein Schleier der dünnen dunstigen Gaze hebt sich nach dem andern, und nach und nach gewinnen die Dinge ihre Formen und Farben zurück, und wir sehen zu, wie die Dämmerung die Welt nach uraltem Muster neu gestaltet. Die trüben Spiegel erhalten ihr mimisches Leben wieder. Die flammenlosen Kerzen stehen dort, wo wir sie zurückgelassen haben, und neben ihnen liegt das halb aufgeschnittene Buch, das wir studiert, oder die mit Draht verstärkte Blume, die wir auf dem Ball getragen, oder der Brief, den zu lesen wir uns gefürchtet oder den wir zu oft gelesen haben. Nichts kommt uns verändert vor. Aus den unwirklichen Schatten der Nacht kehrt das wirkliche Leben zurück, so wie wir es kannten. Wir müssen es dort wiederaufnehmen, wo wir es verlassen haben, und uns beschleicht ein schreckliches Gefühl, daß wir uns weiterhin in dem gleichen ermüdenden Kreis stereotyper Gewohnheiten aufreiben müssen, oder auch ein wildes Verlangen, unsere Lider möchten sich eines Morgens vor einer Welt öffnen, die in der Dunkelheit zu unserer Freude neu geschaffen wurde, einer Welt, in der die Dinge neue Formen und Farben angenommen haben und verwandelt sind oder andere Geheimnisse bergen, einer Welt, in der die Vergangenheit wenig oder gar keinen Platz hat oder zumindest nicht in einer bewußten Form der Verpflichtung oder Reue weiterlebt, denn selbst der Gedanke an die Freude ist voll Bitterkeit und die Erinnerungen an den Genuß sind voll Schmerz.

Die Erschaffung solcher Welten erschien Dorian Gray als

das wahre Ziel oder als eines der wahren Ziele des Lebens; und auf seiner Suche nach Erregungen, die zugleich neu und köstlich sein und jenes Element des Fremdartigen enthalten sollten, das so wesentlich zum Romantischen gehört, machte er sich häufig Denkweisen zu eigen, die, wie er wußte, seinem Wesen fremd waren, und gab sich ihren subtilen Einflüssen hin, doch wenn er gewissermaßen ihre Farbe in sich aufgenommen und seine intellektuelle Neugier befriedigt hatte, wandte er sich mit jener sonderbaren Gleichgültigkeit von ihnen ab, die mit einem wahrhaft inbrünstigen Temperament nicht unvereinbar und nach Auffassung gewisser moderner Psychologen sogar oft eine Voraussetzung dafür ist.

Einmal ging das Gerücht um, er habe vor, zum katholischen Glauben überzutreten; und ohne Zweifel hatte das katholische Ritual seit jeher eine starke Anziehungskraft auf ihn ausgeübt. Das tägliche Meßopfer, grausiger noch als alle Opfer der alten Welt, erregte ihn ebensosehr durch seine großartige Zurückweisung der Sinneserfahrung wie durch die urtümliche Einfachheit seiner Bestandteile und das ewige Pathos der menschlichen Tragödie, die es zu symbolisieren trachtete. Er liebte es, auf dem kalten Marmorboden zu knien und den Priester in seinem steifen, blumengeschmückten Gewand zu beobachten, wenn er langsam und mit weißen Händen den Vorhang des Tabernakels beiseite schob oder die edelsteinbesetzte, laternenförmige Monstranz mit jener bleichen Oblate hoch emporhob, die mitunter, wie man gerne glauben möchte, wirklich das *panis caelestis,* das Brot der Engel, ist, oder wenn er, angetan mit den Gewändern der Passion Christi, die Hostie in den Kelch brach und sich ob seiner Sünden an die Brust schlug. Die dampfenden Weihrauchfässer, welche die ernsten Knaben in Spitzen und Scharlach gleich großen vergoldeten Blumen in die Luft warfen, hatten für ihn eine geheime Faszination. Beim Hinausgehen betrachtete er immer wieder voll Staunen die schwarzen Beichtstühle und sehnte sich danach, im dunklen Schatten eines solchen Stuhles zu sitzen und den

Männern und Frauen zuzuhören, die durch das abgenutzte Gitter die wahre Geschichte ihres Lebens flüsterten.

Aber niemals beging er den Fehler, seine intellektuelle Entwicklung durch die förmliche Anerkennung eines Glaubens oder einer Lehre aufzuhalten oder ein Haus, in dem man leben konnte, mit einem Gasthaus zu verwechseln, das nur für eine Übernachtung geeignet ist oder für einige wenige Nachtstunden, in denen keine Sterne scheinen und der Mond in Wehen liegt. Die Mystik mit ihrer wunderbaren Macht, uns die alltäglichen Dinge zu entfremden, und der geheime Antinomismus, der sie stets zu begleiten scheint, beschäftigten ihn nur vorübergehend; und vorübergehend neigte er den materialistischen Grundsätzen der deutschen Darwinismus-Bewegung zu und fand ein eigenartiges Vergnügen daran, die Gedanken und Leidenschaften der Menschen auf irgendeine perlenförmige Zelle im Gehirn oder auf irgendeinen weißen Nerv im Körper zurückzuführen, wobei ihn die Vorstellung entzückte, daß der Geist völlig abhängig sei von bestimmten physischen Zuständen, krankhaften oder gesunden, normalen oder entstellten. Doch wie früher schon von ihm gesagt worden ist, schien ihm keine Theorie des Lebens von irgendwelchem Belang zu sein im Vergleich zum Leben selbst. Er war sich zutiefst bewußt, wie öde alle intellektuelle Spekulation ist, wenn sie losgelöst wird vom Handeln und Experimentieren. Er wußte, daß die Sinne, nicht weniger als die Seele, ihre geistigen Geheimnisse zu offenbaren haben.

Und so begann er nun Parfüms und die Rätsel ihrer Herstellung zu studieren, indem er stark duftende Öle destillierte und wohlriechende Gummiharze aus dem Osten verbrannte. Er erkannte, daß es keine Gemütsstimmung gab, die nicht ihr Pendant im Sinnenleben hatte, und bemühte sich, ihre wahren Wechselbeziehungen zu erforschen, indem er der Frage nachging, wieso der Weihrauch mystisch stimmte und die Ambra die Leidenschaften aufstachelte und die Veilchen die Erinnerung an vergangene Romanzen erweckten und der Moschus das Gehirn verwirrte und der

Tschampak die Phantasie befleckte; und immer wieder versuchte er eine regelrechte Psychologie der Parfüms auszuarbeiten und die jeweilige Wirkung süßduftender Wurzeln und wohlriechender pollenschwerer Blüten zu bestimmen, der aromatischen Balsame und der dunklen, würzigen Hölzer, des Nardenöls, das krank macht, der Hovenia, welche die Menschen zum Wahnsinn treibt, und der Aloe, die angeblich die Melancholie aus der Seele zu vertreiben mag.

Zu einer anderen Zeit ergab er sich völlig der Musik, und in einem langgestreckten vergitterten Raum mit einer Decke aus Zinnoberrot und Gold und olivgrün lackierten Wänden gab er absonderliche Konzerte, bei denen besessene Zigeuner kleinen Zithern wilde Musik entlockten oder ernste Tunesier in gelben Umschlagtüchern die straff gespannten Saiten ungeheurer Lauten zupften, während grinsende Neger monoton auf kupferne Trommeln einschlugen und schmächtige turbanbedeckte Inder, die auf scharlachroten Matten hockten, ihre langen Rohr- oder Messingpfeifen bliesen und große Kobras und furchtbare Hornvipern beschworen oder zu beschwören vorgaben. Die harten Intervalle und schrillen Dissonanzen barbarischer Musik erregten ihn, wenn Schuberts Anmut und Chopins schöne Schmerzen und selbst die gewaltigen Harmonien Beethovens unbeachtet an sein Ohr drangen. Aus allen Teilen der Welt trug er die merkwürdigsten Instrumente zusammen, die sich auftreiben ließen, entweder in den Grüften ausgestorbener Völker oder bei den wenigen wilden Stämmen, welche die Berührung mit der westlichen Zivilisation überlebt haben, und er liebte es, sie in die Hand zu nehmen und auszuprobieren. Er besaß die geheimnisumgebenen *juruparis* der Rio-Negro-Indianer, deren Anblick den Frauen verboten ist und die selbst die jungen Männer erst anschauen dürfen, wenn sie sich Fasten und Geißelungen unterzogen haben, und die irdenen Krüge der Peruaner, die wie grelle Vogelschreie erklingen, und Flöten aus Menschenknochen, wie Alfonso de Ovalle sie in Chile hörte, und die tönenden grünen Jaspissteine, die in der Nähe von Cuzco zu finden sind und einen Ton von einzigartiger Süße von sich geben. Er besaß bemalte, mit Kieselsteinen gefüllte Kalebassen, die rasselten, wenn sie geschüttelt wurden; das lange *clarin* der Mexikaner, durch das der Musikant nicht bläst, sondern die Luft einzieht; die grell tönende *ture* der Amazonasstämme, die von den Wachtposten, welche den ganzen Tag lang auf hohen Bäumen sitzen, geblasen wird und angeblich noch in einer Entfernung von drei Meilen zu hören ist; das *teponaztli,* das zwei vibrierende hölzerne Zungen hat und mit Stöcken bearbeitet wird, die mit einem aus milchigem Pflanzensaft gewonnenen elastischen Harz beschmiert sind; die *yotl*-Glocken der Azteken, die wie Trauben zu Büscheln zusammengehängt werden; und eine riesige, mit den Häuten großer Schlangen bespannte zylindrische Trommel, so wie jene, die Bernal Diaz sah, als er mit Cortez den mexikanischen Tempel betrat, und von deren klagendem Klang er uns eine so lebhafte Schilderung hinterlassen hat. Der phantastische Charakter dieser Instrumente faszinierte ihn, und er empfand ein sonderbares Entzücken bei dem Gedanken, daß die Kunst, genauso wie die Natur, ihre Ungeheuer hervorbringt, Dinge von bestialischer Gestalt und mit scheußlichen Stimmen. Doch nach einiger Zeit verlor er die Lust daran und saß wieder, entweder allein oder mit Lord Henry, in der Oper, lauschte mit verzückter Wonne dem »Tannhäuser« und erkannte im Vorspiel zu diesem großen Kunstwerk eine Darstellung der Tragödie seiner eigenen Seele.

Bei einer anderen Gelegenheit befaßte er sich mit dem Studium der Edelsteine und erschien auf einem Kostümball als Anne de Joyeuse, Admiral von Frankreich, in einem Gewand, das mit fünfhundertsechzig Perlen besetzt war. Diese Neigung fesselte ihn jahrelang, und man könnte sogar sagen, er habe sie niemals aufgegeben. Oft brachte er einen ganzen Tag damit zu, die verschiedenen Steine, die er gesammelt hatte, in ihren Kästen zu ordnen und neu zu ordnen, etwa den olivgrünen Chrysoberyll, der sich im Lampenlicht rot färbt, den Cymophan mit seiner drahtartigen Silberlinie, den pistazienfarbenen Peridot, rosige und weingelbe Topase, Karfunkelsteine von feurigem Scharlach und mit zitternden vierstrahligen Sternen, flammendrote Kaneelsteine, orange und violette Spinelle und Amethyste mit ihren wechselnden Schichten aus Rubin und Saphir. Er liebte das rote Gold des Sonnensteins und des Mondsteins perlfarbige Weiße und den gebrochenen Regenbogen des milchigen Opals. Er beschaffte sich aus Amsterdam drei Smaragde von ungewöhnlicher Größe und Farbenfülle und besaß einen Türkis *de la vieille roche,* um den ihn die Kenner beneideten.

Auch entdeckte er wunderbare Geschichten, die von Edelsteinen handelten. In Alphonsos »Clericalis Disciplina« war von einer Schlange mit Augen aus echtem Hyazinth die Rede, und in der romantischen Geschichte Alexanders hieß es, der Eroberer von Emathia habe im Jordantal Schlangen gefunden »mit Halsringen aus echten Smaragden, die aus ihrem Rücken hervorwuchsen«. Im Gehirn des Drachen, so berichtet uns Philostratus, steckte ein Edelstein, und »durch die Vorweisung goldener Lettern und eines Scharlachgewandes« konnte das Untier in einen Zauberschlaf versenkt und erschlagen werden. Nach Aussage des großen Alchimisten Pierre de Boniface machte der Diamant einen Menschen unsichtbar, und der Achat aus Indien machte ihn beredt. Der Karneol besänftigte den Zorn, und der Hyazinth erzeugte Schlaf, und der Amethyst verscheuchte den Dunst des Weins. Der Granat trieb Dämonen aus, und der Hydropicus beraubte den Mond seiner Farbe. Der Selenit nahm mit dem Mond zu und ab, und der Meloceus, der Diebe überführt, konnte nur von Zickleinblut angegriffen werden. Leonardus Camillus hatte beobachtet, wie aus dem Gehirn einer frisch getöteten Kröte ein Stein entfernt wurde, der ein zuverlässiges Mittel gegen Gift war. Der Bezoar, den man im Herzen des arabischen Hirsches fand, war ein Zauber, der die Pest heilen konnte. Aus den Nestern arabischer Vögel stammten die Aspilaten, die nach Demokrit den Träger vor jeder Feuersgefahr bewahrten.

Der König von Ceilan trug, als er bei seiner Krönungsfeier

durch seine Stadt ritt, einen großen Rubin in der Hand. Die Tore des Palastes von Johannes dem Priester bestanden »aus Sarder, in den das Horn der Hornviper eingelegt war, auf daß niemand Gift hineinbringen konnte«. Über dem Giebel waren »zwei goldene Äpfel, in denen sich zwei Karfunkel befanden«, damit das Gold am Tage und die Karfunkel in der Nacht leuchteten. In Lodges eigenartigem Roman »Eine Perle aus Amerika« wurde behauptet, im Gemach der Königin erblicke man »alle keuschen Damen der Welt aus getriebenem Silber, die sich in schönen Spiegeln aus Chrysoliten, Karfunkeln, Saphiren und grünen Smaragden betrachteten«. Marco Polo hatte gesehen, wie die Bewohner von Zipangu den Toten rosenfarbene Perlen in den Mund legten. Ein Meeresungeheuer hatte sich in die Perle verliebt, das der Taucher dem König Perozes überbrachte, und den Dieb erschlagen und sieben Monde lang den Verlust der Perle betrauert. Als dann die Hunnen den König in die große Grube lockten, warf er sie fort – die Geschichte stammt von Prokop –, und sie ward nie wieder gefunden, obwohl der Kaiser Anastasius fünf Zentner Goldstücke dafür bot. Der König von Malabar hatte einem gewissen Venezianer einen Rosenkranz aus dreihundertundvier Perlen gezeigt, für jeden Gott, den er anbetete, eine Perle.

Als der Herzog von Valentinois, der Sohn Alexanders VI., Ludwig XII. von Frankreich besuchte, war sein Pferd, wie es bei Brantôme heißt, mit Goldblättern beladen, und sein Hut trug Doppelreihen von Rubinen, von denen ein heller Schein ausging. Karl von England ritt in Steigbügeln, die mit vierhunderteinundzwanzig Diamanten besetzt waren. Richard II. besaß einen Rock, den man auf dreißigtausend Mark schätzte und der mit Balasrubinen übersät war. Nach Halls Beschreibung trug Heinrich VIII. auf seinem Weg zum Tower vor der Krönung »ein Koller aus erhabenem Gold, dessen Brustplatte mit Diamanten und anderen kostbaren Steinen bestickt war, und um den Hals ein großes Gehänge aus dicken Balasrubinen«. Die Günstlinge Jakobs I. trugen Ohrringe aus Smaragden, die in Goldfiligran gefaßt waren.

Eduard II. schenkte Piers Gaveston eine Rüstung aus Rotgold, die vor Hyazinthsteinen strotzte, eine mit Türkisen besetzte Halsberge aus goldenen Rosen und eine Haube *parsemé* mit Perlen. Heinrich II. trug edelsteinverzierte Handschuhe, die bis zu den Ellbogen reichten, und besaß einen Beizhandschuh, auf den zwölf Rubine und zweiundfünfzig große leuchtende Perlen aufgenäht waren. Der Herzogshut Karls des Kühnen, des letzten Herzogs von Burgund seines Stammes, war behängt mit birnenförmigen Perlen und übersät von Saphiren.

Wie köstlich war das Leben doch einst gewesen! Wie großartig in seinem Prunk und Schmuck! Allein vom Luxus der Toten zu lesen war herrlich.

Dann wandte er seine Aufmerksamkeit den Stickereien zu und den Gobelins, die in den kühlen Räumen der nordeuropäischen Länder die Rolle der Fresken übernahmen. Als er in dieses Gebiet eindrang – und er hatte stets eine außerordentliche Begabung, ganz und gar in dem aufzugehen, was ihn gerade beschäftigte –, überkam ihn beinahe Trauer bei dem Gedanken an die Zerstörung, welche die Zeit bei schönen und kostbaren Dingen anrichtete. Ihm jedenfalls blieb das erspart. Sommer folgte auf Sommer, und die gelben Jonquillen blühten und starben viele Male, und Nächte des Grauens wiederholten die Geschichte ihrer Schande, aber er war unverändert. Kein Winter versehrte sein Gesicht oder befleckte seine blütengleiche Frische. Wie anders verhielt es sich mit materiellen Dingen! Wohin waren sie entschwunden? Wo war das große krokusfarbene Gewand, auf dem die Götter mit den Giganten kämpften, gewebt von braunen Mädchen zur Freude der Athene? Wo das riesige Velarium, das Nero über das Kolosseum in Rom hatte breiten lassen, jenes Titanensegel aus Purpur, auf dem der Sternenhimmel und Apollo in einem Kriegswagen abgebildet waren, der von Hengsten mit weißvergoldetem Zaumzeug gezogen wurde? Er sehnte sich danach, die seltsamen Tafeltücher zu schauen, die für den Sonnenpriester gewirkt worden waren und auf denen alle Leckerbissen und Speisen prangten, die man sich für ein Festmahl nur wünschen mochte; das Leichentuch König Chilperichs mit seinen dreihundert goldenen Bienen; die phantasievollen Gewänder, die den Unwillen des Bischofs von Pontus erregt hatten und die geschmückt waren mit »Löwen, Panthern, Bären, Hunden, Wäldern, Felsen, Jägern – kurzum mit allem, was ein Maler der Natur nachbilden kann«; und den Rock, den Karl von Orleans einst trug, auf dessen Ärmel die Verse eines Liedes mit dem Anfang »Madame, je suis tout joyeux« gestickt waren, während die musikalische Begleitung der Worte mit goldenem Faden eingewirkt war und jede Note, die in jenen Tagen von viereckiger Gestalt war, aus vier Perlen bestand. Er las von dem Gemach, das man im Schloß zu Reims für Königin Johanna von Burgund herrichtete und das verziert war mit »dreizehnhundertundeinundzwanzig gestickten Papageien, die das Wappen des Königs trugen, und fünfhunderteinundsechzig Schmetterlingen, deren Flügel in ähnlicher Weise mit dem Wappen der Königin geziert waren, alles in Gold gearbeitet«. Katharina von Medici hatte sich ein Trauerbett anfertigen lassen aus schwarzem Samt, bestäubt mit Halbmonden und Sonnen. Seine Vorhänge waren aus Damast, bedeckt mit Laubkränzen und -girlanden auf goldenem und silbernem Grund und an den Rändern gesäumt mit Perlstickereien, und es stand in einem Zimmer, das mit Silbertuch, verziert mit den aus schwarzem Samt geschnittenen Emblemen der Königin, ausgeschlagen war. Ludwig XIV. hatte in seinen Gemächern fünfzehn Fuß hohe goldgestickte Karyatiden. Das Prunkbett Sobieskis, des Königs von Polen, war aus Smyrnaer Goldbrokat gearbeitet, auf dem mit Türkisen Koranverse eingestickt waren. Die Pfosten bestanden aus vergoldetem Silber, das herrlich ziseliert und verschwenderisch mit emaillierten und edelsteinbesetzten Medaillons geziert war. Es war aus dem Türkenlager vor Wien erbeutet worden, und das Banner Mohammeds hatte unter der schimmernden Vergoldung des Baldachins gestanden.

Und auf solche Weise bemühte er sich ein ganzes Jahr lang, die erlesensten Proben von Geweben und Stickereien zusammenzutragen, die er nur finden konnte, und er erstand zarte Musseline aus Delhi, fein durchwirkt mit Palmetten aus Goldfäden und über und über bestickt mit schillernden Käferflügeln; Gaze aus Dakka, die wegen ihrer Durchsichtigkeit im Osten als »gewebte Luft« und »fließendes Wasser« und »Abendtau« bekannt ist; eigenartige gemusterte Stoffe aus Java; kunstvolle gelbe Wandbehänge aus China; Bücher mit lohfarbenen Satin- und hellblauen Seideneinbänden, verziert mit *fleurs de lys,* Vögeln und Bildern; Schleier aus *lacis* in ungarischem Stickstich; sizilianische Brokate und steife spanische Samte; georgische Handarbeiten mit vergoldeten Münzen; und japanische *Foukousas* mit ihrem grüngetönten Gold und ihren wundersam gefiederten Vögeln.

Eine besondere Leidenschaft hegte er auch für kirchliche Gewänder, wie überhaupt für alles, was mit der Liturgie der Kirche zusammenhing. In den langen Truhen aus Zedernholz, welche die westliche Galerie seines Hauses säumten, bewahrte er viele seltene und schöne Proben dessen auf, was eigentlich das Gewand der Braut Christi ist, die Purpur und Edelsteine und feines Leinen tragen muß, um den bleichen, abgezehrten Leib zu verhüllen, der gezeichnet ist von dem Leiden, nach dem sie verlangt, und versehrt von selbstauferlegter Pein. Er besaß einen herrlichen Chormantel aus karmesinroter Seide und golddurchwirktem Damast, verziert mit einem wiederkehrenden Muster aus goldenen Granatäpfeln in einer Einfassung aus stilisierten sechsblättrigen Blüten, neben denen zu beiden Seiten ein aus winzigen Perlen gearbeitetes Ananasmotiv einherlief. Die Goldborten waren in Felder unterteilt, die Szenen aus dem Leben der Heiligen Jungfrau enthielten, und die Krönung der Jungfrau war auf der Kapuze in farbiger Seide dargestellt. Es war eine italienische Arbeit aus dem fünfzehnten Jahrhundert. Ein anderer Chormantel war aus grünem Samt und mit herzförmig zusammengefügten Akanthusblättern bestickt, aus denen hochstielige weiße Blüten hervorwuchsen, deren Einzelheiten durch Silberfäden und bunte Kristalle betont wurden. Die Spange trug einen Seraphenkopf in erhabener Goldfiligranarbeit. Die Borten waren in einem Diaper aus roter und goldener Seide gewebt und besternt mit den Medaillons zahlreicher Heiligen und Märtyrer, unter denen sich auch St. Sebastian befand. Außerdem besaß er Kaseln aus bernsteinfarbener Seide und blauer Seide und Goldbrokat und gelbem Seidendamast und goldenem Tuch, geschmückt mit Darstellungen der Passion und Kreuzigung Christi und bestickt mit Löwen und Pfauen und anderen Emblemen; Dalmatiken aus weißem Satin und rosa Seidendamast, verziert mit Tulpen und Delphinen und *fleurs de lys;* Altardecken aus karmesinrotem Samt und blauem Leinen; und viele Corporale, Kelchdecken und Schweißtücher. In den mystischen Verwendungszwecken, denen solche Gegenstände dienten, lag etwas, was seine Phantasie beflügelte.

Denn diese Schätze und alles andere, was er in seinem schönen Haus gesammelt hatte, sollten ihm Mittel des Vergessens sein, Möglichkeiten, wenigstens zeitweilig der Angst zu entrinnen, die ihm manchmal fast unerträglich erschien. An die Wand des einsamen, abgeschlossenen Zimmers, in dem er als Knabe soviel von seiner Zeit zugebracht hatte, hatte er mit eigener Hand das entsetzliche Porträt aufgehängt, dessen sich verändernde Züge ihm die wahre Erniedrigung seines Lebens zeigten, und vor ihm hatte er das purpurne und goldene Leichentuch wie einen Vorhang ausgespannt. Wochenlang ging er nicht nach oben, er vergaß das abscheuliche gemalte Ding und gewann die Leichtigkeit seines Herzens zurück, seine wunderbare Heiterkeit, sein leidenschaftliches Aufgehen im bloßen Dasein. Dann schlich er sich eines Nachts plötzlich aus dem Hause, begab sich zu den schrecklichen Häusern in der Umgebung von Blue Gate Fields und blieb dort tagelang, bis man ihn davonjagte. Nach seiner Rückkehr saß er dann vor dem Bild, zuweilen voll Abscheu vor ihm und vor sich selber, doch zu anderen Zeiten auch erfüllt von jenem stolzen Individualismus, der zur Hälfte den Reiz der Sünde ausmacht, und mit heimlicher Freude den ungestalten Schatten belächelnd, der die Last zu tragen hatte, die eigentlich ihm zukam.

Nach einigen Jahren konnte er es nicht mehr ertragen, sich längere Zeit außerhalb Englands aufzuhalten, und er gab sowohl die Villa auf, die er in Trouville zusammen mit Lord Henry bewohnt hatte, als auch das von Mauern umgebene kleine weiße Haus in Algier, in dem sie mehr als einen Winter verbracht hatten. Es war ihm zuwider, von dem Bild getrennt zu sein, das einen so wesentlichen Teil seines Lebens darstellte, und außerdem fürchtete er, daß sich während seiner Abwesenheit irgend jemand Zugang zu der Kammer verschaffen könnte, ungeachtet der kräftigen Riegel, die er an der Tür hatte anbringen lassen.

Ihm war durchaus bewußt, daß dies ihn nicht verraten würde. Es traf zwar zu, daß das Porträt bei aller Gemeinheit und Häßlichkeit des Gesichtsausdrucks noch immer eine unverkennbare Ähnlichkeit mit ihm bewahrte; doch was konnte man daraus entnehmen? Er würde jeden auslachen, der es wagen sollte, ihm etwas vorzuwerfen. Er hatte es nicht gemalt. Was ging es ihn an, wie widerwärtig und schändlich es aussah? Selbst wenn er den Leuten alles erklärte, würden sie es überhaupt glauben?

Dennoch hatte er Angst. Wenn er sich in seinem großen Haus in Nottinghamshire aufhielt, wo er die eleganten jungen Herren seines Standes, die sein hauptsächlicher Umgang waren, zu sich einlud und die Grafschaft durch den verschwenderischen Luxus und den aufwendigen Glanz seiner Lebensführung in Erstaunen versetzte, ließ er manchmal unvermittelt seine Gäste im Stich und eilte nach London zurück, um nachzusehen, ob sich niemand an der Tür zu schaffen gemacht hatte und ob das Bild noch da war. Was wäre, wenn es gestohlen würde? Schon bei dem Gedanken befiel ihn kaltes Entsetzen. Gewiß würde die Welt dann sein Geheimnis erfahren. Vielleicht ahnte die Welt es bereits.

Denn obwohl er viele bezauberte, gab es nicht wenige, die ihm mißtrauten. Um ein Haar wäre er nicht in den Klub im West End gewählt worden, dem anzugehören er auf Grund seiner Herkunft und seiner gesellschaftlichen Stellung vollauf berechtigt war, und als ihn einmal ein Freund in das

Rauchzimmer des Churchill-Klubs führte, sollen der Herzog von Berwick und ein anderer Herr ostentativ aufgestanden und hinausgegangen sein. Merkwürdige Geschichten kursierten über ihn, als er das fünfundzwanzigste Lebensjahr vollendet hatte. Es ging das Gerücht, man habe ihn in einer schäbigen Kaschemme in den abgelegenen Vierteln von Whitechapel mit ausländischen Matrosen krakeelen sehen und er habe sich mit Dieben und Falschmünzern zusammengetan und kenne sich aus in den Geheimnissen ihres Gewerbes. Sein ungewöhnliches wiederholtes Verschwinden fiel auf, und wenn er danach wieder in der Gesellschaft auftauchte, flüsterten die Leute miteinander in den Ecken, oder sie gingen mit hämischem Grinsen an ihm vorbei oder betrachteten ihn mit kalten, forschenden Blicken, als seien sie entschlossen, sein Rätsel zu ergründen.

Von solchen Unverschämtheiten und Beleidigungsversuchen nahm er natürlich keine Notiz, und nach Meinung der meisten Menschen waren seine freimütige, unbefangene Art, sein charmantes knabenhaftes Lächeln und die unendliche Anmut der wundervollen Jugend, die ihn nie zu verlassen schien, eine hinlängliche Antwort auf die Verleumdungen – denn als solche bezeichneten sie sie –, die über ihn ausgestreut wurden. Man bemerkte jedoch, daß manche, die einmal vertrautesten Umgang mit ihm gehabt hatten, ihn nach einiger Zeit zu meiden schienen. Frauen, die ihn hemmungslos verehrt und um seinetwillen allen gesellschaftlichen Zurechtweisungen getrotzt und sich über die Konvention hinweggesetzt hatten, konnte man vor Scham oder Entsetzen erbleichen sehen, wenn Dorian Gray den Raum betrat.

Doch diese geflüsterten Skandalgeschichten erhöhten in den Augen vieler nur seinen fremdartigen und gefährlichen Zauber. Sein großer Reichtum bot ihm eine gewisse Sicherheit. Die Gesellschaft, zumindest die zivilisierte Gesellschaft, zeigt sich nie sonderlich bereit, Nachteiliges von jenen zu glauben, die gleichermaßen reich und faszinierend sind. Sie spürt instinktiv, daß Manieren wichtiger sind als Moral, und nach ihrer Auffassung ist größte Ehrenhaftigkeit weit weniger wert als der Besitz eines guten Kochs. Und schließlich ist es ein sehr schwacher Trost, wenn man erfährt, daß jemand, der einem ein schlechtes Essen oder einen miserablen Wein vorgesetzt hat, in seinem Privatleben ein ehrenwerter Mann ist. Selbst die Kardinaltugenden sind keine Entschädigung für lauwarme *entrées*, wie Lord Henry einmal in einem Gespräch über dieses Thema bemerkte; und es ließe sich möglicherweise vieles vorbringen, was für seine Ansicht spricht. Denn die Maßstäbe der guten Gesellschaft sind die gleichen wie die Maßstäbe der Kunst oder sollten es wenigstens sein. Form ist für sie eine absolute Notwendigkeit. Sie sollte die Würde eines Zeremoniells und auch dessen Unwirklichkeit besitzen und die Unaufrichtigkeit eines romantischen Schauspiels mit dem Esprit und der Schönheit verbinden, die dergleichen Spiele so amüsant machen. Ist Unaufrichtigkeit denn etwas so Schreckliches? Ich glaube nicht. Sie ist lediglich eine Methode, mit der wir unsere Persönlichkeit vervielfältigen können.

Dies war jedenfalls Dorian Grays Meinung. Er wunderte sich immer wieder über die seichte Psychologie jener, die das Ego des Menschen als etwas Einfaches, Beständiges, Verläßliches und Einheitliches begreifen. Für ihn war der Mensch ein Wesen mit Myriaden Leben und Myriaden Gefühlsregungen, ein komplexes, vielgestaltiges Geschöpf, das merkwürdige Vermächtnisse des Denkens und der Leidenschaft in sich trug und dessen Fleisch bereits von den ungeheuerlichen Krankheiten der Toten gezeichnet war. Er wandelte gern durch die kahle, kalte Gemäldegalerie seines Landhauses und betrachtete die verschiedenen Porträts jener, deren Blut in seinen Adern floß. Da war Philip Herbert, den Francis Osborne in seinen »Erinnerungen aus der Zeit Königin Elisabeths und König Jakobs« als einen Mann schilderte, der »vom Hofe wegen seines hübschen Gesichts, das ihm nicht lange erhalten blieb, verhätschelt wurde«. War es das Leben des jungen Herbert, das er selber zuweilen führte? War irgendein sonderbarer Giftkeim von einem Körper zum anderen geschlichen, bis er zuletzt seinen eigenen erreicht hatte? Hatte eine dunkle Ahnung jener zerstörten Anmut ihn bewogen, so unvermittelt und fast grundlos in Basil Hallwards Atelier die wahnwitzige Bitte auszusprechen, die sein Leben so verändert hatte? Dort stand im goldgestickten roten Wams, im edelsteinbesetzten Wappenrock mit goldgesäumter Halskrause und ebensolchen Ärmelaufschlägen Sir Anthony Sherard, den silbernen und schwarzen Harnisch zu seinen Füßen. Welches Vermächtnis hatte dieser Mann hinterlassen? Hatte ihm der Geliebte der Giovanna von Neapel ein Erbteil der Sünde und Schande vermacht? Waren seine eigenen Taten nur die Träume, die der Tote nicht zu verwirklichen gewagt hatte? Dort lächelte von der verblichenen Leinwand Lady Elizabeth Devereux mit ihrer Florhaube, ihrem Perlenmieder und ihren rosa Schlitzärmeln herab. Eine Blume trug sie in der rechten Hand, und die linke umklammerte ein Halsband aus weißen und Damaszenerrosen. Auf dem Tisch neben ihr lagen eine Mandoline und ein Apfel. Große grüne Rosetten zierten ihre kleinen spitzen Schuhe. Er kannte ihr Leben und die merkwürdigen Geschichten, die man über ihre Liebhaber erzählte. War in ihm einiges von ihrem Charakter? Diese ovalen Augen mit den schweren Lidern schienen ihn neugierig anzublicken. Wie stand es um George Willoughby mit dem gepuderten Haar und den phantastischen Schönheitspflästerchen? Wie böse er dreinschaute! Das Gesicht war verschlossen und dunkel, und die sinnlichen Lippen schienen sich vor Verachtung zu verziehen. Zierliche Spitzenmanschetten fielen über die mageren gelben Hände, die mit Ringen ganz überladen waren. Er war ein Stutzer des achtzehnten Jahrhunderts und in seiner Jugend ein Freund von Lord Ferrars gewesen. Und was war mit dem zweiten Lord Beckenham, dem Gefährten des Prinzregenten in dessen ungestümster Zeit und einem der Zeugen bei dessen heimlicher Trauung mit Mrs. Fitzherbert? Wie stolz und schön er mit seinen kastanienbraunen Locken und in seiner kecken Pose wirkte! Welche Leidenschaften hatte er wohl hinterlassen? Die Welt hatte ihn für infam gehalten. Er hatte die Orgien im Carlton House angeführt. Der Stern des Hosenbandordens funkelte auf seiner Brust. Neben ihm hing das Porträt seiner Gattin, einer blassen, dünnlippigen Frau in Schwarz. Auch ihr Blut regte sich in ihm. Wie absonderlich das alles doch schien! Und dann seine Mutter mit ihrem Lady-Hamilton-Gesicht und ihren feuchten, weinbenetzten Lippen – was er von ihr hatte, wußte er. Er hatte von ihr seine Schönheit und seine Leidenschaft für die Schönheit anderer. Sie lachte ihm zu in ihrem losen Bacchantinnengewand. Weinlaub steckte in ihrem Haar. Purpur quoll aus dem Becher, den sie in der Hand hielt. Die Fleischtöne des Gemäldes waren verblichen, aber die Augen waren noch immer wunderbar in ihrer Tiefe und ihrem Farbenglanz. Sie schienen ihm zu folgen, wohin er auch ging.

Doch man hatte Vorfahren in der Literatur, genauso wie in seinem Geschlecht, und viele von ihnen standen einem in Typ und Wesen näher und strahlten zweifellos einen Einfluß aus, dessen man sich noch eindeutiger bewußt war. Manchmal kam es Dorian Gray vor, als wäre die gesamte Geschichte nur die Darstellung seines eigenen Lebens, nicht wie er es in Taten und Zeitverhältnissen gelebt, sondern wie seine Phantasie es ihm erschaffen hatte, wie es sich in seinem Gehirn und in seinen Leidenschaften abgespielt hatte. Er hatte das Gefühl, sie alle zu kennen, jene seltsamen, schrecklichen Gestalten, die über die Bühne der Welt geschritten waren und der Sünde soviel Zauber und dem Bösen soviel Raffinesse verliehen hatten. Ihm war, als ob auf irgendeine geheimnisvolle Weise ihr Leben das seine gewesen wäre.

Dem Helden des wunderbaren Romans, der sein Leben so sehr beeinflußt hatte, war diese merkwürdige Einbildung ebenfalls vertraut. Im siebten Kapitel erzählt er, wie er, bekränzt mit Lorbeer, um den Blitz abzuwenden, als Tiberius in einem Garten auf Capri saß und die schändlichen Bücher des Elephantis las, während Zwerge und Pfauen um ihn herumstolzierten und die Flötenspieler den Schwenker des Weihrauchfasses verspotteten; und wie er als Caligula mit den grünbehemdeten Reitknechten in ihren Ställen zechte und mit einem Pferd, das ein edelsteinbesetztes Stirnband trug, aus einer Elfenbeinkrippe aß; und wie er als Domitian durch einen von Marmorspiegeln gesäumten Gang wanderte und mit verstörtem Blick ausschaute nach dem Widerschein des Dolches, der seine Tage enden sollte, krank vor jener Langeweile, jenem schrecklichen *taedium vitae,* das alle befällt, denen das Leben nichts versagt; und wie er durch einen klaren Smaragd die roten Fleischbänke des Zirkus erblickte und dann auf einer Sänfte aus Perlen und Purpur, gezogen von silberbeschlagenen Maultieren, durch die Straße der Granatäpfel zu einem goldenen Haus getragen wurde und im Vorbeikommen die Menschen nach Nero Caesar rufen hörte; und wie er als Elagabalus sein Gesicht mit Farben bemalte und unter den Frauen das Spinnrad drehte und den Mond aus Karthago holte und ihn in mystischer Hochzeit der Sonne vermählte.

Immer wieder las Dorian dieses phantastische Kapitel und die beiden unmittelbar anschließenden Kapitel, in denen wie auf seltsamen Gobelins oder in kunstvollen Emaillearbeiten die schrecklichen und schönen Figuren jener geschildert waren, die Laster und Blut und Überdruß zu Ungeheuern gemacht oder in den Wahnsinn getrieben hatten: Filippo, der Herzog von Mailand, der seine Gemahlin erschlug und ihre Lippen mit einem scharlachroten Gift bestrich, damit ihr Geliebter den Tod von der Toten sauge, die er liebkoste; Pietro Barbi, der Venezianer, bekannt als Paul der Zweite, der sich in seiner Eitelkeit den Titel Formosus anmaßen wollte und dessen Tiara, die man auf zweihunderttausend Gulden schätzte, um den Preis einer entsetzlichen Sünde erkauft wurde; Gian Maria Visconti, der zur Jagd auf lebende Menschen Hunde einsetzte und dessen ermordeter Leib von einer Dirne, die ihn geliebt hatte, mit Rosen bedeckt wurde; der Borgia auf seinem weißen Pferd, neben dem der Brudermörder einherritt und dessen Mantel besudelt war vom Blute Perottos; Pietro Riario, der jugendliche Kardinal-Erzbischof von Florenz, Kind und Lustknabe Sixtus' IV., dessen Schönheit sich nur mit seiner Lasterhaftigkeit vergleichen konnte und der Leonore von Aragon in einem Zelt aus weißer und karmesinroter Seide empfing, in dem es von Nymphen und Kentauren wimmelte, und der einen Knaben vergoldete, damit er beim Festmahl als Ganymed oder Hylas aufwarte; Ezzelin, der nur durch das Schauspiel des Todes von seiner Schwermut geheilt werden konnte und der eine Leidenschaft für rotes Blut hatte, wie andere Menschen für roten Wein – der Sohn des Satans, wie es hieß, und einer, der seinen Vater betrogen hatte, als er mit ihm um seine eigene Seele würfelte; Giambattista Cibo, der sich zum Spott den Namen Innozenz zulegte und in dessen träge Adern ein jüdischer Arzt das Blut von drei Jünglingen spritzte; Sigismondo Malatesta, der Geliebte der Isotta und Herr von Rimini, dessen Bildnis als das eines Gottes- und Menschenfeindes in Rom verbrannt wurde, der Polyssena mit einem Mundtuch erdrosselte und Ginevra d'Este in einem Smaragdbecher Gift reichte und zu Ehren einer schändlichen Leidenschaft eine heidnische Kirche für den christlichen Gottesdienst errichtete; Karl VI., der die Frau seines Bruders so ungestüm verehrte, daß ein Aussätziger ihn vor dem Wahnsinn warnte, der ihm drohe, und der, als sein Geist krank und wunderlich geworden war, nur noch mit sarazenischen Karten besänftigt werden konnte, auf denen Bilder der Liebe und des Todes und des Wahnsinns gemalt waren; und in seinem verzierten Koller und seiner edelsteingeschmückten Kappe und seinen akanthusgleichen Locken Grifonetto Baglioni, der Astorre mitsamt seiner jungen Frau und Simonetto mitsamt seinem Pagen erschlug und dessen Liebreiz so groß war, daß die, welche ihn gehaßt hatten, sich der Tränen nicht erwehren konnten, als er auf der gelben Piazza von Perugia im Sterben lag, und daß Atalanta, die ihn einst verflucht hatte, ihn nun segnete.

Eine schreckliche Faszination ging von ihnen allen aus. Er sah sie in der Nacht, und sie verwirrten seine Phantasie am Tage. Die Renaissance kannte seltsame Formen des Giftmordes – Giftmord durch einen Helm und eine brennende

Fackel, durch einen bestickten Handschuh und einen juwelenbesetzten Fächer, durch eine vergoldete Parfümdose und eine Bernsteinkette. Dorian Gray war durch ein Buch vergiftet worden. Es gab Augenblicke, in denen er das Böse nur als ein Mittel betrachtete, mit dem er seine Auffassung der Schönheit verwirklichen konnte.

12. KAPITEL

Es geschah am neunten November, dem Vorabend seines achtunddreißigsten Geburtstages, wie er sich später oft erinnerte.

Er ging gegen elf Uhr von Lord Henry heim, in dessen Haus er zu Abend gegessen hatte, und war in dicke Pelze eingehüllt, da die Nacht kalt und neblig war. An der Ecke Grosvenor Square und South Audley Street kam im Nebel ein Mann an ihm vorüber, der sehr schnell ausschritt und den Kragen seines grauen Ulsters hochgeschlagen hatte. Er trug eine Reisetasche in der Hand. Dorian erkannte ihn. Es war Basil Hallward. Ein sonderbares Angstgefühl, das er sich nicht erklären konnte, überkam ihn. Er ließ sich nicht anmerken, daß er ihn wiedererkannt hatte, und ging rasch weiter in Richtung auf sein eigenes Haus.

Aber Hallward hatte ihn gesehen. Dorian hörte, wie er zunächst auf dem Trottoir stehenblieb und ihm dann nacheilte. Wenige Augenblicke später legte sich die Hand des anderen auf seinen Arm.

»Dorian! Was für ein ungewöhnlich glücklicher Zufall! Ich habe seit neun Uhr in Ihrer Bibliothek auf Sie gewartet. Schließlich hatte ich Mitleid mit Ihrem ermüdeten Diener und sagte ihm, er solle zu Bett gehen, als er mich hinausließ. Ich fahre mit dem Mitternachtszug nach Paris, und mir lag besonders daran, Sie vorher noch einmal zu sehen. Ich dachte mir, daß Sie es waren oder vielmehr Ihr Pelzmantel, als Sie an mir vorbeigingen. Aber ich war mir meiner Sache nicht ganz sicher. Haben Sie mich denn nicht erkannt?«

»In diesem Nebel, mein lieber Basil? Ich kann ja nicht einmal den Grosvenor Square erkennen. Ich glaube, mein Haus ist hier irgendwo, aber ich bin mir ganz und gar nicht sicher. Es tut mir leid, daß Sie wegfahren wollen, denn ich habe Sie seit einer Ewigkeit nicht gesehen. Doch ich nehme an, Sie kommen bald zurück?«

»Nein, ich bleibe ein halbes Jahr aus England fort. Ich habe vor, mir in Paris ein Atelier zu mieten und mich dort einzuschließen, bis ich ein großes Bild, das mir vorschwebt, fertig habe. Aber ich wollte nicht über mich reden. Wir stehen hier vor Ihrer Haustür. Gehen wir doch auf einen Augenblick hinein. Ich habe Ihnen etwas zu sagen.«

»Es wird mir ein Vergnügen sein. Aber verpassen Sie dann nicht Ihren Zug?« sagte Dorian Gray müde, während er die Stufen hinaufstieg und die Tür mit seinem Schlüssel öffnete.

Das Lampenlicht durchdrang mühsam den Nebel, und Hallward blickte auf seine Uhr. »Ich habe massenhaft Zeit«, erwiderte er. »Der Zug fährt nicht vor Viertel nach zwölf ab, und jetzt ist es gerade erst elf. Wirklich, ich war eben auf dem Weg zum Klub, um Sie zu suchen, als ich Sie traf. Ich brauche mich nämlich mit dem Gepäck nicht aufzuhalten, weil ich die schweren Sachen vorausgeschickt habe. Alles, was ich bei mir habe, ist in dieser Tasche, und den Victoria-Bahnhof erreiche ich leicht in zwanzig Minuten.«

Dorian sah ihn an und lächelte. »Was für eine Art zu reisen für einen angesehenen Maler! Eine kleine Reisetasche und ein Ulster! Kommen Sie herein, denn sonst dringt der Nebel ins Haus. Und passen Sie auf, daß Sie von nichts Ernstem sprechen. Heutzutage ist nichts ernst. Zumindest sollte es das nicht sein.«

Hallward schüttelte den Kopf, als er eintrat, und folgte Dorian in die Bibliothek. Ein helles Holzfeuer loderte im großen offenen Kamin. Die Lampen waren angezündet, und ein offener holländischer Spirituosenkasten aus Silber sowie einige Siphons mit Sodawasser und große geschliffene Gläser standen auf einem kleinen Intarsientisch.

»Wie Sie sehen, hat es mir Ihr Diener recht gemütlich gemacht, Dorian. Er hat mir alles gebracht, was ich brauchte, auch Ihre besten Zigaretten mit Goldmundstück. Er ist ein höchst gastfreundliches Wesen. Er gefällt mir viel besser als der Franzose, der früher bei Ihnen war. Was ist übrigens aus dem Franzosen geworden?«

Dorian zuckte die Achseln. »Ich glaube, er hat die Zofe von Lady Radley geheiratet und sie in Paris als englische Schneiderin etabliert. Die Anglomanie ist da drüben sehr in Mode, wie ich höre. Das ist doch albern von den Franzosen, nicht wahr? Aber – wissen Sie – er war keineswegs ein schlechter Diener. Ich habe ihn zwar nie gemocht, aber ich hatte mich über nichts zu beklagen. Man bildet sich oft Sachen ein, die ganz absurd sind. Er war mir wirklich sehr ergeben und machte einen recht bekümmerten Eindruck, als er mich verließ. Nehmen Sie noch einen Brandy mit Soda? Oder möchten Sie lieber einen Rheinwein mit Selters? Ich selber trinke immer Wein mit Selters. Nebenan ist bestimmt welcher.«

»Danke, ich möchte nichts mehr trinken«, sagte der Maler, während er Mütze und Mantel ablegte und über die Reisetasche warf, die er in die Ecke gestellt hatte. »Und nun, mein Lieber, will ich einmal ernsthaft mit Ihnen reden. Machen Sie kein so finsteres Gesicht. Damit machen Sie es mir nur noch schwerer.«

»Was soll das Ganze?« rief Dorian in seiner launenhaften Art und warf sich auf das Sofa. »Ich hoffe, es geht nicht um mich. Ich habe heute abend von mir selber genug. Ich wäre gern jemand anders.«

»Es geht um Sie«, entgegnete Hallward mit seiner ernsten, tiefen Stimme, »und ich muß es Ihnen sagen. Ich halte Sie auch nur eine halbe Stunde auf.«

Dorian seufzte und zündete sich eine Zigarette an. »Eine halbe Stunde!« murmelte er.

»Das ist von Ihnen nicht zuviel verlangt, Dorian, und es ist nur zu Ihrem Besten, wenn ich mit Ihnen rede. Ich meine, Sie sollten erfahren, daß man in London die abscheulichsten Dinge über Sie verbreitet.«

»Ich möchte davon überhaupt nichts wissen. Ich liebe Klatsch über andere Leute, aber der Klatsch über mich selber interessiert mich nicht. Ihm fehlt der Reiz der Neuheit.«

»Er muß Sie interessieren, Dorian. Jeder Gentleman ist an

seinem guten Ruf interessiert. Sie wollen doch nicht, daß die Leute über Sie reden wie über etwas Gemeines und Verworfenes. Natürlich haben Sie Ihre gesellschaftliche Position und Ihren Reichtum und alles, was dazugehört. Aber eine Position und Reichtum sind nicht alles. Wohlgemerkt, ich glaube diese Gerüchte keineswegs. Zumindest kann ich sie nicht glauben, wenn ich Sie sehe. Die Sünde ist etwas, was dem Menschen ins Gesicht geschrieben steht. Sie läßt sich nicht verbergen. Die Leute reden manchmal von heimlichen Lastern. Doch so etwas gibt es nicht. Wenn ein übler Mensch ein Laster hat, zeigt es sich in den Linien seines Mundes, in den schlaff herabhängenden Lidern, ja sogar in der Form seiner Hände. Letztes Jahr kam irgend jemand – ich will seinen Namen nicht nennen, aber Sie kennen ihn – zu mir, um sich von mir malen zu lassen. Ich hatte ihn vorher noch nie gesehen und bis dahin auch noch nichts über ihn gehört, seither allerdings um so mehr. Er bot mir ein üppiges Honorar. Ich wies ihn ab. In der Form seiner Finger war etwas, was mich abstieß. Inzwischen weiß ich, daß ich mit meinen Mutmaßungen über ihn völlig recht hatte. Er führt ein entsetzliches Leben. Aber Sie, Dorian, mit Ihrem reinen, leuchtenden, unschuldigen Gesicht und Ihrer wunderbaren, ungetrübten Jugend – ich kann nichts von dem glauben, was gegen Sie vorgebracht wird. Und doch sehe ich Sie nur sehr selten, und Sie kommen jetzt nie mehr zu mir ins Atelier, und wenn ich fern von Ihnen bin und höre all die häßlichen Dinge, die man über Sie flüstert, weiß ich nicht, was ich dazu sagen soll. Wie kommt es, Dorian, daß ein Mann wie der Herzog von Berwick das Klubzimmer verläßt, wenn Sie es betreten? Wie kommt es, daß so viele Herren in London Sie weder besuchen noch zu sich einladen? Sie waren doch einmal befreundet mit Lord Staveley. Ich traf ihn letzte Woche bei einem Diner. In der Unterhaltung fiel zufällig Ihr Name, im Zusammenhang mit den Miniaturen, die Sie für die Ausstellung im Dudley ausgeliehen haben. Staveley verzog den Mund und sagte, Sie verfügten zwar über einen hochkünstlerischen Geschmack, aber Sie seien ein Mann, den kein unschuldiges Mädchen kennen dürfe und mit dem keine anständige Frau im selben Zimmer sitzen sollte. Ich erinnerte ihn daran, daß ich Ihr Freund sei, und fragte ihn, was er meine. Er sagte es mir. Er sagte es mir frei heraus vor allen Leuten. Es war schrecklich! Warum wirkt sich Ihre Freundschaft auf junge Männer so verhängnisvoll aus? Da war doch dieser arme Junge von der Garde, der Selbstmord beging. Sie waren sehr mit ihm befreundet. Da war Sir Henry Ashton, der mit beflecktem Namen England verlassen mußte. Sie und er waren unzertrennlich. Was ist mit Adrian Singleton und seinem entsetzlichen Ende? Was mit dem einzigen Sohn von Lord Kent und seiner Karriere? Ich traf seinen Vater gestern in der St. James's Street. Er schien ganz gebrochen vor Scham und Kummer. Was ist mit dem jungen Herzog von Perth? Was für ein Leben muß er jetzt führen? Welcher Gentleman würde noch mit ihm verkehren?«

»Hören Sie auf, Basil. Sie reden über Dinge, von denen Sie nichts verstehen«, sagte Dorian Gray, der sich auf die Lippen biß und in dessen Stimme ein Ton unendlicher Verachtung lag. »Sie fragen mich, warum Berwick das Zimmer verläßt, wenn ich hereinkomme. Deshalb, weil ich alles über sein Leben weiß, nicht, weil er etwas über das meine weiß. Bei dem Blut, das er in seinen Adern hat, wie kann da seine Vergangenheit sauber sein? Sie fragen mich nach Henry Ashton und dem jungen Perth. Habe ich dem einen seine Laster und dem anderen seine Ausschweifungen beigebracht? Wenn Kents Dummkopf von Sohn seine Frau von der Straße aufliest, was geht das mich an? Wenn Adrian Singleton den Namen seines Freundes auf einen Wechsel setzt, bin ich sein Hüter? Ich weiß, wie die Leute in England klatschen. Die Mittelschichten verkünden ihre Vorurteile an ihren ungepflegten Eßtischen und tuscheln über das, was sie die Verderbtheit der oberen Zehntausend nennen, um vorzutäuschen, sie gehörten zur feinen Gesellschaft und ständen auf vertrautem Fuß mit den Leuten, die sie verleumden. In diesem Land braucht jemand nur vornehm und geistreich zu sein, und schon fällt jedes gemeine Mundwerk über ihn her.

Und was für ein Leben führen diese Leute selbst, die sich so moralisch gebärden? Mein Lieber, Sie vergessen, daß wir uns im Heimatland der Heuchler befinden.«

»Dorian«, rief Hallward, »darum geht es nicht. England ist schlimm genug, ich weiß, und die englische Gesellschaft ist total verfahren. Deshalb möchte ich, daß Sie lauter seien. Sie sind nicht lauter gewesen. Man hat das Recht, einen Menschen nach der Wirkung zu beurteilen, die er auf seine Freunde ausübt. Die Ihren scheinen jedes Gefühl für Ehre, für Güte, für Reinheit zu verlieren. Sie haben sie mit einem wahnsinnigen Genußstreben erfüllt. Sie sind in den Abgrund abgestiegen. Und Sie haben sie dorthin geführt. Ja; Sie haben sie dorthin geführt, und doch können Sie lächeln, wie Sie jetzt lächeln. Und dahinter steht noch Schlimmeres. Ich weiß, daß Sie und Lord Henry unzertrennlich sind. Allein aus diesem Grund, wenn schon aus keinem anderen, hätten Sie den Namen seiner Schwester nicht in den Schmutz ziehen dürfen.«

»Nehmen Sie sich in acht, Basil. Sie gehen zu weit.«

»Ich muß sprechen, und Sie müssen zuhören. Sie werden zuhören. Als Sie Lady Gwendolen kennenlernten, hatte nicht einmal der Hauch eines Skandals sie gestreift. Doch gibt es jetzt noch eine einzige anständige Frau in London, die mit ihr im Park ausfahren würde? Ja, sogar ihre Kinder dürfen nicht mehr bei ihr leben. Dann gehen noch andere Geschichten um – Geschichten, die besagen, daß man Sie im Morgengrauen aus üblen Häusern hervorkriechen und verkleidet in die verrufensten Höhlen von London schleichen sah. Ist das wahr? Kann das wahr sein? Als ich es zuerst hörte, habe ich nur gelacht. Ich höre es noch immer, und es läßt mich erschauern. Was ist mit Ihrem Landhaus und mit dem Leben, das man dort führt? Dorian, Sie wissen nicht, was man über Sie erzählt. Ich will Ihnen nicht versichern, daß ich Ihnen keine Predigt halten möchte. Ich erinnere mich an Harrys Ausspruch, daß jeder, der sich vorübergehend in einen Amateurpfarrer verwandelt, stets mit dieser Versicherung anfängt und schon im nächsten Augenblick sein Wort bricht. Ich will Ihnen tatsächlich eine Predigt halten. Ich möchte, daß Sie ein Leben führen, das die Welt zwingt, Sie zu achten. Ich möchte, daß Sie einen makellosen Namen und einen einwandfreien Leumund haben. Ich möchte, daß Sie sich von den schrecklichen Leuten befreien, mit denen Sie Umgang haben. Zucken Sie nicht so mit den Achseln. Seien Sie nicht so gleichgültig. Sie verfügen über einen wunderbaren Einfluß. Verwenden Sie ihn zum Guten, nicht zum Bösen. Es heißt, Sie verderben jeden, mit dem Sie vertraut werden, und Sie brauchen nur ein Haus zu betreten, um es in Verruf zu bringen. Ich weiß nicht, ob das zutrifft oder nicht. Wie sollte ich es wissen? Aber man sagt es Ihnen nach. Ich habe Dinge erfahren, die offenbar nicht zu bezweifeln sind. Lord Gloucester war in Oxford einer meiner besten Freunde. Er hat mir einen Brief gezeigt, den ihm seine Frau geschrieben hat, als sie in ihrer Villa in Mentone einsam im Sterben lag. Und Ihr Name tauchte in dem furchtbarsten Geständnis auf, das ich jemals gelesen habe. Ich sagte ihm, das sei absurd – daß ich Sie durch und durch kennte und daß Sie so etwas niemals fertigbrächten. Sie kennen? Ich frage mich, ob ich Sie kenne. Ehe ich diese Frage beantworten könnte, müßte ich Ihre Seele sehen.«

»Meine Seele sehen!« stammelte Dorian Gray, sprang vom Sofa auf und wurde fast weiß vor Angst.

»Ja«, antwortete Hallward ernst und mit einem tiefempfundenen Schmerz in der Stimme, »Ihre Seele sehen. Aber das kann nur Gott.«

Ein bitteres Hohngelächter kam von den Lippen des Jüngeren. »Sie selber sollen sie heute nacht sehen!« rief er, indem er eine Lampe vom Tisch nahm. »Kommen Sie: es ist das Werk Ihrer eigenen Hände. Warum sollten Sie es nicht anschauen? Hinterher können Sie der Welt alles darüber erzählen, wenn Sie wollen. Niemand würde Ihnen glauben. Und sollte man Ihnen glauben, so würde man mich deshalb um so mehr lieben. Ich kenne unsere Zeit besser als Sie, auch wenn Sie sich noch so langatmig über sie auslassen. Kommen Sie, sage ich. Sie haben jetzt genug von Verderbtheit geschwatzt. Nun sollen Sie sie von Angesicht zu Angesicht sehen.«

Ein wahnwitziger Stolz lag in jedem Wort, das er sprach. In seiner knabenhaft unverschämten Art stampfte er mit den Füßen auf. Er empfand eine schreckliche Freude bei dem Gedanken, daß irgend jemand sein Geheimnis mit ihm teilen sollte und daß der Mann, der das Porträt, den Ursprung seiner Schande, gemalt hatte, für den Rest seines Lebens mit der gräßlichen Erinnerung an das, was er getan hatte, belastet werde.

»Ja«, fuhr er fort, wobei er auf ihn zutrat und ihm fest in die strengen Augen blickte, »ich werde Ihnen meine Seele zeigen. Sie sollen das Ding sehen, von dem Sie glauben, daß nur Gott es sehen könne.«

Hallward fuhr zurück. »Das ist Blasphemie, Dorian!« rief er. »So etwas dürfen Sie nicht sagen. Es ist entsetzlich und hat überhaupt keinen Sinn.«

»Meinen Sie?« Er lachte abermals.

»Ich weiß es. Was ich Ihnen heute abend gesagt habe, war zu Ihrem Besten gesagt. Sie wissen, ich war Ihnen immer ein unerschütterlicher Freund.«

»Rühren Sie mich nicht an. Sprechen Sie aus, was Sie zu sagen haben.«

Ein lodernder Schmerz zuckte über das Gesicht des Malers. Er hielt einen Augenblick inne, und ein wildes Gefühl des Mitleids überkam ihn. Welches Recht hatte er schließlich, in Dorian Grays Leben einzudringen? Falls er auch nur ein Zehntel dessen getan hatte, was über ihn geredet wurde, wie viel mußte er gelitten haben? Dann straffte er sich und ging hinüber zum Kamin und blieb dort stehen, den Blick auf die brennenden Scheite mit ihrer rauhreifgleichen Asche und ihren zuckenden Flammenkernen gerichtet.

»Ich warte, Basil«, sagte der junge Mann mit harter, klarer Stimme.

Er wandte sich um. »Was ich zu sagen habe, ist dies«, rief er. »Sie müssen mir eine Antwort auf die furchtbaren Vorwürfe geben, die gegen Sie erhoben werden. Wenn Sie mir sagen, daß sie von Anfang bis Ende völlig unzutreffend sind, werde ich Ihnen glauben. Streiten Sie sie ab, Dorian, streiten Sie sie ab! Sehen Sie denn nicht, was ich durchmache? Mein Gott! sagen Sie mir nicht, daß Sie schlecht und verdorben und verworfen sind.«

Dorian Gray lächelte. Ein verächtlicher Zug lag um seine Lippen. »Kommen Sie mit nach oben, Basil«, sagte er ruhig. »Ich führe laufend Tagebuch über mein Leben, doch es verläßt niemals das Zimmer, in dem es geschrieben wird. Ich zeige es Ihnen, wenn Sie mitkommen.«

»Ich komme mit Ihnen, Dorian, wenn Sie es wünschen. Ich sehe, daß ich meinen Zug bereits verpaßt habe. Das ist nicht so schlimm. Ich kann auch morgen noch fahren. Aber verlangen Sie nicht von mir, daß ich heute abend noch etwas lese. Ich will nur eine eindeutige Antwort auf meine Frage.«

»Die werden Sie oben bekommen. Ich könnte sie Ihnen hier nicht geben. Sie brauchen nicht lange zu lesen.«

13. KAPITEL

Er verließ das Zimmer und begann hinaufzusteigen, gleich gefolgt von Basil Hallward. Sie traten leise auf, wie man es des Nachts unwillkürlich tut. Die Lampe warf phantastische Schatten auf Wand und Treppe. Ein aufkommender Wind ließ einige Fenster klappern.

Als sie den obersten Treppenabsatz erreicht hatten, stellte Dorian die Lampe auf den Boden, holte den Schlüssel hervor und drehte ihn im Schloß. »Sie bestehen darauf, es zu erfahren, Basil?« fragte er mit leiser Stimme.

»Ja.«

»Das freut mich sehr«, erwiderte er lächelnd. Dann fügte er etwas rauh hinzu: »Sie sind der einzige Mensch auf der Welt, der alles über mich wissen soll. Sie haben mit meinem Leben mehr zu tun gehabt, als Sie glauben«; und indem er die Lampe aufnahm, öffnete er die Tür und trat ein. Ein kalter Luftstrom fuhr an ihnen vorbei, und das Licht zuckte einen Augenblick lang zu einer düster orangefarbenen Flamme empor. Ihn schauderte. »Machen Sie die Tür hinter sich zu«, flüsterte er, während er die Lampe auf den Tisch stellte.

Hallward schaute sich mit verwirrter Miene um. Das Zimmer sah aus, als wäre es seit Jahren unbewohnt. Ein verblaßter flämischer Gobelin, ein verhängtes Bild, ein alter italienischer *cassone* und ein fast leerer Bücherschrank – mehr schien es nicht zu enthalten, abgesehen von einem Stuhl und einem Tisch. Als Dorian Gray eine halb herabgebrannte Kerze anzündete, die auf dem Kaminsims stand, sah Hallward, daß überall Staub lag und der Teppich Löcher hatte. Eine Maus verschwand raschelnd hinter der Wandtäfelung. Ein feuchter Schimmelgeruch lag über allem.

»Sie meinen also, daß nur Gott die Seele sehen könne, Basil? Ziehen Sie den Vorhang da zur Seite, und Sie werden die meine sehen.«

Die Stimme, die das sagte, war kalt und grausam.

»Sie sind verrückt, Dorian, oder Sie spielen Theater«, murmelte Hallward stirnrunzelnd.

»Sie wollen nicht? Dann muß ich es selber tun«, sagte der junge Mann; und er riß den Vorhang von der Stange herunter und schleuderte ihn auf den Boden.

Ein Ausruf des Entsetzens löste sich von den Lippen des Malers, als er im trüben Licht das abscheuliche Gesicht auf der Leinwand erblickte, das ihn angrinste. In seinem Ausdruck war etwas, was ihn mit Abscheu und Ekel erfüllte. O mein Gott! es war Dorian Grays Gesicht, das er anschaute! Das Grauenhafte, was es auch sein mochte, hatte noch nicht völlig diese wunderbare Schönheit zerstört. Noch immer war etwas Gold im sich lichtenden Haar und etwas Scharlach auf dem sinnlichen Mund. Die verschwollenen Augen hatten noch einiges von der Lieblichkeit ihres Blaus bewahrt, die edlen Linien waren noch nicht vollständig aus den feingeschnittenen Nasenflügeln und dem plastisch geformten Hals verschwunden. Ja, es war Dorian. Aber wer hatte es gemalt? Er glaubte seinen eigenen Pinselstrich zu erkennen, und der Rahmen war sein eigener Entwurf. Die Vorstellung war ungeheuerlich, dennoch befiel ihn Furcht. Er ergriff die brennende Kerze und hielt sie vor das Bild. In der linken Ecke stand sein eigener Name, in hohen, leuchtend zinnoberroten Buchstaben hingesetzt.

Es war eine widerliche Parodie, eine infame, unwürdige Satire. Das hatte er nie gemalt. Und doch, es war sein eigenes Bild. Er wußte es, und ihm war, als habe sich sein Blut in einem Augenblick aus Feuer in träges Eis verwandelt. Sein Bild! Was hatte das zu bedeuten? Warum hatte es sich verändert? Er drehte sich um und betrachtete Dorian Gray mit den Augen eines Kranken. Sein Mund zuckte, und seine ausgedörrte Zunge schien nicht imstande zu sein, Worte zu bilden. Er fuhr sich mit der Hand über die Stirn. Sie war feucht von kaltem Schweiß.

Der junge Mann lehnte am Kaminsims und beobachtete ihn mit jenem seltsamen Ausdruck, wie man ihn in den Gesichtern von Menschen sieht, die von einem Stück ganz hingerissen sind, wenn ein großer Schauspieler auf der Bühne steht. In ihm lag weder echter Schmerz noch echte Freude. Es war einfach die Leidenschaft des Zuschauers, darüber hinaus vielleicht nur noch ein Aufflackern des Triumphs in seinen Augen. Er hatte die Knopflochblume von seiner Jacke abgenommen und roch an ihr oder tat zumindest so.

»Was bedeutet das?« rief Hallward endlich. Seine eigene Stimme klang ihm schrill und merkwürdig in den Ohren.

»Vor Jahren, als ich noch ein Junge war«, sagte Dorian Gray und zerdrückte die Blume in der Hand, »trafen Sie mich, schmeichelten Sie mir und lehrten Sie mich, auf mein gutes Aussehen eitel zu sein. Eines Tages stellten Sie mich einem Ihrer Freunde vor, der mir das Wunder der Jugend erklärte, und Sie vollendeten ein Porträt von mir, das mir das Wunder der Schönheit offenbarte. In einem wahnsinnigen Augenblick, von dem ich auch heute noch nicht weiß, ob ich ihn bedauern soll oder nicht, sprach ich einen Wunsch aus, vielleicht würden Sie ihn ein Gebet nennen …«

»Ich erinnere mich daran! Oh, wie gut ich mich daran erinnere! Nein! das ist unmöglich. Das Zimmer ist feucht. Schimmel hat sich auf der Leinwand festgesetzt. Die Farben, die ich benutzt habe, enthielten irgendein übles mineralisches Gift. Ich sage Ihnen, das Ganze ist unmöglich.«

»Ach, was ist unmöglich?« murmelte der junge Mann, der zum Fenster ging und seine Stirn gegen das kalte, vom Nebel getrübte Glas preßte.

»Sie haben mir erzählt, Sie hätten es zerstört.«

»Das war gelogen. Es hat mich zerstört.«

»Ich glaube nicht, daß es mein Bild ist.«

»Können Sie denn in ihm nicht Ihr Ideal erkennen?« sagte Dorian bitter.

»Mein Ideal, wie Sie es nennen …«

»Wie Sie es genannt haben.«

»In ihm war nichts Böses, nichts Schändliches. Sie waren für mich ein Ideal, wie es mir nie wieder begegnen wird. Das hier ist das Gesicht eines Satyrs.«

»Es ist das Gesicht meiner Seele.«

»Mein Gott! was für ein Scheusal muß ich verehrt haben! Es hat die Augen eines Teufels.«

»Jeder von uns trägt Himmel und Hölle in sich, Basil«, rief Dorian mit einer wilden Gebärde der Verzweiflung.

Hallward wandte sich wieder dem Porträt zu und starrte es an. »Mein Gott! wenn das wahr ist«, rief er aus, »und Sie das aus Ihrem Leben gemacht haben, dann müssen Sie sogar noch schlimmer sein, als es sich die Leute vorstellen, die sich gegen Sie wenden!« Er hielt das Licht wieder hoch vor die Leinwand und untersuchte sie. Die Oberfläche schien ganz unversehrt und so, wie er sie aus der Hand gegeben hatte. Offenkundig waren die Verderbnis und das Grauen von innen gekommen. Durch eine merkwürdige Beschleunigung des Innenlebens zerfraß der Aussatz der Sünde allmählich das Bild. Die Verwesung einer Leiche in einem nassen Grab war nicht so furchtbar.

Seine Hand flatterte, und die Kerze fiel aus dem Halter auf den Boden und blieb dort flackernd liegen. Er setzte den Fuß darauf und trat sie aus. Dann warf er sich auf den wackligen Stuhl, der neben dem Tisch stand, und begrub das Gesicht in den Händen.

»Gütiger Gott, Dorian, was für eine Lehre! was für eine schreckliche Lehre!« Es kam keine Antwort, aber er konnte den jungen Mann am Fenster schluchzen hören. »Beten Sie, Dorian, beten Sie«, murmelte er. »Wie hat man uns in der Kindheit sprechen gelehrt? ›Führe uns nicht in Versuchung. Vergib uns unsere Sünden. Wasch unsere Vergehen von uns ab.‹ Das wollen wir zusammen sprechen. Das Gebet unseres Stolzes ist erhört worden. Das Gebet unserer Reue wird ebenfalls erhört werden. Ich habe Sie zu sehr verehrt. Dafür bin ich bestraft worden. Sie haben sich selber zu sehr verehrt. Dafür sind wir beide bestraft worden.«

Dorian Gray drehte sich langsam um und blickte ihn mit tränendunklen Augen an. »Es ist zu spät, Basil«, stammelte er.

»Es ist nie zu spät, Dorian. Lassen Sie uns niederknien und

versuchen, uns an ein Gebet zu erinnern. Steht nicht irgendwo geschrieben: ›Auch wenn deine Sünden wie Scharlach wären, ich will sie weiß wie Schnee machen‹?«

»Diese Worte bedeuten mir jetzt nichts mehr.«

»Still! das dürfen Sie nicht sagen. Sie haben in Ihrem Leben genug Böses getan. Mein Gott! sehen Sie nicht, wie uns das verfluchte Ding anglotzt?«

Dorian Gray warf einen Blick auf das Bild, und plötzlich überkam ihn ein unbeherrschtes Gefühl des Hasses auf Basil Hallward, als ob es ihm das Bild auf der Leinwand eingegeben hätte, als hätten es ihm diese grinsenden Lippen ins Ohr geflüstert. Die wahnsinnigen Leidenschaften eines gejagten Tieres regten sich in ihm, und er verabscheute den Mann, der da am Tisch saß, so sehr, wie er noch nie in seinem ganzen Leben etwas verabscheut hatte. Er blickte wild um sich. Irgend etwas blinkte auf der bemalten Truhe, die vor ihm stand. Sein Blick fiel darauf. Er wußte, was es war. Es war ein Messer, das er vor einigen Tagen zum Abschneiden einer Schnur heraufgebracht und dann vergessen hatte. Er bewegte sich langsam darauf zu, an Hallward vorbei. Sobald er hinter ihm war, ergriff er es und drehte sich um. Hallward rührte sich auf seinem Stuhl, als ob er aufstehen wollte. Er stürzte auf ihn zu, bohrte das Messer in die große Ader hinter dem Ohr, schmetterte den Kopf des Mannes auf den Tisch und stieß immer wieder zu.

Es folgten ein gepreßtes Stöhnen und der grauenvolle Laut eines Menschen, der in seinem Blut erstickt. Dreimal zuckten die ausgestreckten Arme konvulsivisch empor, wobei groteske Hände mit steifen Fingern durch die Luft fuhren. Er stach noch zweimal auf ihn ein, aber der Mann bewegte sich nicht mehr. Etwas begann auf den Boden zu tropfen. Er wartete einen Augenblick, während er noch immer den Kopf niederpreßte. Dann warf er das Messer auf den Tisch und lauschte.

Er konnte nichts hören als das Tropf-Tropf auf dem verschlissenen Teppich. Er öffnete die Tür und ging bis zum Treppenabsatz. Das Haus war vollkommen still. Niemand regte sich. Ein paar Sekunden lang beugte er sich über das Geländer und spähte hinunter in den schwarzen brodelnden Brunnen der Dunkelheit. Dann holte er den Schlüssel hervor, kehrte ins Zimmer zurück und schloß sich ein.

Das Etwas saß noch immer auf dem Stuhl, vornübergesunken auf den Tisch, mit gebeugtem Kopf und gekrümmtem Rücken und langen phantastischen Armen. Wären nicht der gezackte rote Spalt im Nacken und die geronnene schwarze Lache gewesen, die sich auf der Tischplatte langsam ausbreitete, so hätte man meinen können, der Mann schlafe nur.

Wie schnell war das alles geschehen! Er fühlte sich seltsam gelassen, ging zur Glastür, öffnete sie und trat hinaus auf den Balkon. Der Wind hatte den Nebel weggeblasen, und der Himmel war wie ein ungeheurer Pfauenschweif, besternt mit Myriaden goldener Augen. Er blickte hinab und sah den Polizisten, der seine Runde machte und den langen Lichtkegel seiner Lampe auf die Türen der schweigenden Häuser richtete. Eine Frau in einem flatternden Umhängetuch schlich sich langsam an den Zaungittern entlang und torkelte im Gehen. Ab und zu blieb sie stehen und spähte zurück. Einmal fing sie mit heiserer Stimme zu singen an. Der Polizist schlenderte hinüber und sagte etwas zu ihr. Sie stolperte lachend davon. Ein scharfer Windstoß fegte über den Platz. Die Gaslaternen flackerten und wurden blau, und die kahlen Bäume schüttelten ihre eisenschwarzen Äste. Er fröstelte, trat zurück und schloß dabei die Glastür.

Als er die Zimmertür erreicht hatte, drehte er den Schlüssel um und öffnete sie. Er warf nicht einmal mehr einen Blick auf den Ermordeten. Er spürte, daß das Geheimnis des ganzen Vorfalls darin lag, sich der Situation nicht bewußt zu werden. Der Freund, der das verhängnisvolle Porträt gemalt hatte, dem er sein ganzes Elend verdankte, war aus seinem Leben gegangen. Das genügte.

Dann fiel ihm die Lampe ein. Sie war ein recht eigenartiges Stück maurischer Arbeit, gefertigt aus mattem Silber, das mit Arabesken aus brüniertem Stahl eingelegt und über und über mit ungeschliffenen Türkisen besetzt war. Vielleicht würde sein Diener sie vermissen, und man würde Fragen stellen. Er zögerte einen Moment, dann machte er kehrt und nahm sie vom Tisch. Er konnte es nicht vermeiden, das tote Etwas anzusehen. Wie still es war! Wie schrecklich weiß die langen Hände aussahen! Es glich einer grauenhaften Wachsfigur.

Nachdem er die Tür hinter sich abgeschlossen hatte, schlich er leise hinab. Das Holz knarrte und schien wie im Schmerz aufzuschreien. Er blieb mehrere Male stehen und wartete. Nein; alles war ruhig. Es war nur das Geräusch seiner eigenen Schritte.

Als er die Bibliothek betrat, erblickte er in der Ecke die Reisetasche mit dem Mantel. Sie mußten irgendwo versteckt werden. Er schloß einen Geheimschrank auf, der in die Täfelung eingelassen war, einen Schrank, in dem er seine seltsamen Verkleidungen aufbewahrte, und legte die Sachen hinein. Er konnte sie dann später ohne Schwierigkeit verbrennen. Darauf zog er seine Uhr hervor. Es war zwanzig vor zwei.

Er setzte sich hin und begann nachzudenken. In jedem Jahr – fast in jedem Monat – wurden in England Menschen für das gehängt, was er getan hatte. Ein Mordwahn lag in der Luft. Irgendein roter Stern war der Erde zu nahe gekommen ... Und doch, welcher Beweis lag gegen ihn vor? Basil Hallward hatte das Haus um elf verlassen. Niemand hatte ihn zurückkommen sehen. Die meisten Bediensteten waren in Selby Royal. Sein Kammerdiener war zu Bett gegangen ... Paris! Ja. Basil war nach Paris gefahren, und zwar mit dem Mitternachtszug, wie er es vorgehabt hatte. Bei seiner sonderbaren Reserviertheit würde es Monate dauern, bevor sich irgendwelcher Verdacht regte. Monate! Bis dahin konnte alles längst vernichtet sein.

Plötzlich kam ihm ein Gedanke. Er zog seinen Pelzmantel an, setzte den Hut auf und ging in die Eingangshalle. Dort blieb er stehen, weil er den langsamen, schweren Schritt des Polizisten auf dem Trottoir hörte und den Widerschein der aufblitzenden Lampe am Fenster sah. Er wartete und hielt den Atem an.

Einige Augenblicke später schob er den Riegel zurück, schlüpfte hinaus und schloß die Tür ganz vorsichtig hinter sich. Dann begann er zu läuten. Nach ungefähr fünf Minuten erschien sein Diener, halb angezogen und mit sehr verschlafenem Gesicht.

»Es tut mir leid, daß ich Sie wecken mußte, Francis«, sagte er beim Eintreten; »aber ich habe meinen Schlüssel vergessen. Wie spät ist es?«

»Zehn Minuten nach zwei, Sir«, antwortete der Diener, während er blinzelnd auf die Uhr schaute.

»Zehn Minuten nach zwei? Wie entsetzlich spät! Wecken Sie mich morgen um neun. Ich habe etwas zu arbeiten.«

»Sehr wohl, Sir.«

»Ist heute abend jemand dagewesen?«

»Mr. Hallward, Sir. Er war bis elf da, und dann ist er gegangen, weil er seinen Zug erreichen wollte.«

»Oh! Schade, daß ich ihn nicht gesehen habe. Hat er irgend etwas hinterlassen?«

»Nein, Sir, nur, daß er Ihnen von Paris aus schreiben würde, falls er Sie im Klub nicht mehr anträfe.«

»Das wäre alles, Francis. Vergessen Sie auch nicht, mich morgen um neun zu wecken?«

»Nein, Sir.«

Der Diener schlurfte in seinen Pantoffeln den Gang entlang.

Dorian Gray warf Hut und Mantel auf den Tisch und begab sich in die Bibliothek. Eine Viertelstunde lang ging er im Zimmer auf und ab, biß sich auf die Lippen und dachte nach. Dann holte er das Blaubuch von einem Regal herunter und begann darin zu blättern. »Alan Campbell, 152 Hertford Street, Mayfair.« Ja, das war der Mann, den er brauchte.

14. KAPITEL

Um neun Uhr am nächsten Morgen trat sein Diener mit einer Tasse Schokolade auf einem Tablett ein und öffnete die Fensterläden. Dorian schlief noch ganz friedlich, auf der rechten Seite liegend und mit einer Hand unter der Wange. Er sah ganz aus wie ein Knabe, der vom Spielen oder Lernen müde geworden ist.

Der Diener mußte ihn zweimal an der Schulter berühren, ehe er erwachte, und als er die Augen öffnete, huschte ein leises Lächeln über seine Lippen, als ob er in einem köstlichen Traum befangen gewesen wäre. Doch er hatte überhaupt nicht geträumt. Seine Nacht war durch keinerlei Bilder der Lust oder der Qual gestört worden. Aber Jugend lächelt auch ohne Grund. Das ist einer ihrer größten Reize.

Er drehte sich um, stützte sich auf den Ellbogen und begann seine Schokolade zu trinken. Die sanfte Novembersonne flutete ins Zimmer. Der Himmel war klar, und eine wohltuende Wärme lag in der Luft. Es war fast wie ein Morgen im Mai.

Nach und nach schlichen die Ereignisse der voraufgegangenen Nacht auf leisen blutbefleckten Füßen in sein Hirn und zeichneten sich dort mit erschreckender Deutlichkeit ab. Er zuckte zusammen in der Erinnerung an all das, was er durchlitten hatte, und für einen Augenblick befiel ihn wieder das seltsame Gefühl des Abscheus vor Basil Hallward, das ihn gezwungen hatte, ihn zu töten, als er auf dem Stuhl saß, und er wurde kalt vor Leidenschaft. Der Tote saß noch immer dort, und jetzt sogar im Sonnenlicht. Wie entsetzlich das war! Solche gräßlichen Dinge waren für das Dunkel, nicht für den Tag bestimmt.

Er spürte, daß er krank oder verrückt werden würde, wenn er über das nachgrübelte, was er durchgemacht hatte. Es gab

Sünden, deren Faszination eher in der Erinnerung als im Vollbringen lag, seltsame Triumphe, die den Stolz mehr als die Leidenschaften befriedigten und dem Intellekt ein gesteigertes Lustgefühl verschafften, größer als alle Lust, die sie den Sinnen gewährten oder je zu gewähren vermochten. Doch diese gehörte nicht zu ihnen. Sie war etwas, was aus dem Geist vertrieben, mit Mohn betäubt und erdrosselt werden mußte, damit sie ihn nicht selber erdrosselte.

Als es die halbe Stunde schlug, fuhr er sich mit der Hand über die Stirn, und dann stand er hastig auf und kleidete sich mit mehr Sorgfalt als sonst an, wobei er der Wahl seiner Halsbinde und Krawattennadel sehr viel Aufmerksamkeit schenkte und seine Ringe mehr als einmal wechselte. Er ließ sich auch beim Frühstück viel Zeit, kostete von den verschiedenen Gerichten, unterhielt sich mit seinem Kammerdiener über die neuen Livreen, die er für die Bediensteten in Selby anfertigen zu lassen gedachte, und ging seine Post durch. Bei einigen Briefen mußte er lächeln. Drei langweilten ihn. Einen las er mehrmals und zerriß ihn dann mit leicht verärgertem Gesicht. »So etwas Schreckliches, das Gedächtnis einer Frau!«, wie Lord Henry einmal gesagt hatte.

Nachdem er seine Tasse schwarzen Kaffee getrunken hatte, wischte er sich mit einer Serviette langsam die Lippen ab, bedeutete seinem Diener zu warten und ging dann zum Tisch hinüber, an dem er sich niedersetzte und zwei Briefe schrieb. Einen steckte er in die Tasche, den anderen gab er dem Diener.

»Bringen Sie den in die Hertford Street 152, Francis, und wenn Mr. Campbell nicht in der Stadt ist, erkundigen Sie sich nach seiner Adresse.«

Sobald er allein war, zündete er sich eine Zigarette an und begann auf einem Stück Papier zu zeichnen, zuerst Blumen und Architekturteile und dann menschliche Gesichter. Plötzlich wurde er gewahr, daß jedes Gesicht, das er zeichnete, eine phantastische Ähnlichkeit mit Basil Hallward aufzuweisen schien. Er runzelte die Stirn, erhob sich, ging zum Bücherschrank und nahm aufs Geratewohl einen Band heraus. Er war entschlossen, nicht mehr an das Geschehene zu denken, bis es absolut unumgänglich war.

Als er sich auf dem Sofa ausgestreckt hatte, blickte er auf das Titelblatt des Buches. Es waren Gautiers »Emaux et Camées«, die Charpentier-Ausgabe auf Japanpapier mit den Radierungen von Jacquemart. Der Einband bestand aus zitronengelbem Leder mit einem goldgeprägten Gitterornament und gepunzten Granatäpfeln. Es war ein Geschenk von Adrian Singleton. Als er die Seiten umblätterte, fiel sein Blick auf das Gedicht über die Hand Lacenaires, die kalte, gelbe Hand »du supplice encore mal lavée« mit ihren flaumigen roten Haaren und ihren »doigts de faune«. Er betrachtete, wider Willen leicht schaudernd, seine eigenen weißen, schlanken Finger und blätterte weiter, bis er zu diesen herrlichen Strophen über Venedig kam:

»Sur une gamme chromatique,
  Le sein de perles ruisselant,
La Vénus de l'Adriatique
  Sort de l'eau son corps rose et blanc.

Les dômes, sur l'azur des ondes
  Suivant la phrase au pur contour,
S'enflent comme des gorges rondes
  Que soulève un soupir d'amour.

L'esquif aborde et me dépose,
  Jetant son amarre au pilier,
Devant une façade rose,
  Sur le marbre d'un escalier.«

Wie köstlich sie waren! Wenn man sie las, glaubte man auf den grünen Wasserwegen der rosigen und perlweißen Stadt dahinzutreiben, in einer schwarzen Gondel mit silbernem Schnabel und wehenden Vorhängen. Schon die Zeilen gemahnten ihn an jene geraden türkisblauen Linien, die sich hinter einem herziehen, wenn man zum Lido hinausgleitet. Das plötzliche Aufblitzen der Farbe erinnerte ihn an den Schimmer der Vögel mit den opal- und irisfarbenen Hälsen, die den hohen, wabenartig durchbrochenen Campanile umflattern oder mit soviel würdevoller Grazie in den düsteren, staubbedeckten Arkaden umherstolzieren. Mit halb geschlossenen Augen zurückgelehnt, sprach er immer wieder vor sich hin:

»Devant une façade rose
Sur le marbre d'un escalier.«

Das ganze Venedig war in diesen beiden Zeilen eingefangen. Er entsann sich des Herbstes, den er dort verlebt hatte, und einer wunderbaren Liebe, die ihn zu verrückten, köstlichen Torheiten verleitet hatte. Romantik gab es allerorten. Aber Venedig hatte, wie Oxford, den Hintergrund für Romantik bewahrt, und für den wahren Romantiker ist der Hintergrund alles oder fast alles. Basil hatte einen Teil dieser Zeit zusammen mit ihm verbracht und war über Tintoretto zum Schwärmer geworden. Armer Basil! welch gräßliche Todesart für einen Menschen!

Er seufzte und nahm den Band wieder in die Hand und versuchte zu vergessen. Er las von den Schwalben, die ein und aus fliegen in dem kleinen Café in Smyrna, wo die Hadschis ihre Bernsteinperlen zählen und die turbanbedeckten Kaufleute ihre langen Quastenpfeifen rauchen und ernste Gespräche führen; er las vom Obelisken auf der Place de la Concorde, der in seinem einsamen, sonnenlosen Exil Tränen aus Granit vergießt und sich zurücksehnt nach dem heißen, lotusbestandenen Nil, wo es Sphinxe gibt und rosenrote Ibisse und weiße Geier mit goldenen Krallen und Krokodile mit kleinen Beryllaugen, die über den grünen, dampfenden Schlamm kriechen; er begann über jene Verse nachzusinnen, welche dem von Küssen befleckten Marmor Musik entlocken und von der absonderlichen Statue berichten, die Gautier einer Kontraaltstimme vergleicht, von dem »monstre charmant«, das im Porphyrsaal des Louvre kauert. Doch nach einiger Zeit entfiel das Buch seiner Hand. Er wurde nervös, und ein furchtbarer Anfall des Entsetzens überkam ihn. Was wäre, wenn Alan Campbell England verlassen hätte? Tage würden vergehen, bis er zurückkehren könnte. Vielleicht weigerte er sich sogar zu kommen. Was sollte er dann machen? Jeder Augenblick war lebenswichtig.

Sie waren einmal sehr gut befreundet gewesen, vor fünf Jahren – ja, fast unzertrennlich. Dann war es mit der Vertraulichkeit plötzlich zu Ende. Wenn sie jetzt in der Gesellschaft zusammentrafen, lächelte nur Dorian Gray; Alan Campbell lächelte nie.

Er war ein ungewöhnlich gescheiter junger Mann, auch wenn er kein echtes Verständnis für die bildenden Künste aufbrachte und den dürftigen Sinn für die Schönheit der Poesie ausschließlich Dorian verdankte. Seine intellektuelle Leidenschaft galt vornehmlich der Wissenschaft. In Cambridge hatte er sehr viel im Laboratorium gearbeitet und in den naturwissenschaftlichen Fächern ein gutes Examen gemacht. Ja, er widmete sich noch immer dem Studium der Chemie und besaß ein eigenes Laboratorium, in dem er sich den ganzen Tag lang einzuschließen pflegte, zum großen Leidwesen seiner Mutter, deren Herzenswunsch es war, daß er für das Unterhaus kandidiere, und die sich von der unklaren Vorstellung leiten ließ, ein Chemiker sei ein Mann, der Rezepturen bearbeitet. Andererseits war er auch ein hervorragender Musiker und spielte besser Geige und Klavier als die meisten Dilettanten. Tatsächlich hatte die Musik ihn und Dorian Gray zusammengeführt – die Musik und jene unergründliche Anziehungskraft, die Dorian offenbar auszuüben imstande war, wenn er wollte, und die er freilich auch häufig ausübte, ohne sich dessen bewußt zu sein. Sie waren im Hause von Lady Berkshire einander begegnet, an jenem Abend, als Rubinstein dort spielte, und danach sah man sie stets zusammen in der Oper und überall dort, wo gute Musik gemacht wurde. Achtzehn Monate währten ihre engen Beziehungen. Campbell hielt sich ständig in Selby Royal oder am Grosvenor Square auf. Für ihn, wie für viele andere, war Dorian Gray der Inbegriff alles dessen, was im Leben wunderbar und faszinierend ist. Ob es zwischen ihnen zu einem

Streit gekommen war oder nicht, erfuhr niemand. Aber plötzlich stellten die Leute fest, daß die beiden kaum noch miteinander sprachen, wenn sie zusammentrafen, und daß Campbell jede Gesellschaft, bei der Dorian Gray zugegen war, immer schon früh verließ. Auch hatte er sich verändert – er war zuweilen seltsam melancholisch, schien das Musikhören fast zu hassen und wollte selber nie spielen, und wenn er dazu aufgefordert wurde, gab er als Entschuldigung an, er sei von der Wissenschaft so in Anspruch genommen, daß ihm keine Zeit zum Üben bleibe. Und das entsprach sicherlich der Wahrheit. Jeden Tag schien er sich mehr für Biologie zu interessieren, und sein Name tauchte einige Male im Zusammenhang mit gewissen sonderbaren Experimenten in wissenschaftlichen Zeitschriften auf.

Das also war der Mann, auf den Dorian Gray wartete. Jede Sekunde blickte er auf die Uhr. Als die Minuten vergingen, bemächtigte sich seiner eine schreckliche Erregung. Schließlich erhob er sich und begann im Zimmer auf und ab zu wandern, wie ein gefangenes schönes Tier. Er machte große, behutsame Schritte. Seine Hände waren seltsam kalt.

Die Spannung wurde unerträglich. Die Zeit schien ihm auf bleiernen Füßen einherzuschleichen, während er von ungeheuren Winden dem zerklüfteten Rand eines schwarzen Schlundes oder Abgrunds entgegengetrieben wurde. Er wußte, was dort seiner harrte, sah es schon vor sich und preßte erschauernd die feuchten Hände gegen die brennenden Lider, als wollte er selbst dem Gehirn die Sehkraft rauben und die Augäpfel in ihre Höhlen zurückdrängen. Es war zwecklos. Das Gehirn hatte seine eigene Nahrung, an der es sich mästete, und die Phantasie, grotesk verzerrt durch das Entsetzen, wand und krümmte sich vor Schmerz wie ein lebendes Wesen, tanzte wie eine widerwärtige Marionette auf einem Podest und grinste durch wechselnde Masken hindurch. Dann, plötzlich, stand die Zeit für ihn still. Ja; jenes blinde, langsam atmende Wesen kroch nicht mehr umher, und da nun die Zeit tot war, rasten grauenvolle Gedanken leichtfüßig in den Vordergrund und zerrten eine gräßliche

Gestalt aus ihrem Grab und zeigten sie ihm. Er starrte sie an. Ihr schrecklicher Anblick versteinerte ihn.

Endlich ging die Tür auf, und sein Diener trat ein. Er richtete glasige Augen auf ihn.

»Mr. Campbell, Sir«, sagte der Diener.

Ein Seufzer der Erleichterung kam von seinen ausgedörrten Lippen, und die Farbe kehrte in seine Wangen zurück.

»Bitten Sie ihn sofort herein, Francis.« Er spürte, daß er wieder er selber war. Seine feigen Anwandlungen waren verflogen.

Der Diener verbeugte sich und zog sich zurück. Wenige Augenblicke später trat Alan Campbell ein, der sehr ernst und ziemlich bleich aussah, wobei seine Blässe durch sein kohlschwarzes Haar und die dunklen Augenbrauen noch verstärkt wurde.

»Alan! das ist nett von Ihnen. Ich danke Ihnen, daß Sie gekommen sind.«

»Ich hatte mir vorgenommen, Ihr Haus nie wieder zu betreten, Gray. Aber Sie teilten mir mit, es gehe um Leben und Tod.« Seine Stimme war hart und kalt. Er sprach langsam und überlegt. Ein verächtlicher Ausdruck lag in dem festen, forschenden Blick, den er auf Dorian richtete. Er behielt die Hände in den Taschen seines Astrachanmantels und schien die Geste, mit der er begrüßt worden war, übersehen zu haben.

»Ja: es geht um Leben und Tod, Alan, und mehr als ein Mensch ist betroffen. Setzen Sie sich.«

Campbell nahm auf einem Stuhl neben dem Tisch Platz, und Dorian setzte sich ihm gegenüber. Die Blicke der beiden Männer trafen einander. In Dorians Augen lag unendliches Mitleid. Er wußte, daß das, was er vorhatte, furchtbar war.

Nach einem Augenblick gespannten Schweigens lehnte er sich vor und sagte sehr ruhig, während er die Wirkung eines jeden Wortes auf das Gesicht dessen beobachtete, den er zu sich gerufen hatte: »Alan, in einem verschlossenen Zimmer im obersten Stockwerk dieses Hauses, in einem Zimmer, zu dem außer mir niemand Zutritt hat, sitzt ein Toter an einem

Tisch. Er ist jetzt seit zehn Stunden tot. Rühren Sie sich nicht, und schauen Sie mich nicht so an. Wer der Mann ist, warum er starb, wie er starb, das sind Fragen, die Sie nichts angehen. Was Sie zu tun haben, ist Folgendes ...«

»Halt, Gray. Ich will nichts weiter wissen. Ob das, was Sie mir erzählt haben, wahr ist oder nicht, kümmert mich nicht. Ich lehne es entschieden ab, in Ihr Leben hineingezogen zu werden. Behalten Sie Ihre schrecklichen Geheimnisse für sich. Sie interessieren mich nicht mehr.«

»Alan, sie müssen Sie interessieren. Dieses eine muß Sie interessieren. Sie tun mir furchtbar leid, Alan. Aber ich kann mir selber nicht helfen. Sie sind der einzige Mensch, der mich retten kann. Ich bin gezwungen, Sie in die Sache hineinzuziehen. Mir bleibt keine andere Wahl. Alan, Sie sind wissenschaftlich gebildet. Sie kennen sich in Chemie und in solchen Dingen aus. Sie haben Experimente gemacht. Was Sie zu tun haben, ist, das Wesen da oben zu vernichten – es so zu vernichten, daß keine Spur von ihm übrigbleibt. Niemand hat diesen Mann ins Haus kommen sehen. Ja, im Augenblick vermutet man ihn in Paris. Man wird ihn monatelang nicht vermissen. Wenn man ihn vermißt, darf hier keine Spur von ihm zu finden sein. Sie, Alan, Sie müssen ihn und alles, was zu ihm gehört, in eine Handvoll Asche verwandeln, die ich in die Luft streuen kann.«

»Sie sind wahnsinnig, Dorian.«

»Ah! ich habe darauf gewartet, daß Sie mich Dorian nennen.«

»Sie sind wahnsinnig, sage ich – so wahnsinnig, sich einzubilden, ich würde einen Finger rühren, um Ihnen zu helfen, so wahnsinnig, daß Sie mir dieses ungeheuerliche Geständnis machen. Ich will mit dieser Sache nichts zu tun haben, gleichgültig, worum es sich dabei handelt. Glauben Sie, ich würde meinen guten Ruf Ihnen zuliebe aufs Spiel setzen? Was geht es mich an, welches Teufelswerk Sie im Sinn haben?«

»Es war Selbstmord, Alan.«

»Das freut mich zu hören. Doch wer hat ihn dazu getrieben? Sie, nehme ich an.«

»Weigern Sie sich noch immer, das für mich zu tun?«

»Natürlich weigere ich mich. Ich will absolut nichts damit zu tun haben. Es kümmert mich nicht, welche Schande Sie auf sich laden. Sie haben sie verdient. Es täte mir nicht leid, wenn ich Sie entehrt, öffentlich entehrt sähe. Wie können Sie es wagen, von allen Menschen auf der Welt ausgerechnet mich zu bitten, mich auf diese grauenvolle Geschichte einzulassen? Ich hätte gedacht, Sie wüßten über den Charakter der Menschen besser Bescheid. Ihr Freund Lord Henry Wotton kann Ihnen nicht viel Psychologie beigebracht haben, was er Ihnen auch sonst beigebracht haben mag. Nichts wird mich bewegen, einen Schritt zu Ihrer Hilfe zu tun. Sie sind an den Falschen geraten. Wenden Sie sich doch an einen Ihrer Freunde. Kommen Sie nicht zu mir.«

»Alan, es war Mord. Ich habe ihn getötet. Sie wissen nicht, was ich durch ihn gelitten habe. Wie auch mein Leben aussehen mag, er hat mehr Anteil an seiner Ausrichtung oder Zerstörung gehabt als der arme Henry. Er hat es vielleicht nicht gewollt, doch das Ergebnis war dasselbe.«

»Mord! Mein Gott, Dorian, ist es so weit mit Ihnen gekommen? Ich werde Sie nicht anzeigen. Das ist nicht meine Aufgabe. Im übrigen werden Sie bestimmt verhaftet, auch ohne daß ich in der Sache tätig werde. Niemand begeht ein Verbrechen, ohne eine Dummheit zu machen. Aber ich will nichts damit zu tun haben.«

»Sie müssen etwas damit zu tun haben. Warten Sie, warten Sie einen Augenblick; hören Sie mir zu. Hören Sie nur zu, Alan. Ich verlange nichts weiter von Ihnen, als daß Sie ein bestimmtes wissenschaftliches Experiment durchführen. Sie gehen in Krankenhäuser und Leichenhallen, und das Entsetzliche, das Sie dort tun, rührt Sie nicht. Wenn Sie in irgendeinem scheußlichen Seziersaal oder stinkenden Laboratorium diesen Mann auf einem grauen Tisch mit roten Rillen zum Auffangen des Blutes vorfänden, würden Sie in ihm einfach ein herrliches Studienobjekt sehen. Kein Haar würde sich Ihnen sträuben. Sie kämen nicht auf den Gedanken, etwas Unrechtes zu tun. Im Gegenteil, Sie würden wahrscheinlich das Gefühl haben, der Menschheit einen Dienst zu erweisen oder die Summe des Wissens in der Welt zu vergrößern oder die intellektuelle Neugier zu befriedigen oder etwas Ähnliches. Was ich von Ihnen verlange, ist nichts anderes als das, was Sie vorher schon oft getan haben. Ja, die Vernichtung einer Leiche muß weit weniger grauenvoll sein als die Arbeit, die Sie gewohnt sind. Und bedenken Sie, es ist das einzige Beweisstück, das gegen mich spricht. Wenn es entdeckt wird, bin ich verloren; und es wird mit Sicherheit entdeckt, wenn Sie mir nicht helfen.«

»Ich habe nicht den Wunsch, Ihnen zu helfen. Das vergessen Sie. Mir ist die ganze Angelegenheit einfach gleichgültig. Sie geht mich nichts an.«

»Alan, ich beschwöre Sie. Stellen Sie sich die Lage vor, in der ich bin. Kurz bevor Sie kamen, wäre ich vor Angst fast ohnmächtig geworden. Sie werden vielleicht eines Tages selber die Angst kennenlernen. Nein! denken Sie nicht daran. Betrachten Sie die Sache vom rein wissenschaftlichen Standpunkt aus. Sie fragen ja sonst nicht danach, woher die Leichen stammen, mit denen Sie experimentieren. Fragen Sie auch jetzt nicht. Ich habe Ihnen ohnehin schon zuviel erzählt. Aber ich bitte Sie, dies zu tun. Wir waren doch einmal Freunde, Alan.«

»Sprechen Sie nicht von jener Zeit, Dorian: sie ist tot.«

»Die Toten verweilen manchmal. Der Mann dort oben wird nicht fortgehen. Er sitzt am Tisch mit gebeugtem Kopf und ausgestreckten Armen. Alan! Alan! wenn Sie mir nicht zu Hilfe kommen, bin ich erledigt. Ja, man wird mich hängen, Alan! Begreifen Sie denn nicht? Man wird mich hängen für das, was ich getan habe.«

»Es hat keinen Zweck, diese Szene zu verlängern. Ich weigere mich entschieden, irgend etwas in der Sache zu unternehmen. Es ist Wahnsinn von Ihnen, mich zu bitten.«

»Sie weigern sich?«

»Ja.«

»Ich beschwöre Sie, Alan.«

»Es ist zwecklos.«

Der gleiche Ausdruck des Mitleids trat wieder in Dorian Grays Augen. Dann streckte er die Hand aus, ergriff ein Stück Papier und schrieb etwas darauf. Er las das Geschriebene zweimal durch, faltete es sorgfältig zusammen und schob es über den Tisch. Nachdem er dies getan hatte, stand er auf und trat ans Fenster.

Campbell sah ihn überrascht an, nahm dann den Zettel und faltete ihn auseinander. Beim Lesen wurde sein Gesicht geisterhaft bleich, und er sank auf seinen Stuhl zurück. Eine furchtbare Übelkeit überkam ihn. Ihm war, als wollte sich sein Herz in einer leeren Höhle zu Tode pochen.

Nach zwei oder drei Minuten entsetzlichen Schweigens wandte sich Dorian um, kam auf ihn zu und stellte sich hinter ihn, wobei er ihm die Hand auf die Schulter legte.

»Es tut mir ja so leid um Sie, Alan«, murmelte er, »aber Sie lassen mir keine andere Wahl. Ich habe bereits einen Brief geschrieben. Hier ist er. Sie sehen die Adresse. Wenn Sie mir nicht helfen, muß ich ihn abschicken. Wenn Sie mir nicht helfen, werde ich ihn abschicken. Sie wissen, was die Folgen sein werden. Aber Sie werden mir helfen. Sie können sich jetzt nicht mehr weigern. Ich habe versucht, Sie zu schonen. Sie werden so gerecht sein, mir das zuzugestehen. Sie waren hart, grob, beleidigend. Sie haben mich behandelt, wie noch kein Mensch mich zu behandeln gewagt hat – kein lebender Mensch jedenfalls. Ich habe alles ertragen. Jetzt ist es an mir, Bedingungen zu diktieren.«

Campbell barg sein Gesicht in den Händen, und ein Schauer überlief ihn.

»Ja, nun bin ich an der Reihe, Bedingungen zu diktieren, Alan. Sie wissen, wie sie lauten. Die Sache ist ganz einfach. Kommen Sie, steigern Sie sich nicht in eine solche Erregung hinein. Die Sache muß geschehen. Stellen Sie sich ihr, und erledigen Sie sie.«

Ein Ächzen entrang sich Campbells Mund, und er bebte am ganzen Leib. Das Ticken der Uhr auf dem Kaminsims schien ihm die Zeit in einzelne Atome der Qual zu zerteilen, und jedes für sich wurde ihm grauenhaft unerträglich. Er hatte das Gefühl, als würde ein eiserner Ring allmählich über seiner Stirn zusammengezogen, als wäre die Schande, die ihm drohte, schwer wie eine Hand aus Blei. Sie war nicht zu ertragen. Sie schien ihn zu zermalmen.

»Kommen Sie, Alan, Sie müssen sich sofort entscheiden.«

»Ich kann es nicht«, sagte er mechanisch, als ob Worte etwas ändern könnten.

»Sie müssen. Sie haben keine Wahl. Ziehen Sie es nicht hinaus.«

Er zögerte einen Augenblick. »Ist in dem Zimmer da oben ein Feuer?«

»Ja, ein Gasofen mit Asbest.«

»Ich gehe nach Hause und hole ein paar Sachen aus dem Laboratorium.«

»Nein, Alan, Sie dürfen das Haus nicht verlassen. Schreiben Sie auf einen Notizzettel, was Sie brauchen, und mein Diener nimmt sich eine Droschke und bringt Ihnen die Sachen.«

Campbell kritzelte ein paar Zeilen, löschte sie ab und adressierte einen Umschlag an seinen Assistenten. Dorian nahm die Nachricht und las sie sorgfältig. Dann läutete er und übergab sie seinem Diener mit der Anweisung, so schnell wie möglich zurückzukommen und die Sachen mitzubringen.

Als die Haustür zuschlug, zuckte Campbell nervös zusammen, stand von seinem Stuhl auf und ging hinüber zum Kamin. Er zitterte in einer Art Schüttelfrost. Fast zwanzig Minuten lang sprach keiner der beiden Männer ein Wort. Eine Fliege surrte geräuschvoll im Zimmer umher, und das Ticken der Uhr glich Hammerschlägen.

Als die Turmuhr eins schlug, wandte sich Campbell um, blickte auf Dorian Gray und sah, daß in dessen Augen Tränen standen. In der Reinheit und Feinheit dieses traurigen Gesichts war etwas, was ihn in Wut zu versetzen schien. »Sie sind infam, durch und durch infam!« murmelte er.

»Still, Alan: Sie haben mir das Leben gerettet«, sagte Dorian.

»Ihr Leben? Du mein Gott! was ist das für ein Leben! Sie

sind von Verderbnis zu Verderbnis fortgeschritten, und jetzt haben Sie den Höhepunkt im Verbrechen erreicht. Wenn ich tue, was ich tun werde, was Sie mich zu tun zwingen, denke ich nicht an Ihr Leben.«

»Ach, Alan«, murmelte Dorian mit einem Seufzer, »ich wünschte, Sie hätten für mich auch nur ein Tausendstel des Mitleids, das ich für Sie empfinde.« Er wandte sich ab, als er das sagte, und blickte hinaus in den Garten. Campbell gab keine Antwort.

Nach etwa zehn Minuten klopfte es an die Tür, und der Diener kam herein, der einen großen Mahagonikasten mit Chemikalien sowie eine lange Rolle Stahl- und Platindraht und zwei recht sonderbar geformte Eisenklampen trug.

»Soll ich die Sachen hierlassen, Sir?« fragte er Campbell.

»Ja«, sagte Dorian. »Und es tut mir leid, Francis, daß ich noch einen Auftrag für Sie habe. Wie heißt doch der Mann in Richmond, der die Orchideen für Selby liefert?«

»Harden, Sir.«

»Ja – Harden. Sie müssen sogleich nach Richmond fahren, Harden persönlich aufsuchen und ihm ausrichten, er solle doppelt so viele Orchideen liefern, wie ich bestellt habe, und zwar möglichst wenig weiße. Eigentlich kann ich überhaupt keine weißen brauchen. Es ist ein schöner Tag, Francis, und Richmond ist ein sehr hübscher Ort, sonst würde ich Sie nicht damit behelligen.«

»Das macht nichts, Sir. Wann soll ich wieder zurück sein?«

Dorian blickte Campbell an. »Wie lange wird Ihr Experiment dauern, Alan?« sagte er mit ruhiger, gleichgültiger Stimme. Die Anwesenheit eines Dritten im Zimmer verlieh ihm offenbar besonderen Mut.

Campbell runzelte die Stirn und biß sich auf die Lippen. »Es wird ungefähr fünf Stunden dauern«, erwiderte er.

»Dann reicht es, wenn Sie um halb acht zurück sind, Francis. Oder warten Sie: legen Sie mir noch schnell meine Sachen zum Umziehen heraus. Sie können dann den Abend frei haben. Ich esse nicht zu Hause, deshalb brauche ich Sie nicht mehr.«

»Vielen Dank, Sir«, sagte der Diener und ging hinaus.

»Jetzt, Alan, ist kein Augenblick mehr zu verlieren. Wie schwer der Kasten ist! Ich trage ihn für Sie. Sie nehmen die anderen Sachen.« Er sprach rasch und in gebieterischem Ton. Campbell fühlte sich von ihm beherrscht. Zusammen verließen sie den Raum.

Auf dem obersten Treppenabsatz angelangt, holte Dorian den Schlüssel hervor und drehte ihn im Schloß. Dann hielt er inne, und ein bekümmerter Ausdruck trat in seine Augen. Er schauderte. »Ich glaube, ich kann nicht hineingehen, Alan«, murmelte er.

»Das ist mir gleich. Ich brauche Sie nicht«, sagte Campbell kalt.

Dorian machte die Tür halb auf. Dabei erblickte er das Gesicht seines Porträts, das ihn im Sonnenlicht hämisch anschielte. Davor lag der zerrissene Vorhang auf dem Boden. Er entsann sich, daß er in der vorangegangenen Nacht zum erstenmal in seinem Leben vergessen hatte, die verhängnisvolle Leinwand zu verhüllen, und wollte schon vorstürzen, als er schaudernd zurückfuhr.

Was war dieser widerliche rote Tau, der feucht und glänzend auf der einen Hand schimmerte, als ob die Leinwand Blut geschwitzt hätte? Wie entsetzlich das war! – entsetzlicher, so kam es ihm im Augenblick vor, als das schweigende Wesen, von dem er wußte, daß es auf dem Tisch hingestreckt lag, jenes Wesen, dessen grotesker, mißgestalter Schatten auf dem schmutzigen Teppich ihm zeigte, daß es sich nicht gerührt hatte, sondern noch immer da war, wie er es verlassen hatte.

Er holte tief Luft, stieß die Tür ein wehig weiter auf und trat mit halb geschlossenen Augen und abgewandtem Kopf schnell ein, fest entschlossen, den Toten auch nicht ein einziges Mal anzusehen. Dann bückte er sich, hob die goldene und purpurne Decke auf und warf sie über das Bild.

Er blieb stehen, weil er Angst hatte, sich umzudrehen, und seine Augen richteten sich starr auf das komplizierte Stoffmuster vor ihm. Er hörte, wie Campbell den schweren Kasten und die Eisen und die anderen Sachen hereintrug, die er für seine grauenvolle Arbeit brauchte. Er fragte sich, ob Campbell und Basil Hallward einander je begegnet waren und was in diesem Falle der eine vom anderen gehalten haben mochte.

»Lassen Sie mich jetzt allein«, sagte eine strenge Stimme hinter ihm.

Er drehte sich um und eilte hinaus, wobei ihm gerade noch bewußt wurde, daß der Tote auf den Stuhl zurückgeschoben worden war und daß Campbell in ein glänzendes gelbes Gesicht starrte. Als er die Treppe hinabging, vernahm er, wie sich der Schlüssel im Schloß drehte.

Es war längst sieben vorbei, als Campbell wieder in die Bibliothek kam. Er war bleich, aber vollkommen ruhig. »Ich habe erledigt, was Sie von mir verlangt haben«, sagte er leise. »Und jetzt leben Sie wohl. Wir wollen uns nie wiedersehen.«

»Sie haben mich vor dem Untergang gerettet, Alan. Das kann ich nicht vergessen«, entgegnete Dorian einfach.

Sobald Campbell gegangen war, stieg er nach oben. Ein entsetzlicher Geruch von Salpetersäure war im Zimmer. Aber das Wesen, das am Tisch gesessen hatte, war verschwunden.

15. KAPITEL

Am selben Abend, um halb neun, wurde Dorian Gray, der erlesen gekleidet war und im Knopfloch ein großes Sträußchen Parmaveilchen trug, von dienernden Lakaien in Lady Narboroughs Salon geleitet. Hinter seiner Stirn pochten die wahnsinnig gereizten Nerven, und er spürte in sich eine wilde Erregung, aber als er sich über die Hand der Gastgeberin neigte, waren seine Bewegungen so leicht und anmutig wie immer. Vielleicht wirkt ein Mensch nie so unbeschwert, wie wenn er eine Rolle zu spielen hat. Bestimmt hätte niemand, der Dorian Gray an diesem Abend sah, glauben können, daß er eine Tragödie hinter sich hatte, so entsetzlich wie keine andere Tragödie unserer Zeit. Niemals konnten diese feingeformten Hände ein Messer zu sündhaftem Tun umklammert noch diese lächelnden Lippen sich wider Gott und das Gute empört haben. Er selber mußte sich über seine Gelassenheit wundern, und einen Augenblick lang empfand er lebhaft die grausigen Wonnen eines Doppellebens.

Es war eine kleine Gesellschaft, etwas überstürzt zusammengestellt von Lady Narborough, die eine sehr kluge Frau war und das besaß, was Lord Henry als die Überreste einer wirklich bemerkenswerten Häßlichkeit zu bezeichnen pflegte. Sie hatte sich einem unserer langweiligsten Gesandten als hervorragende Gattin erwiesen, und nachdem sie ihren Ehemann gebührend in einem Marmormausoleum, das sie selber entworfen hatte, bestattet und ihre Töchter an reiche, etwas ältliche Herren verheiratet hatte, widmete sie sich nun den Freuden französischer Romankunst, französischer Küche und französischen Esprits, sofern sie dessen habhaft werden konnte.

Dorian gehörte zu ihren besonderen Lieblingen, und sie versicherte ihm jedesmal, sie sei heilfroh, daß sie ihn nicht in ihrer Jugend kennengelernt habe. »Ich weiß, mein Lieber, ich hätte mich wahnsinnig in Sie verliebt«, sagte sie, »und für Sie hätte ich meinen Hut über die Mühlen geworfen*. Es ist ein großes Glück, daß damals von Ihnen noch gar keine Rede war. Im übrigen waren unsere Hüte so unkleidsam, und die Mühlen mußten sich so anstrengen, ein bißchen Wind zu machen, daß ich nicht einmal eine Liebelei mit irgend jemandem hatte. An alledem war freilich nur Narborough schuld. Er war schrecklich kurzsichtig, und es macht keinen Spaß, einen Mann zu betrügen, der überhaupt nichts sieht.«

Ihre Gäste an diesem Abend waren ziemlich langweilig. Die Sache war die, wie sie Dorian hinter einem sehr schäbigen Fächer erklärte, daß eine ihrer verheirateten Töchter ganz unerwartet zu Besuch gekommen war und zu allem Überfluß auch noch ihren Mann mitgebracht hatte. »Ich finde das gar nicht nett von ihr, mein Lieber«, wisperte sie. »Natürlich quartiere ich mich jeden Sommer bei ihnen ein, wenn ich von Homburg zurückkomme, aber eine alte Frau wie ich braucht schließlich ab und zu frische Luft, und außerdem rüttle ich sie regelrecht auf. Sie können sich ja nicht vorstellen, was für ein Leben sie führen. Es ist das reinste unverfälschte Landleben. Sie stehen früh auf, weil sie soviel zu tun haben, und gehen früh zu Bett, weil sie über so wenig nachzudenken haben. In der ganzen Umgebung hat es seit den Tagen der Königin Elisabeth keinen Skandal mehr gegeben, und folglich nicken alle nach dem Abendessen ein. Sie sollen neben keinem von beiden sitzen. Sie sitzen bei mir und amüsieren mich.«

Dorian murmelte ein zierliches Kompliment und blickte sich im Zimmer um. Ja: es war fraglos eine langweilige Gesellschaft. Zwei der Anwesenden hatte er nie zuvor gesehen, und die anderen waren Ernest Harrowden, einer der in den Londoner Klubs so häufig anzutreffenden Durchschnitts-

* Eine ursprünglich französische Redewendung mit der Bedeutung: sich über alles hinwegsetzen (Anmerkung des Übersetzers).

menschen mittleren Alters, die keine Feinde haben, aber von ihren Freunden gründlich gehaßt werden; Lady Ruxton, eine übertrieben gekleidete, hakennasige Frau von siebenundvierzig, die dauernd versuchte, sich zu kompromittieren, aber so ungewöhnlich reizlos war, daß zu ihrer großen Enttäuschung niemand ihr etwas Schlechtes zutrauen wollte; Mrs. Erlynne, eine aufdringliche Null mit einer entzückenden Lispelstimme und venezianischrotem Haar; Lady Alice Chapman, die Tochter der Gastgeberin, ein schlampiges, schwerfälliges Mädchen mit einem jener typisch englischen Gesichter, an die man sich nie mehr erinnern kann, wenn man sie einmal gesehen hat; und ihr Gatte, ein rotbäckiger, weißbärtiger Mensch, der, wie so viele seines Standes, der Meinung war, hemmungslose Lustigkeit könne völlige Einfallslosigkeit wettmachen.

Er bedauerte es schon sehr, daß er gekommen war, als Lady Narborough mit einem Blick auf die große vergoldete Uhr, die sich in protzigen Kurven auf dem mauvedrapierten Kaminsims spreizte, den Ausruf tat: »Wie abscheulich von Henry Wotton, sich so zu verspäten! Ich habe ihm heute morgen auf gut Glück eine Einladung geschickt, und er hat fest versprochen, mich nicht zu enttäuschen.«

Es war immerhin ein gewisser Trost, daß Harry kommen sollte, und als die Tür aufging und er dessen langsame, musikalische Stimme vernahm, die irgendeiner unaufrichtigen Entschuldigung ihren Zauber verlieh, verflog sein Gefühl der Langeweile.

Doch beim Diner konnte er nicht essen. Ein Teller nach dem anderen ging unangerührt zurück. Lady Narborough schalt ihn unentwegt, denn das war nach ihrer Meinung »eine Beleidigung für den armen Adolphe, der das Menü eigens für Sie zusammengestellt hat«, und hin und wieder blickte Lord Henry zu ihm hinüber und wunderte sich über sein Schweigen und zerstreutes Wesen. Von Zeit zu Zeit füllte der Butler sein Glas mit Champagner. Er trank gierig, und sein Durst schien immer größer zu werden.

»Dorian«, sagte endlich Lord Henry, als das *chaud-froid*

herumgereicht wurde, »was ist heute abend mit Ihnen los? Sie sind gar nicht in Ordnung.«

»Ich glaube, er ist verliebt«, rief Lady Narborough, »und er will es mir nicht sagen, weil er Angst hat, ich könnte eifersüchtig werden. Da hat er ganz recht. Ich würde bestimmt eifersüchtig.«

»Verehrte Lady Narborough«, murmelte Dorian lächelnd, »ich habe mich seit einer ganzen Woche nicht mehr verliebt – ja eigentlich nicht mehr, seitdem Madame de Ferrol London verlassen hat.«

»Wie könnt ihr Männer euch nur in diese Frau verlieben!« rief die alte Dame. »Das begreife ich wirklich nicht.«

»Einfach deshalb, weil sie sich noch an Sie erinnert, als Sie ein kleines Mädchen waren, Lady Narborough«, sagte Lord Henry. »Sie ist das einzige Verbindungsglied zwischen uns und Ihren kurzen Röckchen.«

»Sie kann sich überhaupt nicht an meine kurzen Röckchen erinnern, Lord Henry. Aber ich erinnere mich noch sehr gut an sie, in Wien vor dreißig Jahren, und wie dekolletiert sie damals war.«

»Sie ist noch immer dekolletiert«, erwiderte er und nahm mit seinen schlanken Fingern eine Olive; »und wenn sie ein sehr schickes Kleid trägt, sieht sie aus wie die *édition de luxe* eines schlechten französischen Romans. Sie ist wirklich wunderbar und voller Überraschungen. Das Ausmaß ihrer Familienanhänglichkeit ist außergewöhnlich. Als ihr dritter Mann starb, wurde ihr Haar vor Kummer ganz golden.«

»Wie können Sie nur, Harry!« rief Dorian.

»Das ist eine höchst romantische Deutung«, lachte die Gastgeberin. »Aber wieso ihr dritter Mann, Lord Henry? Sie wollen doch nicht sagen, daß Ferrol der vierte ist?«

»Gewiß, Lady Narborough.«

»Davon glaube ich kein Wort.«

»Nun, dann fragen Sie Mr. Gray. Er ist einer ihrer besten Freunde.«

»Ist es wahr, Mr. Gray?«

»Sie hat es mir versichert, Lady Narborough«, sagte Dorian. »Ich habe sie einmal gefragt, ob sie wie Margarete von Navarra die Herzen ihrer Männer einbalsamiert an ihrem Gürtel trage. Das hat sie verneint, denn keiner von ihnen habe ein Herz gehabt.«

»Vier Männer! Auf mein Wort, das ist *trop de zèle.*«

»*Trop d'audace,* habe ich zu ihr gesagt«, versetzte Dorian.

»Oh! sie ist kühn genug für alles, mein Lieber. Und wie ist Ferrol? Ich kenne ihn nicht.«

»Die Ehemänner sehr schöner Frauen gehören zur Schicht der Verbrecher«, sagte Lord Henry und nippte an seinem Wein.

Lady Narborough versetzte ihm einen Schlag mit dem Fächer. »Lord Henry, es überrascht mich überhaupt nicht, daß alle Welt sagt, Sie seien im höchsten Maße schlecht.«

»Welche Welt sagt denn das?« frage Lord Henry und zog die Brauen hoch. »Das kann nur die andere Welt sein. Mit dieser Welt verstehe ich mich ausgezeichnet.«

»Alle Leute, die ich kenne, sagen, Sie seien sehr schlecht«, rief die alte Dame kopfschüttelnd.

Lord Henry machte ein paar Augenblicke lang ein ernstes Gesicht. »Es ist einfach unerhört«, sagte er endlich, »wie die Leute heutzutage hinter jemandes Rücken Dinge erzählen, die absolut und vollkommen wahr sind.«

»Ist er nicht unverbesserlich?« rief Dorian, der sich auf seinem Stuhl vorbeugte.

»Hoffentlich«, sagte die Gastgeberin lachend. »Aber wenn Sie alle Madame de Ferrol auf so lächerliche Weise anbeten, werde ich wirklich noch einmal heiraten müssen, um nicht aus der Mode zu kommen.«

»Sie werden nie wieder heiraten, Lady Narborough«, fiel Lord Henry ein. »Sie waren viel zu glücklich. Wenn eine Frau wieder heiratet, so deshalb, weil sie ihren ersten Mann gehaßt hat. Wenn ein Mann wieder heiratet, so deshalb, weil er seine erste Frau angebetet hat. Die Frauen versuchen ihr Glück; die Männer setzen es aufs Spiel.«

»Narborough war nicht vollkommen«, rief die alte Dame.

»Wenn er es gewesen wäre, hätten Sie ihn nicht geliebt,

meine Verehrteste«, lautete die Antwort. »Die Frauen lieben uns um unserer Fehler willen. Haben wir davon genug, dann verzeihen sie uns alles, sogar unseren Verstand. Sie werden mich jetzt leider nie mehr zum Diner einladen, Lady Narborough, nachdem ich das gesagt habe; aber es ist völlig wahr.«

»Natürlich ist es wahr, Lord Henry. Wenn wir Frauen euch nicht um eurer Fehler willen liebten, was würde dann aus euch? Keiner von euch würde jemals heiraten. Ihr wärt eine Bande von unglücklichen Junggesellen. Das würde freilich auch nicht viel an euch ändern. Heutzutage leben alle verheirateten Männer wie Junggesellen und alle Junggesellen wie verheiratete Männer.«

»*Fin de siècle*«, murmelte Lord Henry.

»*Fin du globe*«, entgegnete seine Gastgeberin.

»Ich wollte, es wäre *fin du globe*«, sagte Dorian mit einem Seufzer. »Das Leben ist eine große Enttäuschung.«

»Ach, mein Lieber«, rief Lady Narborough und zog sich die Handschuhe an, »sagen Sie mir nicht, daß Sie das Leben erschöpft haben. Wenn ein Mann das sagt, weiß man, daß das Leben ihn erschöpft hat. Lord Henry ist sehr schlecht, und ich wünsche mir manchmal, ich wäre es auch gewesen: aber Sie sind dazu bestimmt, gut zu sein – Sie haben ein so gutes Gesicht. Ich muß für Sie eine nette Frau suchen. Lord Henry, meinen Sie nicht auch, daß Mr. Gray heiraten sollte?«

»Das sage ich ihm dauernd, Lady Narborough«, erwiderte Lord Henry mit einer Verbeugung.

»Nun, wir müssen uns nach einer geeigneten Partie für ihn umschauen. Ich werde heute nacht noch den Debrett sorgfähig durchgehen und ein Verzeichnis aller passenden jungen Damen zusammenstellen.«

»Mit Altersangaben, Lady Narborough?« fragte Dorian. »Natürlich mit Altersangaben, leicht bearbeitet. Aber es darf nichts übereilt werden. Ich möchte, daß daraus etwas wird, was die ›Morning Post‹ eine schickliche Verbindung nennt, und ich möchte, daß Sie beide glücklich werden.«

»Welchen Unsinn die Leute doch über glückliche Ehen

verbreiten!« rief Lord Henry aus. »Ein Mann kann mit jeder Frau glücklich sein, solange er sie nicht liebt.«

»Ah! was für ein Zyniker Sie sind!« rief die alte Dame, indem sie ihren Stuhl zurückschob und Lady Ruxton zunickte. »Sie müssen bald wieder zum Essen zu mir kommen. Sie sind wirklich ein wunderbares Belebungsmittel, viel besser als das, welches Sir Andrew mir verschreibt. Sie müssen mir allerdings sagen, mit was für Leuten Sie zusammenkommen möchten. Es soll doch eine erfreuliche Mischung werden.«

»Ich liebe Männer, die eine Zukunft, und Frauen, die eine Vergangenheit haben«, antwortete er. »Oder meinen Sie, daß dann ein Damenkränzchen daraus würde?«

»Das befürchte ich«, sagte sie lachend und erhob sich. »Ich bitte tausendmal um Vergebung, meine liebe Lady Ruxton«, fügte sie hinzu, »ich habe übersehen, daß Sie Ihre Zigarette noch nicht aufgeraucht haben.«

»Schon gut, Lady Narborough. Ich rauche sowieso viel zuviel. In Zukunft werde ich mir Beschränkungen auferlegen.«

»Bitte tun Sie das nicht, Lady Ruxton«, sagte Lord Henry. »Mäßigung ist etwas Fatales. Genug ist so schlecht wie eine Mahlzeit. Mehr als genug ist so gut wie ein Festessen.«

Lady Ruxton betrachtete ihn neugierig. »Sie müssen einmal an einem Nachmittag zu mir kommen und mir das erklären, Lord Henry. Das klingt nach einer faszinierenden Theorie«, murmelte sie, als sie aus dem Zimmer rauschte.

»Nun verweilen Sie nicht zu lange bei Ihrer Politik und Ihrem Klatsch«, rief Lady Narborough von der Tür her. »Andernfalls geraten wir oben bestimmt in Streit.«

Die Männer lachten, und Mr. Chapman erhob sich feierlich am Ende der Tafel und begab sich zum Kopfende. Dorian Gray verließ seinen Platz und setzte sich neben Lord Henry. Mr. Chapman begann mit lauter Stimme über die Zustände im Unterhaus zu reden. Er bedachte seine Gegner mit wieherndem Gelächter. Das Wort »doktrinär« – ein schreckliches Wort für britische Gemüter – tauchte immer wieder zwischen seinen Ausbrüchen auf. Eine alliterierende Vorsilbe mußte als rhetorische Verzierung herhalten. Er hißte den Union Jack auf den Zinnen des Denkens. Die angestammte Borniertheit der Rasse – gesunden englischen Menschenverstand nannte er sie jovial – wurde als das wahre Bollwerk der Gesellschaft beschworen.

Ein Lächeln verzog Lord Henrys Lippen, und er wandte sich um und blickte Dorian an.

»Geht es Ihnen besser, mein Lieber?« fragte er. »Beim Essen machten Sie einen recht unguten Eindruck.«

»Mir ist ganz wohl, Harry. Ich bin müde. Weiter nichts.«

»Sie waren gestern abend bezaubernd. Die kleine Herzogin ist Ihnen völlig ergeben. Sie hat mir anvertraut, daß sie nach Selby fahren will.«

»Sie hat mir versprochen, am Zwanzigsten zu kommen.«

»Wird Monmouth auch dabeisein?«

»O ja, Harry.«

»Er langweilt mich entsetzlich, fast so sehr, wie er sie langweilt. Sie ist sehr gescheit, zu gescheit für eine Frau. Ihr fehlt der undefinierbare Zauber der Schwäche. Es sind die tönernen Füße, die das Gold eines Standbildes kostbar erscheinen lassen. Ihre Füße sind sehr hübsch, aber es sind keine tönernen Füße. Weiße Porzellanfüße, wenn Sie so wollen. Sie sind durchs Feuer gegangen; und was das Feuer nicht zerstört, härtet es. Sie hat ihre Erfahrungen.«

»Wie lange ist sie verheiratet?« fragte Dorian.

»Seit einer Ewigkeit, hat sie mir gestanden. Nach dem Adelskalender sind es, glaube ich, zehn Jahre, aber zehn Jahre mit Monmouth müssen länger als eine Ewigkeit gewesen sein. Wer kommt sonst noch?«

»Oh, die Willoughbys, Lord Rugby und seine Frau, unsere Gastgeberin, Geoffrey Clouston, die übliche Besetzung also. Ich habe auch Lord Grotrian eingeladen.«

»Ich mag ihn«, sagte Lord Henry. »Viele Leute mögen ihn nicht, aber ich finde ihn charmant. Daß er sich gelegentlich etwas übertrieben kleidet, macht er dadurch wieder gut, daß er stets übertrieben gebildet ist. Er ist ein sehr moderner Typ.«

»Ich weiß nicht, ob er kommen kann, Harry. Es kann sein, daß er seinen Vater nach Monte Carlo begleiten muß.«

»Ach! wie lästig Verwandte doch sind! Versuchen Sie ihn zum Kommen zu bewegen. Übrigens, Dorian, gestern abend sind Sie sehr früh davongelaufen. Was haben Sie hinterher gemacht? Sind Sie gleich heimgegangen?«

Dorian warf ihm einen raschen Blick zu und runzelte die Stirn. »Nein, Harry«, sagte er schließlich, »ich bin erst kurz vor drei nach Hause gekommen.«

»Sind Sie in den Klub gegangen?«

»Ja«, erwiderte er. Dann biß er sich auf die Lippen. »Nein, das wollte ich nicht sagen. Ich war nicht im Klub. Ich bin umhergewandert. Mir ist entfallen, was ich gemacht habe … Sie sind aber neugierig, Harry! Sie wollen immer wissen, was man getan hat, ich möchte immer vergessen, was ich getan habe. Ich bin um halb drei heimgekommen, wenn Sie die genaue Zeit wissen wollen. Ich hatte meinen Schlüssel zu Hause liegenlassen, und mein Diener mußte mich einlassen. Wenn Sie in diesem Punkt eine beweiskräftige Aussage wünschen, können Sie ihn ja fragen.«

Lord Henry zuckte die Achseln. »Mein Lieber, als ob mir daran etwas läge! Gehen wir doch nach oben in den Salon. Kein Sherry, vielen Dank, Mr. Chapman. Etwas ist mit Ihnen passiert, Dorian. Sagen Sie es mir. Sie sind heute abend ganz anders.«

»Kümmern Sie sich nicht um mich, Harry. Ich bin gereizt und schlecht aufgelegt. Ich komme morgen oder übermorgen bei Ihnen vorbei. Entschuldigen Sie mich bei Lady Narborough. Ich gehe nicht nach oben. Ich gehe nach Hause. Ich muß nach Hause.«

»Schon gut, Dorian. Ich rechne damit, Sie morgen zum Tee zu sehen. Die Herzogin kommt auch.«

»Ich werde versuchen zu kommen, Harry«, sagte er und verließ das Zimmer. Auf der Fahrt nach Hause spürte er, daß das Gefühl des Entsetzens, das er erdrosselt zu haben glaubte, zurückgekehrt war. Bei Lord Henrys beiläufigen Fragen hatte er im Augenblick die Nerven verloren, aber er brauchte seine Nerven noch. Alle gefährlichen Dinge mußten vernichtet werden. Er zuckte zusammen. Die

Vorstellung, sie auch nur anfassen zu müssen, widerstrebte ihm.

Dennoch mußte es geschehen. Das machte er sich klar, und als er die Tür seiner Bibliothek abgeschlossen hatte, öffnete er den Geheimschrank, in den er Basil Hallwards Mantel und Tasche geworfen hatte. Im Kamin loderte ein mächtiges Feuer. Er legte noch ein Scheit nach. Der Gestank der sengenden Kleider und des brennenden Leders war fürchterlich. Er brauchte drei Viertelstunden, um alles zu verbrennen. Hinterher fühlte er sich schwach und krank, und nachdem er in einer durchbrochenen Kupferpfanne ein paar algerische Räucherkerzchen angezündet hatte, wusch er sich die Hände und das Gesicht mit kühlem, nach Moschus duftendem Essig.

Plötzlich fuhr er auf. In seine Augen trat ein seltsamer Glanz, und er nagte nervös an seiner Unterlippe. Zwischen zwei Fenstern stand ein großer florentinischer Schrank aus Ebenholz, mit Elfenbein und blauem Lapislazuli eingelegt. Er betrachtete ihn wie einen Gegenstand, von dem Zauberkraft und Angst zugleich ausgingen, als ob er etwas in sich berge, was er ersehnte und doch fast verabscheute. Er atmete schneller. Ein wahnsinniges Verlangen kam über ihn. Er zündete sich eine Zigarette an und warf sie wieder fort. Seine Lider senkten sich, bis die langen Wimpernfransen beinahe seine Wangen berührten. Aber noch immer behielt er den Schrank im Auge. Schließlich erhob er sich von dem Sofa, auf dem er gelegen hatte, ging zu ihm hinüber, schloß ihn auf und berührte eine verborgene Feder. Eine dreieckige Schublade glitt langsam hervor. Seine Finger bewegten sich instinktiv auf sie zu, fuhren hinein und schlossen sich um etwas. Es war eine kleine chinesische Dose mit schwarzem, goldgestäubtem Lacküberzug, kunstvoll gearbeitet, die Seitenflächen wellenförmig gemustert und die seidenen Schnüre mit runden Kristallen und Quasten aus geflochtenen Metallfäden verziert. Er öffnete sie. In ihr befand sich eine grüne Masse mit wachsgleichem Schimmer und seltsam schwerem und durchdringendem Duft.

Er zögerte einige Augenblicke, ein sonderbar unbewegliches Lächeln im Gesicht. Dann erschauerte er, obwohl die Luft im Zimmer schrecklich heiß war, straffte sich und blickte auf die Uhr. Es war zwanzig vor zwölf. Er stellte die Dose wieder in den Schrank, verschloß die Türen und begab sich in das Schlafzimmer.

Als die Mitternacht der dunklen Luft bronzene Schläge versetzte, schlich Dorian Gray, gewöhnlich gekleidet, einen Schal um den Hals geschlungen, leise aus dem Haus. In der Bond Street fand er einen Hansom mit einem guten Pferd. Er hielt ihn an und flüsterte dem Kutscher eine Adresse zu.

Der Mann schüttelte den Kopf. »Das ist zu weit für mich«, brummte er.

»Da haben Sie einen Sovereign«, sagte Dorian. »Sie bekommen noch einen, wenn Sie schnell fahren.«

»Schon gut, Sir«, antwortete der Mann, »in einer Stunde sind Sie da«, und nachdem er das Fahrgeld eingesteckt hatte, wendete er das Pferd und fuhr rasch in Richtung Fluß davon.

16. KAPITEL

Ein kalter Regen setzte ein, und die verwischten Straßenlaternen wirkten gespenstisch im triefenden Nebel. Die Wirtshäuser schlossen gerade, und undeutlich zu erkennende Männer- und Frauengestalten sammelten sich in verstreuten Gruppen um die Türen. Aus einigen Bars drang der Lärm schrecklichen Gelächters. In anderen krakeelten und grölten Betrunkene.

Im Hansom zurückgelehnt, den Hut über die Stirn gezogen, beobachtete Dorian Gray mit teilnahmslosen Augen die schmutzige Schmach der großen Stadt, und einige Male wiederholte er für sich die Worte, die Lord Henry am Tag ihrer ersten Begegnung zu ihm gesagt hatte: »Die Seele durch die Sinne und die Sinne durch die Seele heilen.« Ja, das war das Geheimnis. Er hatte es oft ausprobiert und würde es jetzt aufs neue ausprobieren. Es gab Opiumhöhlen, wo man Vergessen kaufen konnte, Höhlen des Grauens, wo die Erinnerung an alte Sünden durch den Wahnsinn von Sünden, die neu waren, ausgelöscht werden konnte.

Der Mond hing tief am Himmel wie ein gelber Schädel. Hin und wieder streckte eine riesige, ungestalte Wolke einen langen Arm aus und bedeckte ihn. Die Gaslaternen wurden spärlicher und die Straßen enger und finsterer. Einmal kam der Kutscher vom Weg ab und mußte eine halbe Meile zurückfahren. Dampf stieg von dem Pferd auf, als es das Wasser der Pfützen aufspritzen ließ. Die Seitenfenster des Hansoms waren bedeckt mit flanellgrauem Nebel.

»Die Seele durch die Sinne und die Sinne durch die Seele heilen!« Wie ihm die Worte in den Ohren klangen! Seine Seele war tatsächlich todkrank. War es richtig, daß die Sinne sie zu heilen vermochten? Unschuldiges Blut war vergossen worden. Wie konnte das gesühnt werden? Ach! dafür gab es keine Sühne; doch wenn auch Vergebung unmöglich war,

Vergessen war immer noch möglich, und er war entschlossen, zu vergessen, das Ganze auszurotten, es zu zermalmen, wie man die Natter zermalmt, die einen gebissen hat. Welches Recht hatte Basil schließlich gehabt, so mit ihm zu sprechen, wie er es getan hatte? Er hatte Dinge gesagt, die furchtbar, entsetzlich und nicht zu ertragen waren.

Immer weiter rumpelte der Hansom, doch bei jedem Schritt, so schien es ihm, wurde er langsamer. Er stieß die Klappe auf und rief dem Kutscher zu, er solle schneller fahren. Der gräßliche Hunger nach Opium begann an ihm zu nagen. Seine Kehle brannte, und seine anmutigen Hände verkrampften sich nervös. Er schlug mit seinem Stock wie besessen auf das Pferd ein. Der Kutscher lachte und half mit der Peitsche nach. Dorian lachte zurück, und der Mann schwieg.

Der Weg wollte kein Ende nehmen, und die Straßen glichen dem schwarzen Gewebe einer krabbelnden Spinne. Die Monotonie wurde unerträglich, und als sich der Nebel verdichtete, bekam Dorian es mit der Angst zu tun.

Dann kamen sie an einsamen Ziegeleien vorbei. Der Dunst war hier lichter, und er konnte die seltsamen flaschenförmigen Brennöfen mit ihren orangefarbenen fächerartigen Feuerzungen erkennen. Ein Hund bellte, als sie vorüberfuhren, und fern in der Dunkelheit kreischte eine umherschweifende Möwe. Das Pferd stolperte in einer Wagenspur, brach zur Seite aus und fiel in Galopp.

Nach einiger Zeit ließen sie den Lehmweg hinter sich und ratterten wieder über grobgepflasterte Straßen. Die meisten Fenster waren dunkel, aber ab und zu zeichneten sich phantastische Schatten auf beleuchteten Vorhängen ab. Er betrachtete sie neugierig. Sie bewegten sich gleich monströsen Marionetten und gestikulierten wie lebendige Wesen. Er haßte sie. Eine dumpfe Wut war in seinem Herzen. Als sie um eine Ecke bogen, schrie ihnen eine Frau aus einer offenen Tür etwas nach, und zwei Männer rannten fast hundert Schritt hinter dem Hansom her. Der Kutscher hieb mit seiner Peitsche auf sie ein.

Es heißt, daß die Leidenschaft einen im Kreis denken läßt. Mit abscheulicher Beharrlichkeit formten Dorian Grays zerbissene Lippen immer wieder jene verführerischen Worte, die von der Seele und den Sinnen handelten, bis er in ihnen gleichsam den zutreffenden Ausdruck seiner Stimmung gefunden und durch intellektuelle Zustimmung Leidenschaften gerechtfertigt hatte, die auch ohne solche Rechtfertigung sein Gemüt beherrscht hätten. Durch die Zellen seines Gehirns kroch der eine Gedanke; und die wilde Lebensgier, die schlimmste aller menschlichen Begierden, spannte jeden zitternden Nerv und jede zitternde Faser. Die Häßlichkeit, die ihm einst zuwider war, weil sie den Dingen Wirklichkeit verlieh, wurde ihm jetzt aus ebendemselbem Grunde lieb. Die Häßlichkeit war die einzige Wirklichkeit. Das rohe Geschrei, die ekelhafte Höhle, die krasse Gewalt ungezügelten Lebens, sogar die Gemeinheit der Diebe und Ausgestoßenen waren in der unmittelbaren Intensität des Eindrucks lebendiger als alle die anmutigen Gestalten der Kunst, die träumerischen Schatten der Dichtung. Sie brauchte er, um vergessen zu können. In drei Tagen würde er frei sein.

Plötzlich hielt der Kutscher am Eingang einer dunklen Gasse mit einem Ruck an. Über die niedrigen Dächer und gezackten Schornsteine der Häuser stiegen die schwarzen Masten von Schiffen empor. Girlanden aus weißem Nebel hingen wie gespenstische Segel an den Rahen.

»Hier muß es irgendwo sein, Sir, oder?« fragte er mit rauher Stimme durch die Klappe.

Dorian fuhr zusammen und blickte sich um. »Ja, das genügt«, antwortete er, und nachdem er hastig ausgestiegen war und dem Kutscher das versprochene zusätzliche Fahrgeld gegeben hatte, schritt er rasch auf den Kai zu. Hier und da schimmerte eine Laterne am Heck eines riesigen Handelsschiffes. Das Licht zitterte und glitzerte in den Pfützen. Ein roter Schein kam von einem auslaufbereiten Dampfer, der Kohle einnahm. Das schmierige Pflaster sah aus wie ein nasser Regenmantel.

Er eilte nach links hinüber, wobei er sich ab und zu umschaute, um zu sehen, ob ihm jemand folge. Nach etwa sieben oder acht Minuten gelangte er zu einem kleinen schäbigen Haus, das zwischen zwei öden Fabrikgebäuden eingekeilt war. In einem der oberen Fenster stand eine Lampe. Er blieb stehen und gab ein bestimmtes Klopfzeichen.

Nach einer kleinen Weile hörte er auf dem Gang Schritte, und die Kette wurde ausgehakt. Die Tür ging leise auf, und er trat ein, ohne ein Wort zu der untersetzten Mißgestalt zu sagen, die sich bei seinem Eintritt in den Schatten drückte. Am Ende der Diele hing ein zerfetzter grüner Vorhang, der in den Windstößen, die ihm von der Straße gefolgt waren, hin und her schwang. Er zog ihn zur Seite und betrat einen langen, niedrigen Raum, der aussah, als sei er einmal ein drittklassiger Ballsaal gewesen. Grell flackernde Gaslampen, die sich trüb und verzerrt in den fliegenbeschmutzten Spiegeln gegenüber abbildeten, hingen ringsum an den Wänden. Die verschmierten Reflektoren aus geriffeltem Zinn, die hinter ihnen angebracht waren, warfen zitternde Lichtscheiben. Der Boden war mit ockerfarbenem Sägemehl bedeckt, das an einzelnen Stellen zu Matsch getreten und mit dunklen Flecken von verschüttetem Schnaps gezeichnet war. Vor einem kleinen Holzkohlenofen hockten ein paar Malaien, die mit Knochenscheibchen spielten und beim Schwatzen ihre weißen Zähne zeigten. In einer Ecke rekelte sich ein Matrose über einen Tisch, den Kopf zwischen den Armen vergraben, und an der geschmacklos bemalten Theke, die sich über die ganze Seite des Raumes erstreckte, standen zwei hagere Weiber und machten sich über einen alten Mann lustig, der sich mit angeekelter Miene seinen Rockärmel abbürstete. »Er meint, er wär von roten Ameisen überfallen worden«, lachte die eine, als Dorian vorüberging. Der Mann sah sie entsetzt an und begann zu wimmern.

Am anderen Ende des Raums befand sich eine kleine Treppe, die zu einem verdunkelten Zimmer führte. Als Dorian ihre drei wackligen Stufen hinaufeilte, schlug ihm der schwere Duft des Opiums entgegen. Er holte tief Atem, und seine Nasenflügel bebten vor Wonne. Als er eintrat, blickte ein junger Mann mit glattem gelbem Haar, der sich, über eine Lampe gebeugt, eine lange dünne Pfeife anzündete, zu ihm auf und nickte ihm zögernd zu.

»Sie hier, Adrian?« murmelte Dorian.

»Wo sollte ich denn sonst sein?« entgegnete er teilnahmslos. »Von den Kerlen will ja keiner mehr mit mir sprechen.«

»Ich dachte, Sie hätten England verlassen.«

»Darlington will nichts gegen mich unternehmen. Mein Bruder hat den Wechsel schließlich doch bezahlt. George spricht auch nicht mehr mit mir ... Das ist mir gleich«, setzte er mit einem Seufzer hinzu. »Solange man diesen Stoff hat, braucht man keine Freunde. Ich glaube, ich habe zu viele Freunde gehabt.«

Dorian zuckte zusammen und betrachtete ringsum die grotesken Gestalten, die in so phantastischen Stellungen auf den zerlumpten Matratzen lagen. Die verdrehten Glieder, die aufgesperrten Münder, die starrenden, glanzlosen Augen faszinierten ihn. Er wußte, in welch seltsamen Paradiesen sie litten und welche dumpfen Höllen sie das Geheimnis einer neuen Lust lehrten. Ihnen erging es besser als ihm. Er war ein Gefangener des Denkens. Die Erinnerung verzehrte wie eine furchtbare Krankheit seine Seele. Manchmal meinte er die Augen von Basil Hallward auf sich gerichtet zu sehen. Dennoch spürte er, daß er nicht bleiben konnte. Die Anwesenheit von Adrian Singleton störte ihn. Er wollte irgendwo sein, wo niemand wußte, wer er war. Er wollte sich selber entfliehen.

»Ich gehe in das andere Lokal«, sagte er nach einer Pause.

»Auf der Werft?«

»Ja.«

»Die tolle Katze ist bestimmt da. Hier will man sie nicht mehr haben.«

Dorian zuckte die Achseln. »Ich habe genug von Weibern, die einen lieben. Weiber, die einen hassen, sind viel interessanter. Außerdem ist der Stoff dort besser.«

»So ziemlich dasselbe.«

»Ich mag ihn lieber. Kommen Sie, trinken wir was. Ich muß etwas haben.«

»Ich brauche nichts«, murmelte der junge Mann.

»Macht nichts.«

Adrian Singleton erhob sich träge und folgte Dorian zur Theke. Ein Inder mit europäischem Einschlag, angetan mit zerrissenem Turban und schäbigem Ulstermantel, grinste widerlich zur Begrüßung, während er eine Flasche Brandy und zwei Gläser vor sie hinstellte. Die Frauen drängten sich heran und begannen zu schwatzen. Dorian kehrte ihnen den Rücken zu und sagte mit leiser Stimme etwas zu Adrian Singleton.

Ein schiefes Lächeln zog sich wie ein Malaienkris über das Gesicht der einen Frau. »Heute abend sind wir aber sehr stolz«, höhnte sie.

»Um Gottes willen, sprechen Sie mich nicht an«, rief Dorian und stampfte mit dem Fuß auf den Boden. »Was wollen Sie? Geld? Da haben Sie's. Sprechen Sie mich nie wieder an.«

Zwei rote Funken blitzten in den verquollenen Augen der Frau auf, dann verflackerten sie und ließen den Blick stumpf und glasig erscheinen. Sie warf den Kopf zurück und raffte die Münzen mit gierigen Fingern von der Theke. Ihre Begleiterin beobachtete sie neidisch.

»Es hat keinen Zweck«, seufzte Adrian Singleton. »Ich will nicht mehr zurück. Wozu auch? Ich bin hier ganz glücklich.«

»Sie werden mir schreiben, wenn Sie irgend etwas brauchen, nicht wahr?« sagte Dorian nach einer Weile.

»Vielleicht.«

»Dann gute Nacht.«

»Gute Nacht«, erwiderte der junge Mann, der die Treppe hinaufstieg und sich den ausgedörrten Mund mit einem Taschentuch abwischte.

Dorian ging zur Tür, einen schmerzlichen Zug im Gesicht. Als er den Vorhang beiseite zog, kam ein abscheuliches Lachen von den angemalten Lippen der Frau, die sein Geld genommen hatte. »Da geht der Teufelsbraten!« gluckste sie mit heiserer Stimme.

»Verflucht!« versetzte er, »nennen Sie mich nicht so.«

Sie schnippte mit den Fingern. »Märchenprinz möchten Sie wohl lieber genannt werden, wie?« brüllte sie ihm nach.

Bei ihren Worten sprang der schlaftrunkene Seemann auf und blickte wild um sich. Das Geräusch der ins Schloß fallenden Tür drang an sein Ohr. Er stürzte hinaus, als wollte er jemand verfolgen.

Dorian Gray eilte durch den Nieselregen über den Kai. Die Begegnung mit Adrian Singleton hatte ihn seltsam berührt, und er fragte sich, ob ihm die Zerstörung dieses jungen Lebens wirklich zur Last gelegt werden konnte, wie es Basil Hallward mit so beleidigender Infamie behauptet hatte. Er biß sich auf die Lippen, und einige Sekunden lang wurden seine Augen traurig. Doch was ging das schließlich ihn an? Das Dasein war zu kurz, als daß man die Last der Irrtümer eines anderen auf seine Schultern nehmen könnte. Jeder lebte sein eigenes Leben und mußte seinen eigenen Preis dafür zahlen. Das Unangenehme war nur, daß man so oft für einen Fehler zahlen mußte. Ja, man mußte zahlen und immer wieder zahlen. In seinem Handel mit dem Menschen schloß das Schicksal nie das Konto ab.

Es gibt Augenblicke, wie die Psychologen sagen, in denen die Leidenschaft für die Sünde oder für das, was die Welt Sünde nennt, einen Menschen so beherrscht, daß jede Faser des Körpers und jede Zelle des Gehirns von schrecklichen Trieben erfüllt zu sein scheint. In solchen Augenblicken verlieren Männer und Frauen die Freiheit ihres Willens. Sie bewegen sich gleich Automaten auf ihr entsetzliches Ende zu. Die Wahl ist ihnen genommen, und das Gewissen wird entweder getötet, oder es lebt, wenn überhaupt, nur noch, um der Empörung ihre Faszination und dem Ungehorsam seinen Reiz zu verleihen. Denn alle Sünden sind, wie die Theologen uns zu mahnen nicht müde werden, Sünden des Ungehorsams. Als jener hohe Geist, jener Morgenstern des Bösen, aus dem Himmel stürzte, da stürzte er als Rebell.

Unempfindlich, ausgerichtet auf das Böse, mit beflecktem Geist und einer Seele, die nach Empörung hungerte, hastete Dorian weiter, wobei er seine Schritte noch beschleunigte, aber als er seitwärts in einen düsteren Torweg raste, der ihm so oft als Abkürzung zu dem verrufenen Lokal, das er aufsuchen wollte, gedient hatte, fühlte er sich plötzlich von hinten gepackt, und ehe er noch Zeit hatte, sich zu verteidigen, wurde er gegen die Mauer geschleudert, und eine brutale Hand umklammerte seinen Hals.

Er rang wie ein Wahnsinniger um sein Leben und befreite sich mit einer furchtbaren Anstrengung von den würgenden Fingern. In der nächsten Sekunde hörte er das Klicken eines Revolvers, und er sah den Schimmer eines glatten Laufs, der genau auf seinen Kopf zielte, und die dunkle Gestalt eines kleinen, untersetzten Mannes, der vor ihm stand.

»Was wollen Sie?« keuchte er.

»Bleiben Sie ruhig«, sagte der Mann. »Wenn Sie sich rühren, erschieße ich sie.«

»Sie sind verrückt. Was habe ich Ihnen getan?«

»Sie haben das Leben von Sibyl Vane zugrunde gerichtet«, war die Antwort, »und Sibyl Vane war meine Schwester. Sie hat sich umgebracht. Ich weiß es. Sie sind schuld an ihrem Tod. Ich habe geschworen, Sie dafür zu töten. Jahrelang habe ich nach Ihnen gesucht. Ich hatte keinen Anhaltspunkt, keine Spur. Die beiden Menschen, die Sie hätten beschreiben können, waren tot. Ich wußte nichts von Ihnen als den Kosenamen, den sie Ihnen gab. Heute nacht habe ich ihn zufällig gehört. Machen Sie Ihren Frieden mit Gott, denn heute nacht noch sollen Sie sterben.«

Dorian Gray wurde es übel vor Angst. »Ich habe sie überhaupt nicht gekannt«, stammelte er. »Ich habe nie von ihr gehört. Sie sind verrückt.«

»Sie täten besser daran, Ihre Sünde zu gestehen, denn so wahr ich James Vane bin, sollen Sie sterben.« Es war ein entsetzlicher Augenblick. Dorian wußte nicht, was er sagen oder tun sollte. »Auf die Knie!« knurrte der Mann. »Ich gebe Ihnen eine Minute, Ihren Frieden zu machen – nicht mehr. Ich schiffe mich heute nacht nach Indien ein, und vorher muß ich meine Aufgabe erledigt haben. Eine Minute. Nicht länger.«

Dorians Arme fielen herab. Vom Schrecken gelähmt,

wußte er nicht, was er machen sollte. Plötzlich zuckte eine verwegene Hoffnung in seinem Gehirn auf. »Halt«, rief er. »Wie lange ist es her, daß Ihre Schwester gestorben ist? Schnell, sagen Sie es mir!«

»Achtzehn Jahre«, sagte der Mann. »Warum fragen Sie? Was haben die Jahre damit zu tun?«

»Achtzehn Jahre«, lachte Dorian Gray mit einem triumphierenden Unterton in der Stimme. »Achtzehn Jahre! Bringen Sie mich unter die Laterne, und schauen Sie sich dort mein Gesicht an!«

James Vane zögerte einen Augenblick, da er nicht wußte, was das zu bedeuten hatte. Dann ergriff er Dorian Gray und zerrte ihn aus dem Torweg fort.

So trübe und flackernd das Licht der vom Wind geschüttelten Laterne auch war, es reichte aus, ihm den schrecklichen Irrtum zu zeigen, dem er offenbar erlegen war, denn das Gesicht des Mannes, den er hatte töten wollen, besaß die ganze Blüte des Knabenalters, die ganz unbefleckte Reinheit der Jugend. Er wirkte nur wenig älter als ein Jüngling von zwanzig Jahren, kaum älter, falls überhaupt, als seine Schwester gewesen war, da sie sich vor so vielen Jahren getrennt hatten. Es war augenscheinlich, daß dies nicht der Mann sein konnte, der ihr Leben zerstört hatte.

Er lockerte seinen Griff und taumelte zurück. »Mein Gott! mein Gott!« rief er, »und ich wollte Sie ermorden!«

Dorian Gray holte tief Atem. »Sie waren drauf und dran, ein furchtbares Verbrechen zu begehen, Mann«, sagte er und blickte ihn streng an. »Lassen Sie sich das eine Warnung sein, die Rache nicht in die eigene Hand zu nehmen.«

»Verzeihen Sie mir, Sir«, murmelte James Vane. »Ich habe mich getäuscht. Ein zufälliges Wort, das ich in der verdammten Spelunke gehört habe, hat mich auf die falsche Fährte gesetzt.«

»Sie sollten lieber heimgehen und die Pistole da wegstecken, denn sonst könnten Sie Ärger bekommen«, sagte Dorian, drehte sich auf dem Absatz um und ging langsam die Straße hinunter.

James Vane stand schrecklich bleich auf dem Pflaster. Er zitterte von Kopf bis Fuß. Nach einiger Zeit bewegte sich ein schwarzer Schatten, der an der triefenden Mauer entlanggekrochen war, hinaus in das Licht und trat mit verstohlenen Schritten an ihn heran. Er spürte, wie sich ihm eine Hand auf die Schulter legte, und sah sich aufgeschreckt um. Es war eine von den Frauen, die an der Theke getrunken hatten.

»Warum hast du ihn nicht umgebracht?« zischte sie und schob ihr abgezehrtes Gesicht dicht an das seine heran. »Ich wußte, daß du hinter ihm her warst, als du aus Dalys Kneipe fortgerannt bist. Du Narr! Du hättest ihn umbringen sollen. Er hat einen Haufen Geld, und er ist so schlecht, wie man nur sein kann.«

»Er ist nicht der Mann, den ich suche«, erwiderte er, »und ich will niemandes Geld. Ich will das Leben eines Mannes. Der Mann, dessen Leben ich will, muß jetzt an die Vierzig sein. Der da ist ja fast noch ein Kind. Gott sei Dank habe ich nicht sein Blut an meinen Händen.«

Die Frau lachte bitter auf. »Fast noch ein Kind!« höhnte sie. »Mensch, es ist fast achtzehn Jahre her, daß der Märchenprinz aus mir gemacht hat, was ich jetzt bin.«

»Du lügst!« schrie James Vane.

Sie hob die Hand zum Himmel. »Bei Gott, ich sage die Wahrheit«, rief sie.

»Bei Gott?«

»Ich will tot umfallen, wenn es nicht stimmt. Er ist der schlimmste von allen, die hierherkommen. Es heißt, er hat sich dem Teufel für ein schönes Gesicht verkauft. Es ist fast achtzehn Jahre her, daß ich ihn kennengelernt habe. Er hat sich seitdem nicht viel verändert. Ich freilich schon«, fügte sie mit einem abstoßenden Seitenblick hinzu.

»Kannst du das beschwören?«

»Ich beschwöre es«, kam es als heiseres Echo aus ihrem dünnen Mund. »Aber verrat mich ihm nicht«, winselte sie, »ich habe Angst vor ihm. Gib mir ein bißchen Geld für mein Nachtquartier.«

Mit einem Fluch riß er sich von ihr los und stürzte davon bis zur Straßenecke, aber Dorian Gray war verschwunden. Als er zurückblickte, war die Frau ebenfalls verschwunden.

17. KAPITEL

Eine Woche später saß Dorian Gray im Wintergarten von Royal Selby und unterhielt sich mit der hübschen Herzogin von Monmouth, die mit ihrem Gatten, einem müde wirkenden Sechziger, zu seinen Gästen gehörte. Es war zur Teestunde, und das milde Licht der mächtigen, spitzenverhängten Lampe, die auf dem Tisch stand, beleuchtete das köstliche Porzellan und das gehämmerte Silber des Services, bei dem die Herzogin ihres Amtes waltete. Ihre weißen Hände bewegten sich anmutig zwischen den Tassen, und ihre vollen roten Lippen lächelten über etwas, was ihr Dorian zugeflüstert hatte. Lord Henry lehnte sich in einem seidenbespannten Korbstuhl zurück und beobachtete die beiden. Auf einem pfirsichfarbenen Diwan saß Lady Narborough und tat so, als lausche sie des Herzogs Beschreibung des letzten brasilianischen Käfers, den er seiner Sammlung einverleibt hatte. Drei junge Herren in eleganten Smokings reichten einigen Damen Teegebäck. Die Gesellschaft bestand aus zwölf Personen, und weitere wurden für den folgenden Tag erwartet.

»Worüber sprechen Sie beide?« fragte Lord Henry, während er zum Tisch schlenderte und seine Tasse hinstellte. »Ich hoffe, Dorian hat Ihnen von meinem Plan erzählt, alles umzutaufen, Gladys. Das ist eine reizende Idee.«

»Aber ich möchte nicht umgetauft werden, Harry«, entgegnete die Herzogin und blickte mit ihren wunderschönen Augen zu ihm empor. »Ich bin mit meinem Namen ganz zufrieden, und ich bin sicher, Mr. Gray ist mit dem seinen ebenfalls zufrieden.«

»Meine liebe Gladys, die beiden Namen würde ich um keinen Preis ändern. Sie sind beide vollkommen. Ich dachte dabei vor allem an Blumen. Gestern habe ich eine Orchidee für mein Knopfloch abgeschnitten. Es war ein wundervoll gesprenkeltes Gebilde, so effektvoll wie die sieben Todsünden. In einem unbedachten Moment fragte ich einen Gärtner, wie sie heiße. Er antwortete mir, es sei ein schönes Exemplar der Robinsoniana oder etwas ähnlich Gräßliches. Es ist eine traurige Wahrheit, aber wir haben die Fähigkeit verloren, den Dingen reizvolle Namen zu geben. Namen sind alles. Ich streite nie um Taten. Mein Streit geht immer um Worte. Das ist der Grund, warum ich den vulgären Realismus in der Literatur hasse. Der Mann, der es über sich bringt, einen Spaten Spaten zu nennen*, sollte gezwungen werden, ihn zu benutzen. Das ist das einzige, wofür er sich eignet.«

»Welchen Namen sollen wir demnach Ihnen geben, Harry?« fragte sie.

»Er ist Fürst Paradox«, sagte Dorian.

»Ich erkenne ihn sofort an«, rief die Herzogin aus.

»Davon will ich nichts hören«, lachte Lord Henry und ließ sich auf einen Stuhl fallen. »Einem Etikett kann man nie mehr entrinnen! Ich lehne den Titel ab.«

»Herrscher dürfen nicht abdanken«, erklang es als Warnung von hübschen Lippen.

»Sie wollen also, daß ich meinen Thron verteidige?«

»Ja.«

»Ich verkünde die Wahrheiten von morgen.«

»Mir sind die Irrtümer von heute lieber«, antwortete sie.

»Sie entwaffnen mich, Gladys«, rief er, indem er sich von ihrer mutwilligen Laune anstecken ließ.

»Ich nehme Ihnen den Schild, Harry: nicht Ihren Speer.«

»Ich kämpfe nie gegen die Schönheit«, sagte er mit einer abwinkenden Handbewegung.

»Das ist Ihr Fehler, Harry, glauben Sie mir. Sie bewerten die Schönheit viel zu hoch.«

»Wie können Sie das sagen? Ich gebe zu, daß ich es für besser halte, schön zu sein, als gut. Doch andererseits ist niemand eher als ich bereit zu bekennen, daß es besser ist, gut zu sein als häßlich.«

* Bezieht sich auf die englische Redensart »to call a spade a spade« = etwas beim Namen nennen (Anmerkung des Übersetzers).

»Häßlichkeit ist also eine der sieben Todsünden?« rief die Herzogin. »Was wird dann aus Ihrem Vergleich mit der Orchidee?«

»Häßlichkeit ist eine der sieben Todtugenden, Gladys. Sie als gute Tory dürfen sie nicht unterschätzen. Das Bier, die Bibel und die sieben Todtugenden haben aus unserem England das gemacht, was es ist.«

»Sie lieben also Ihr Land nicht?« fragte sie.

»Ich lebe in ihm.«

»Damit sie es um so besser tadeln können.«

»Möchten Sie, daß ich mich dem Urteil anschließe, das Europa über es gefällt hat?« wollte er wissen.

»Was sagt man denn über uns?«

»Daß Tartüff nach England ausgewandert ist und einen Laden aufgemacht hat.«

»Stammt das von Ihnen, Harry?«

»Ich schenke es Ihnen.«

»Ich hätte keine Verwendung dafür. Es ist zu wahr.«

»Sie brauchen nichts zu befürchten. Unsere Landsleute erfassen eine Charakterisierung nie.«

»Sie sind praktisch eingestellt.«

»Sie sind eher gerissen als praktisch. Wenn sie ihr Konto abschließen, gleichen sie Borniertheit mit Reichtum und Laster mit Heuchelei aus.«

»Und doch haben wir Großes geleistet.«

»Großes ist uns auferlegt worden, Gladys.«

»Wir haben diese Last getragen.«

»Nur bis zur Börse.«

Sie schüttelte den Kopf. »Ich glaube an unsere Rasse«, rief sie.

»Sie repräsentiert das Überleben der Streber.«

»Sie ist entwicklungsfähig.«

»Verfall fasziniert mich mehr.«

»Und wie steht es mit der Kunst?« fragte sie.

»Sie ist eine Krankheit.«

»Die Liebe?«

»Eine Illusion.«

»Die Religion?«

»Der modische Ersatz für den Glauben.«
»Sie sind ein Skeptiker.«
»Niemals! Skeptizismus ist der Anfang des Glaubens.«
»Was sind Sie denn?«
»Definieren heißt einschränken.«
»Geben Sie mir einen Faden in die Hand.«
»Fäden reißen. Sie würden sich im Labyrinth verirren.«
»Sie verwirren mich. Sprechen wir von etwas anderem.«
»Unser Gastgeber ist ein großartiges Gesprächsthema. Vor Jahren wurde er Märchenprinz getauft.«
»Ach! erinnern Sie mich nicht daran«, rief Dorian Gray.
»Unser Gastgeber benimmt sich heute abend ziemlich scheußlich«, entgegnete die Herzogin errötend. »Er glaubt wohl, Monmouth habe mich aus rein wissenschaftlichen Erwägungen geheiratet, als das beste Exemplar eines modernen Schmetterlings, das er auftreiben konnte.«
»Nun, ich hoffe, er wird Sie nicht mit Nadeln aufspießen, Herzogin«, lachte Dorian.
»Oh! das tut meine Zofe bereits, Mr. Gray, wenn Sie sich über mich ärgert.«
»Und warum ärgert sie sich über Sie, Herzogin?«
»Wegen der geringsten Kleinigkeit, Mr. Gray, das versichere ich Ihnen. Gewöhnlich dann, wenn ich um zehn vor neun heimkomme und ihr sage, daß ich um halb neun angekleidet sein muß.«
»Wie unvernünftig von ihr! Sie sollten ihr kündigen.«
»Das wage ich nicht, Mr. Gray. Sie entwirft nämlich meine Hüte. Erinnern Sie sich noch an den einen, den ich auf Lady Hilstones Gartenfest getragen habe? Sie erinnern sich nicht, aber es ist nett von Ihnen, daß Sie wenigstens so tun. Nun, sie hat ihn aus nichts hergezaubert. Alle guten Hüte werden aus nichts gezaubert.«
»Genauso wie ein guter Ruf, Gladys«, unterbrach sie Lord Henry. »Jeder Erfolg, den wir haben, trägt uns einen Feind ein. Um beliebt zu sein, muß man mittelmäßig sein.«
»Nicht bei den Frauen«, sagte die Herzogin kopfschüttelnd; »und die Frauen regieren die Welt. Ich versichere Ih-

nen, daß wir mittelmäßige Menschen nicht ertragen können. Wir Frauen, so hat jemand gesagt, lieben mit den Ohren, so wie ihr Männer mit den Augen liebt, falls ihr überhaupt jemals liebt.«

»Mir scheint, daß wir nie etwas anderes tun«, murmelte Dorian.

»Ach! dann lieben Sie nie richtig, Mr. Gray«, versetzte die Herzogin mit gespielter Traurigkeit.

»Meine liebe Gladys!« rief Lord Henry. »Wie können Sie so etwas sagen? Die Romantik lebt von der Wiederholung, und Wiederholung verwandelt ein Begehren in Kunst. Im übrigen ist es jedesmal, wenn man liebt, das einzige Mal, daß man je geliebt hat. Die Unterschiedlichkeit des Objekts ändert nichts an der Einzigartigkeit der Leidenschaft. Sie steigert sie nur. Wir können im Leben bestenfalls nur ein großes Erlebnis haben, und das Geheimnis des Lebens besteht darin, dieses Erlebnis so oft wie möglich zu reproduzieren.«

»Auch wenn es einen verwundet hat, Harry?« fragte die Herzogin nach einer Pause.

»Besonders dann, wenn es einen verwundet hat«, erwiderte Lord Henry.

Die Herzogin wandte sich Dorian Gray zu und betrachtete ihn mit einem seltsamen Blick. »Was sagen Sie dazu, Mr. Gray?« fragte sie.

Dorian zögerte ein wenig. Dann warf er den Kopf zurück und lachte. »Ich stimme stets mit Harry überein, Herzogin.«

»Selbst wenn er im Unrecht ist?«

»Harry ist nie im Unrecht, Herzogin.«

»Und macht seine Philosophie Sie glücklich?«

»Ich habe nie das Glück gesucht. Wer braucht schon Glück? Ich habe den Genuß gesucht.«

»Und ihn gefunden, Mr. Gray?«

»Oft. Zu oft.«

Die Herzogin seufzte. »Ich suche den Frieden«, sagte sie, »und wenn ich mich jetzt nicht umziehe, werde ich heute abend keinen finden.«

»Lassen Sie mich Ihnen ein paar Orchideen holen, Herzogin«, rief Dorian, wobei er aufsprang und durch den Wintergarten davonging.

»Sie flirten ganz schamlos mit ihm«, sagte Lord Henry zu seiner Kusine. »Sie sollten sich vorsehen. Er ist sehr faszinierend.«

»Wenn er es nicht wäre, gäbe es keinen Kampf.«

»Grieche trifft Griechin, wie?«

»Ich bin auf der Seite der Trojaner. Sie kämpften für eine Frau.«

»Sie wurden besiegt.«

»Es gibt Schlimmeres als Gefangenschaft«, antwortete sie.

»Sie galoppieren mit lockerem Zügel.«

»Tempo bringt Leben«, war die Riposte.

»Das trage ich heute nacht in mein Tagebuch ein.«

»Was?«

»Daß ein gebranntes Kind das Feuer liebt.«

»Ich habe mich nicht einmal versengt. Meine Flügel sind unversehrt.«

»Sie benutzen sie zu allem, nur nicht zur Flucht.«

»Der Mut ist von den Männern auf die Frauen übergegangen. Das ist für uns eine neue Erfahrung.«

»Sie haben eine Rivalin.«

»Wen?«

Er lachte. »Lady Narborough«, flüsterte er. »Sie betet ihn einfach an.«

»Sie machen mir angst. Die Hinwendung zum Altertum ist verhängnisvoll für uns, die wir Romantiker sind.«

»Romantiker! Sie bedienen sich aller Methoden der Wissenschaft.«

»Die Männer haben uns erzogen.«

»Aber nicht erklärt.«

»Umschreiben Sie uns als Geschlecht«, lautete ihre Herausforderung.

»Sphinxe ohne Geheimnisse.«

Sie blickte ihn an und lächelte. »Wie lange Mr. Gray ausbleibt!« sagte sie. »Gehen wir und helfen wir ihm. Ich habe ihm noch nicht gesagt, welche Farbe mein Kleid hat.«

»Ah! Sie müssen Ihr Kleid auf seine Blumen abstimmen, Gladys.«

»Das wäre eine vorzeitige Kapitulation.«

»Die romantische Kunst beginnt mit ihrem Höhepunkt.«

»Ich muß mir eine Rückzugsmöglichkeit offenhalten.«

»Nach Manier der Parther?«

»Sie fanden Sicherheit in der Wüste. Das wäre nichts für mich.«

»Den Frauen steht nicht immer die Wahl frei«, versetzte er, aber er hatte den Satz kaum beendet, als vom anderen Ende des Wintergartens ein unterdrücktes Stöhnen kam, gefolgt vom dumpfen Geräusch eines schweren Sturzes. Alle schraken auf. Die Herzogin stand starr vor Schrecken da. Und mit angsterfüllten Augen stürzte Lord Henry durch die wehenden Palmen und fand Dorian Gray in einer todesähnlichen Ohnmacht mit dem Gesicht nach unten auf dem gefliesten Boden liegen.

Er wurde sofort in den blauen Salon getragen und auf ein Sofa gelegt. Nach kurzer Zeit kam er wieder zu sich und sah sich mit benommener Miene um.

»Was ist geschehen?« fragte er. »Oh! ich erinnere mich. Bin ich hier sicher, Harry?« Er begann zu zittern.

»Mein lieber Dorian«, antwortete Lord Henry, »Sie sind bloß ohnmächtig geworden. Weiter nichts. Sie müssen sich überanstrengt haben. Sie sollten lieber nicht zum Essen hinuntergehen. Ich werde Sie vertreten.«

»Nein, ich will hinuntergehen«, sagte er und versuchte auf die Beine zu kommen. »Ich möchte lieber hinuntergehen. Ich darf nicht allein bleiben.«

Er ging in sein Zimmer und kleidete sich um. Eine wilde, ruhlose Fröhlichkeit war in seinem Benehmen, als er bei Tisch saß, aber von Zeit zu Zeit durchrann ihn ein Angstschauer, wenn er sich erinnerte, daß er, wie ein weißes Taschentuch an das Fenster des Wintergartens gepreßt, das Gesicht von James Vane gesehen hatte, das ihn beobachtete.

18. KAPITEL

Am darauffolgenden Tag ging er nicht aus dem Haus und verbrachte sogar die meiste Zeit in seinem Zimmer, krank vor wilder Todesangst und dennoch dem Leben selbst gegenüber gleichgültig. Das Bewußtsein, gejagt, umstellt, aufgespürt zu sein, begann ihn zu beherrschen. Wenn nur der Wandbehang im Wind erzitterte, schrak er zusammen. Die toten Blätter, die gegen die bleigefaßten Scheiben geweht wurden, erschienen ihm wie seine unausgeführten Entschlüsse und heftigen Gewissensbisse. Sobald er die Augen schloß, sah er wieder das Gesicht des Matrosen durch die nebelbeschlagene Scheibe spähen, und aufs neue schien das Grauen die Hand auf sein Herz zu legen.

Aber vielleicht hatte nur seine Einbildung die Rache aus der Nacht heraufbeschworen und die gräßlichen Gestalten der Strafe vor ihn hingestellt. Das wirkliche Leben war ein Chaos, doch die Phantasie hatte etwas entsetzlich Logisches an sich. Es war die Phantasie, welche die Reue hinter der Sünde her hetzen ließ. Es war die Phantasie, die bewirkte, daß jedes Verbrechen seine mißgestalte Brut zeugte. In der alltäglichen Welt der Tatsachen wurden weder die Bösen bestraft noch die Guten belohnt. Der Erfolg fiel den Starken zu, das Versagen wurde den Schwachen aufgebürdet. Das war alles. Im übrigen, wenn irgendein Fremder um das Haus geschlichen wäre, dann hätten die Diener oder Aufseher ihn bemerkt. Hätten sich irgendwelche Fußabdrücke in den Blumenbeeten gefunden, dann hätten es die Gärtner gemeldet. Ja: es war nur Einbildung gewesen. Sibyl Vanes Bruder war nicht zurückgekommen, um ihn zu töten. Er war mit seinem Schiff fortgesegelt und in der winterlichen See ertrunken. Vor ihm war er jedenfalls sicher. Der Mann wußte nicht, wer er war, konnte nicht wissen, wer er war. Die Maske der Jugend hatte ihn gerettet.

Und doch, wenn es nur eine Täuschung gewesen war, wie furchtbar mußte dann der Gedanke sein, daß das Gewissen solche grauenvolle Phantome erzeugen und ihnen sichtbare Gestalt verleihen und sie vor seinen Augen in Bewegung setzen konnte! Was für ein Leben würde ihm beschieden sein, wenn bei Tag und bei Nacht die Schatten seines Verbrechens ihn aus stillen Winkeln belauerten, ihn von geheimen Verstecken aus verspotteten, ihm ins Ohr wisperten, wenn er beim Festmahl saß, ihn mit eisigen Fingern aufweckten, wenn er schlief! Als dieser Gedanke ihm durchs Gehirn kroch, erbleichte er vor Entsetzen, und es kam ihm so vor, als sei die Luft plötzlich kälter geworden. Oh! in welch verwegener Stunde des Wahnsinns hatte er seinen Freund getötet! Wie unheimlich die bloße Erinnerung an diese Szene! Er sah alles wieder vor sich. Jede scheußliche Einzelheit stellte sich wieder ein mit gesteigertem Grauen. Aus der schwarzen Höhle der Zeit stieg, furchtbar und in Scharlach gehüllt, das Abbild seiner Sünde empor. Als Lord Henry um sechs Uhr ins Zimmer kam, sah er ihn weinen wie einen, dem das Herz brechen will.

Erst am dritten Tag wagte er auszugehen. In der klaren, von Kiefernduft erfüllten Luft jenes Wintermorgens lag etwas, was ihm seine Heiterkeit und Lebenslust wiederzugeben schien. Aber es waren nicht nur die äußeren Umstände seiner Umgebung, die den Wandel bewirkt hatten. Seine eigene Natur hatte sich gegen das Übermaß der Angst aufgelehnt, das die Vollkommenheit ihrer Ruhe zu entstellen und zu zerstören trachtete. Bei sensiblen und feingearteten Temperamenten ist das immer so. Ihre starken Leidenschaften müssen sich biegen oder brechen. Entweder erschlagen sie den Menschen, oder sie sterben selbst. Seichter Schmerz und seichte Liebe leben weiter. Doch sind die Liebe und der Schmerz groß, dann werden sie vernichtet durch ihre eigene Überfülle. Überdies hatte er sich überzeugt, daß er das Opfer einer angstgequälten Phantasie gewesen war, und blickte nun mehr oder weniger mitleidig und mit nicht geringer Verachtung auf seine Befürchtungen zurück.

Nach dem Frühstück ging er eine Stunde mit der Herzogin im Garten spazieren und fuhr dann durch den Park, um sich der Jagdgesellschaft anzuschließen. Der gekräuselte Rauhreif lag wie Salz auf dem Gras. Der Himmel glich einer umgestülpten Schale aus blauem Metall. Eine dünne Eisschicht säumte den flachen, schilfbewachsenen See. Am Saum des Kiefernwaldes erblickte er Sir Geoffrey Clouston, den Bruder der Herzogin, der gerade zwei leere Patronenhülsen aus seiner Flinte stieß. Er sprang vom Wagen, und nachdem er dem Pferdeknecht befohlen hatte, mit der Stute heimzufahren, ging er durch den welken Adlerfarn und das rauhe Gestrüpp auf seinen Gast zu.

»War die Jagd gut, Geoffrey?« fragte er.

»Nicht besonders gut, Dorian. Ich glaube, die meisten Vögel haben sich aufs freie Feld verzogen. Ich möchte annehmen, daß es nach dem Essen besser wird, wenn wir uns ein neues Revier vornehmen.«

Dorian schlenderte neben ihm dahin. Die scharfe würzige Luft, die braunen und roten Lichter, die im Wald flimmerten, die hin und wieder erschallenden heiseren Rufe der Treiber und der harte Knall der Flinten, der darauf folgte, faszinierten ihn und erfüllten ihn mit einem Gefühl herrlicher Freiheit. Er war beherrscht von der Sorglosigkeit des Glücks, von der erhabenen Gleichgültigkeit der Freude.

Plötzlich fuhr, etwa zwanzig Schritt vor ihnen, aus einem dichten Büschel alten Grases mit aufgestellten schwarzgesäumten Löffeln und vorschnellenden langen Hinterläufen ein Hase auf. Er flüchtete auf ein Erlendickicht zu. Sir Geoffrey legte sein Gewehr an, aber in der anmutigen Bewegung des Tieres war etwas, was Dorian Gray seltsam bezauberte, und er rief sofort: »Nicht schießen, Geoffrey. Lassen Sie ihn leben.«

»Was für ein Unsinn, Dorian!« lachte sein Gefährte, und als der Hase in das Dickicht schoß, drückte er ab. Zwei Schreie ertönten, der Schrei eines weidwunden Hasen, der schrecklich, und der Schrei eines sterbenden Menschen, der schlimmer ist.

»Mein Gott! Ich habe einen Treiber getroffen!« rief Sir Geoffrey aus. »Was ist der Mann doch für ein Esel, daß er sich vor die Flinten stellt! Nicht mehr schießen!« brüllte er, so laut er konnte. »Ein Mann ist verletzt.«

Der Forstmeister kam mit einem Stock in der Hand angerannt.

»Wo, Sir? Wo ist er?« rief er. Gleichzeitig wurde das Schießen auf der ganzen Linie eingestellt.

»Hier«, antwortete Sir Geoffrey verärgert, indem er auf das Dickicht zueilte. »Warum in aller Welt halten Sie Ihre Leute nicht zurück? Verdirbt mir die Jagd für den ganzen Tag.«

Dorian sah ihnen zu, wie sie in das Erlengebüsch eindrangen und dabei die biegsamen, schwingenden Zweige zur Seite schoben. Nach wenigen Augenblicken tauchten sie wieder auf und schleiften einen Körper hinter sich her ins Sonnenlicht. Er wandte sich entsetzt ab. Es schien ihm, als folge ihm das Unglück überall, wohin er auch ging. Er hörte Sir Geoffrey fragen, ob der Mann wirklich tot sei, und die bejahende Antwort des Försters. Der Wald schien ihm plötzlich von Gesichtern belebt zu sein. Da war das Getrampel von Myriaden Füßen und das leise Summen von Stimmen. Ein großer Fasan mit kupferfarbener Brust brach flügelschlagend durch das Astwerk über ihm.

Nach einigen Augenblicken, die ihm in seiner Bestürzung wie endlose Stunden der Qual vorkamen, spürte er, wie sich ihm eine Hand auf die Schulter legte. Er schreckte auf und blickte sich um.

»Dorian«, sagte Lord Henry, »ich erkläre den Leuten am besten, daß die Jagd für heute zu Ende ist. Es sähe nicht gut aus, wenn man weitermachte.«

»Ich wollte, es würde für immer aufhören, Harry«, erwiderte er bitter. »Die ganze Sache ist abscheulich und grausam. Ist der Mann …?«

Er konnte den Satz nicht beenden.

»Leider ja«, entgegnete Lord Henry. »Er hat die ganze Schrotladung in die Brust bekommen. Er muß fast augenblicklich tot gewesen sein. Kommen Sie; gehen wir nach Hause.«

Seite an Seite schritten sie fast fünfzig Meter auf die Allee zu, ohne zu sprechen. Dann sah Dorian Lord Henry an und sagte mit einem tiefen Seufzer: »Das ist ein böses Vorzeichen, Harry, ein sehr böses Vorzeichen.«

»Was?« fragte Lord Henry. »Oh! Sie meinen wohl diesen Unfall. Mein Lieber, daran läßt sich nichts mehr ändern. Der Mann war selber schuld. Warum ist er auch vor die Flinten gelaufen? Im übrigen haben wir nichts damit zu tun. Für Geoffrey ist es freilich ziemlich unangenehm. Es geht nicht an, auf die Treiber loszupfeffern. Die Leute denken dann, man sei ein unvorsichtiger Schütze. Und das ist Geoffrey nicht; er schießt hervorragend. Aber es ist sinnlos, über die Geschichte zu reden.«

Dorian schüttelte den Kopf. »Es ist ein böses Vorzeichen, Harry. Ich habe das Gefühl, daß einigen von uns etwas Schreckliches zustoßen wird. Vielleicht mir selber«, fügte er hinzu und fuhr sich mit einer schmerzlichen Gebärde mit der Hand über die Stirn.

Der Ältere lachte. »Das einzig Schreckliche in der Welt ist der *ennui,* Dorian. Das ist die einzige Sünde, für die es keine Vergebung gibt. Aber wir werden darunter kaum zu leiden haben, es sei denn, diese Kerle schwatzen auch noch beim Essen über die Sache. Ich muß ihnen sagen, daß das Thema tabu ist. Und was die Vorzeichen angeht: so etwas wie Vorzeichen gibt es nicht. Das Schicksal schickt uns keine Herolde. Dazu ist es zu klug oder zu grausam. Außerdem, was könnte Ihnen schon zustoßen, Dorian? Sie haben alles auf der Welt, was sich ein Mensch nur wünschen kann. Es gibt niemanden, der nicht entzückt wäre, mit Ihnen zu tauschen.«

»Es gibt niemanden, mit dem ich nicht gerne tauschen würde, Harry. Lachen Sie nicht so. Ich sage Ihnen die Wahrheit. Der elende Bauer, der soeben gestorben ist, hat es besser als ich. Ich habe keine Angst vor dem Tod. Es ist das Nahen des Todes, was mich ängstigt. Seine ungeheuren Schwingen scheinen ringsum in der bleiernen Luft zu schweben. Mein Gott! sehen Sie nicht, daß ein Mann sich hinter den Bäumen da bewegt, der mich beobachtet, auf mich wartet?«

Lord Henry blickte in die Richtung, die ihm die zitternde behandschuhte Hand wies. »Ja«, sagte er lächelnd, »ich sehe den Gärtner, der auf sie wartet. Vermutlich will er von Ihnen wissen, welche Blumen Sie heute abend auf dem Tisch haben wollen. Wie lächerlich nervös Sie sind, mein Lieber! Sie müssen einmal zu meinem Arzt gehen, wenn wir wieder in London sind.«

Dorian stieß einen Seufzer der Erleichterung aus, als er den Gärtner näher kommen sah. Der Mann tippte an seinen Hut, starrte Lord Henry einen Moment lang unschlüssig an und holte dann einen Brief hervor, den er seinem Herrn überreichte. »Ihre Gnaden befahlen mir, auf Antwort zu warten«, murmelte er.

Dorian steckte den Brief in die Tasche. »Teilen Sie Ihrer Gnaden mit, daß ich komme«, sagte er kühl. Der Mann drehte sich um und ging rasch auf das Haus zu.

»Wie gerne doch die Frauen gefährliche Dinge tun!« lachte Lord Henry. »Das gehört zu den Eigenschaften, die ich bei ihnen am meisten bewundere. Eine Frau flirtet mit jedermann, solange andere Leute zuschauen.«

»Wie gerne Sie doch gefährliche Dinge sagen, Harry! Im vorliegenden Fall sind Sie jedoch ganz im Irrtum. Ich mag die Herzogin sehr gern, aber ich liebe sie nicht.«

»Und die Herzogin liebt Sie sehr, aber sie hat Sie weniger gern, also passen Sie beide ausgezeichnet zueinander.«

»Sie verbreiten Gerüchte, Harry, und Gerüchte haben nie eine solide Grundlage.«

»Die Grundlage eines jeden Gerüchts ist eine unmoralische Gewißheit«, sagte Lord Henry und zündete sich eine Zigarette an.

»Für ein Epigramm würden Sie jeden opfern, Harry.«

»Die Welt geht aus freien Stücken zum Altar«, lautete die Antwort.

»Ich wollte, ich könnte lieben«, rief Dorian Gray mit einem tief pathetischen Ton in der Stimme. »Aber ich habe anscheinend die Leidenschaft verloren und das Begehren vergessen. Ich bin zu sehr auf mich selber konzentriert. Mein eigenes Wesen ist mir zur Last geworden. Ich möchte fliehen, weggehen, vergessen. Es war töricht von mir, überhaupt hierherzukommen. Ich glaube, ich werde Harvey telegraphieren, er solle die Jacht klarmachen lassen. Auf einer Jacht ist man sicher.«

»Sicher wovor, Dorian? Sie haben irgendwelche Schwierigkeiten. Warum sagen Sie mir nicht, was es ist? Sie wissen, ich würde Ihnen helfen.«

»Ich kann es Ihnen nicht sagen, Harry«, erwiderte er traurig. »Und vermutlich bilde ich mir nur etwas ein. Dieser unglückselige Unfall hat mich durcheinandergebracht. Ich habe ein schreckliches Vorgefühl, daß mir etwas Ähnliches zustoßen könnte.«

»Was für ein Unsinn!«

»Ich hoffe, Sie haben recht, aber ich kann das Gefühl nicht loswerden. Ah! da ist die Herzogin, und sie sieht aus wie Artemis in einem Schneiderkostüm. Sie sehen, wir sind zurückgekommen, Herzogin.«

»Ich habe schon alles gehört, Mr. Gray«, antwortete sie. »Der arme Geoffrey ist furchtbar aufgeregt. Und offenbar haben Sie ihn noch gebeten, den Hasen nicht zu schießen. Wie merkwürdig!«

»Ja, es war sehr merkwürdig. Ich weiß nicht, warum ich es gesagt habe. Irgend eine Laune vermutlich. Der kleine Kerl sah so wunderhübsch aus. Aber es tut mir leid, daß man Ihnen die Sache mit dem Mann erzählt hat. Das ist eine unerfreuliche Geschichte!«

»Es ist eine langweilige Geschichte«, fiel Lord Henry ihm ins Wort. »Sie hat nicht den geringsten psychologischen Wert. Wenn Geoffrey es mit Absicht getan hätte, dann wäre er immerhin interessant! Ich würde gerne jemanden kennenlernen, der einen echten Mord begangen hat.«

»Sie sind ein schrecklicher Mensch, Harry!« rief die Herzogin. »Nicht wahr, Mr. Gray? Harry, Mr. Gray fühlt sich wieder nicht wohl. Er wird gleich ohnmächtig.«

Dorian hielt sich mühsam aufrecht und lächelte. »Es ist nichts, Herzogin«, murmelte er; »meine Nerven sind schrecklich angegriffen. Weiter nichts. Ich fürchte, ich bin heute morgen zu weit spazierengegangen. Ich habe gar nicht gehört, was Harry gesagt hat. War es sehr schlimm? Sie müssen es mir ein andermal erzählen. Ich glaube, ich muß mich jetzt hinlegen. Sie entschuldigen mich doch, nicht wahr?«

Sie waren bei der großen Treppe angekommen, die vom Wintergarten zur Terrasse führte. Als sich die Glastür hinter Dorian geschlossen hatte, wandte sich Lord Henry um und betrachtete sie mit seinen schläfrigen Augen. »Lieben Sie ihn sehr?« fragte er. Sie gab eine Weile keine Antwort, sondern stand da und starrte auf die Landschaft. »Das wüßte ich gerne«, sagte sie endlich.

Er schüttelte den Kopf. »Das Wissen wäre verhängnisvoll. Nur die Ungewißheit reizt uns. Ein Nebel läßt die Dinge wunderbar erscheinen.«

»Man kann aber vom Weg abkommen.«

»Alle Wege enden am selben Punkt, meine liebe Gladys.«

»Und der wäre?«

»Enttäuschung.«

»Sie war mein Debüt im Leben«, seufzte sie.

»Sie kam gekrönt zu Ihnen.«

»Ich bin der Erdbeerblätter * müde.«

»Sie stehen Ihnen.«

»Nur in der Öffentlichkeit.«

»Sie würden sie vermissen«, sagte Lord Henry.

»Ich will mich von keinem Blättchen trennen.«

»Monmouth hat Ohren.«

»Das Alter ist schwerhörig.«

»Ist er nie eifersüchtig gewesen?«

»Ich wollte, er wäre es gewesen.«

Er blickte sich um, als ob er etwas suchte. »Was suchen Sie?« erkundigte sie sich.

* Herzogskrone (Anmerkung des Übersetzers).

»Den Knopf Ihres Floretts«, erwiderte er. »Sie haben ihn verloren.«

Sie lachte. »Ich habe noch die Maske.«

»Sie macht Ihre Augen noch schöner«, war seine Antwort.

Sie lachte wieder. Ihre Zähne schimmerten wie weiße Kerne in einer scharlachroten Frucht.

Oben in seinem Zimmer lag Dorian Gray auf einem Sofa, Entsetzen in jeder bebenden Faser seines Körpers. Das Leben war plötzlich für ihn eine so widerwärtige Last geworden, daß er es nicht mehr ertragen konnte. Der grauenhafte Tod des unglücklichen Treibers, im Dickicht erschossen wie ein wildes Tier, war ihm wie eine Vorahnung seines eigenen Todes erschienen. Er wäre beinahe ohnmächtig geworden bei den Worten, die Lord Henry in einer zufälligen Anwandlung zynischer Scherzhaftigkeit gesagt hatte.

Um fünf Uhr läutete er nach seinem Diener und gab ihm Anweisungen, seine Sachen für den Nachtexpreß nach London zu packen und den Brougham um acht Uhr dreißig vorfahren zu lassen. Er war entschlossen, keine Nacht mehr in Royal Selby zu schlafen. Das Haus stand unter einem bösen Vorzeichen. Der Tod wandelte dort im Sonnenschein. Das Gras des Waldes war mit Blut befleckt.

Darauf schrieb er ein paar Zeilen an Lord Henry, in denen er ihm mitteilte, daß er in die Stadt fahre, um seinen Arzt zu konsultieren, und ihn bat, die Gäste in seiner Abwesenheit zu unterhalten. Als er den Brief in den Umschlag steckte, klopfte es, und sein Kammerdiener meldete ihm, daß der Forstmeister ihn zu sprechen wünsche. Er zog die Brauen hoch und biß sich auf die Lippen. »Schicken Sie ihn herein«, murmelte er nach einigen Augenblicken der Unschlüssigkeit.

Als der Mann eintrat, zog Dorian sein Scheckbuch aus einer Schublade hervor und legte es aufgeschlagen vor sich hin.

»Ich nehme an, Sie kommen wegen des unglücklichen Zwischenfalls von heute morgen, Thornton?« fragte er und ergriff eine Feder.

»Ja, Sir«, antwortete der Förster.

»War der arme Kerl verheiratet? Hatte er für irgendwelche Angehörige zu sorgen?« fragte Dorian mit gelangweiltem Gesichtsausdruck. »Wenn ja, möchte ich nicht, daß sie in Not geraten, und will ihnen jede Summe zukommen lassen, die Sie für notwendig halten.«

»Wir wissen nicht, wer er ist, Sir. Deswegen habe ich mir die Freiheit genommen, zu Ihnen zu kommen.«

»Wissen nicht, wer er ist?« sagte Dorian teilnahmslos. »Wie meinen Sie das? Gehörte er nicht zu Ihren Leuten?«

»Nein, Sir. Hab ihn vorher nie gesehen. Scheint ein Matrose zu sein, Sir.«

Die Feder fiel aus Dorian Grays Hand, und er hatte das Gefühl, als habe sein Herz plötzlich zu schlagen aufgehört. »Ein Matrose?« schrie er. »Haben Sie gesagt, ein Matrose?«

»Ja, Sir. Er sieht aus, als ob er so etwas wie ein Matrose gewesen wäre; tätowiert auf beiden Armen und so weiter.«

»Hat man bei ihm irgend etwas gefunden?« sagte Dorian, der sich vorbeugte und den Mann betroffen anblickte. »Irgend etwas, was uns seinen Namen verraten könnte?«

»Etwas Geld, Sir – nicht viel, und einen sechsschüssigen Revolver. Nirgendwo war ein Name drauf. Der Mann sieht anständig aus, Sir, aber ein bißchen roh. So eine Art Matrose, meinen wir.«

Dorian sprang auf die Füße. Eine furchtbare Hoffnung zog an ihm vorüber. Er griff gierig nach ihr. »Wo ist die Leiche?« rief er aus. »Schnell! Ich muß sie sofort sehen.«

»Sie ist in einem leeren Stall auf der Home Farm, Sir. Die Leute haben so was nicht gern im Haus. Sie behaupten, eine Leiche bringt Unglück.«

»Die Home Farm! Gehen Sie sofort hin und warten Sie dort auf mich. Sagen Sie einem der Knechte, er soll mir mein Pferd bringen. Nein. Lassen Sie nur. Ich gehe selber zu den Ställen. Ich will Zeit sparen.«

Noch vor Ablauf einer Viertelstunde galoppierte Dorian Gray die lange Allee hinab, so schnell er nur konnte. Die Bäume schienen wie eine gespenstische Prozession an ihm vorbeizufliegen und ihm wüste Schatten auf den Weg zu werfen. Einmal scheute die Stute vor einem weißen Torpfosten und hätte ihn beinahe abgeworfen. Er zog ihr mit der Peitsche einen Hieb über den Hals. Sie schoß durch die dämmrige Luft wie ein Pfeil. Die Steine flogen unter ihren Hufen.

Endlich erreichte er die Home Farm. Zwei Männer lungerten im Hof herum. Er sprang aus dem Sattel und warf einem der beiden die Zügel zu. In dem entferntesten Stall schimmerte ein Licht. Irgend etwas schien ihm zu sagen, daß dort die Leiche war, und er eilte zur Tür und legte die Hand auf die Klinke.

Dort hielt er einen Augenblick inne, weil er fühlte, daß ihm eine Entdeckung bevorstand, die sein Leben entweder erneuern oder zerstören würde. Dann stieß er die Tür auf und trat ein.

Auf einem Sackhaufen in der hintersten Ecke lag der tote Körper eines Mannes, der mit einem groben Hemd und einer blauen Hose bekleidet war. Ein getupftes Taschentuch war über sein Gesicht gebreitet. Eine derbe Kerze, die in einer Flasche steckte, flackerte daneben.

Dorian Gray schauderte. Er fühlte, daß seine Hand nicht das Taschentuch wegziehen konnte, und rief einen Knecht zu sich.

»Nehmen Sie das Ding da vom Gesicht. Ich möchte es sehen«, sagte er und klammerte sich schutzsuchend an den Türpfosten.

Als der Knecht fertig war, trat Dorian vor. Ein Freudenschrei kam von seinen Lippen. Der Mann, der im Dickicht erschossen worden war, war James Vane.

Er stand einige Minuten lang da und betrachtete den Toten. Als er nach Hause ritt, waren Tränen in seinen Augen, denn er wußte, daß er in Sicherheit war.

19. KAPITEL

»Es hat keinen Sinn, mir zu erzählen, daß Sie ein guter Mensch werden wollen«, rief Lord Henry und tauchte seine weißen Finger in eine mit Rosenwasser gefüllte rote Kupferschale. »Sie sind ganz vollkommen. Bitte ändern Sie sich nicht.«

Dorian Gray schüttelte den Kopf. »Nein, Harry, ich habe in meinem Leben zu viele furchtbare Dinge getan. Ich will keine mehr tun. Gestern habe ich mit meinen guten Taten begonnen.«

»Wo waren Sie gestern?«

»Auf dem Lande, Harry. Ich wohnte ganz allein in einem kleinen Gasthof.«

»Mein lieber Junge«, sagte Lord Henry lächelnd, »auf dem Lande kann jeder ein guter Mensch sein. Dort gibt es keine Versuchungen. Das ist der Grund, weshalb die Leute, die außerhalb der Stadt leben, so ganz und gar unzivilisiert sind. Zivilisation ist keinesfalls leicht zu erlangen. Es gibt nur zwei Wege, die zu ihr führen. Der erste besteht darin, daß man kultiviert, der andere darin, daß man verdorben ist. Die Landbevölkerung hat weder zum einen noch zum anderen Gelegenheit, also kümmert sie dahin.«

»Kultur und Verdorbenheit«, wiederholte Dorian. »Ich habe beides einigermaßen kennengelernt. Es erscheint mir heute schrecklich, daß man beides jemals zusammen antreffen soll. Denn ich habe ein neues Ideal, Harry. Ich will mich ändern. Ich glaube, ich habe mich bereits geändert.«

»Sie haben mir noch nicht erzählt, worin Ihre gute Tat bestand. Oder sagten Sie, Sie hätten mehr als eine vollbracht?« fragte sein Gefährte, während er eine kleine rote Pyramide überreifer Erdbeeren auf seinen Teller schüttete und mit einem muschelförmigen Löffelsieb weißen Zucker auf sie herabschneien ließ.

»Ich kann es Ihnen sagen, Harry. Es ist eine Geschichte, die ich keinem anderen erzählen könnte. Ich habe jemanden geschont. Es klingt eitel, aber Sie verstehen, was ich meine. Sie war sehr schön und ähnelt auf eine wunderbare Weise Sibyl Vane. Das hat mich wohl zuerst zu ihr hingezogen. Sie erinnern sich doch an Sibyl, nicht wahr? Wie lange das her zu sein scheint! Nun ja, Hetty gehört natürlich nicht unserer Schicht an. Sie ist nur ein einfaches Dorfmädchen. Aber ich habe sie wirklich geliebt. Ich bin ganz sicher, daß ich sie geliebt habe. Den ganzen wundervollen Mai hindurch, den wir erlebt haben, bin ich zwei- oder dreimal in der Woche hingefahren, um sie zu sehen. Gestern erwartete sie mich in einem kleinen Obstgarten. Die Apfelblüten rieselten auf ihr Haar nieder, und sie lachte dazu. Wir wollten heute früh im Morgengrauen gemeinsam auf und davon gehen. Plötzlich entschloß ich mich, sie so blumengleich unberührt zu verlassen, wie ich sie gefunden hatte.«

»Ich könnte mir vorstellen, daß Ihnen die Neuartigkeit der Empfindung ein prickelndes Lustgefühl verschafft haben muß, Dorian«, unterbrach ihn Lord Henry. »Aber ich kann die Idylle an Ihrer Stelle zu Ende erzählen. Sie haben ihr gute Ratschläge gegeben und ihr das Herz gebrochen. Das also war der Anfang Ihrer Bekehrung.«

»Harry, Sie sind schrecklich! Sie dürfen nicht so etwas Furchtbares sagen. Hettys Herz ist nicht gebrochen. Natürlich hat sie geweint und so fort. Aber sie hat keine Schande auf sich geladen. Sie kann wie Perdita in ihrem Garten voller Minze und Ringelblumen weiterleben.«

»Und weinen über einen treulosen Florizel«, sagte Lord Henry lachend und lehnte sich in seinem Sessel zurück. »Mein lieber Dorian, Sie haben die absonderlichsten Knabenlaunen. Glauben Sie, das Mädchen wird nun jemals mit einem Mann aus ihren Kreisen wirklich zufrieden sein? Ich nehme an, sie wird eines Tages einen grobschlächtigen Fuhrmann oder einen grinsenden Ackerbauern heiraten. Nun, die Tatsache, daß sie Ihnen begegnet ist und Sie geliebt hat, wird sie lehren, ihren Mann zu verachten, und sie wird unglücklich sein. Von einem moralischen Standpunkt aus kann ich nicht sagen, daß ich viel von Ihrem großen Verzicht halte. Selbst als Anfang ist er ziemlich kläglich. Woher wissen Sie übrigens, daß Hetty nicht in diesem Augenblick in einem sternbeglänzten Mühlteich treibt, von lieblichen Wasserlilien umgeben wie Ophelia?«

»Das halte ich nicht aus, Harry! Sie machen sich über alles lustig, und dann malen Sie die schlimmsten Tragödien aus. Jetzt tut es mir leid, daß ich es Ihnen erzählt habe. Es kümmert mich nicht, was Sie sagen. Ich weiß, daß ich richtig gehandelt habe. Arme Hetty! Als ich heute morgen an dem Bauernhof vorüberritt, erblickte ich ihr weißes Gesicht am Fenster wie einen Jasminzweig. Sprechen wir nicht mehr davon, und versuchen Sie mir nicht einzureden, die erste gute Tat, die ich seit Jahren begangen habe, das erste kleine Opfer meines Lebens, sei in Wirklichkeit so etwas wie eine Sünde. Ich möchte mich bessern. Ich werde mich bessern. Erzählen Sie mir etwas von sich. Was gibt es Neues in der Stadt? Ich bin seit Tagen nicht mehr im Klub gewesen.«

»Die Leute reden noch immer über das Verschwinden des armen Basil.«

»Ich hätte gedacht, sie wären dieser Geschichte mittlerweile überdrüssig geworden«, sagte Dorian, der sich etwas Wein einschenkte und leicht die Stirn runzelte.

»Mein lieber Junge, sie reden erst seit sechs Wochen darüber, und die englische Öffentlichkeit ist der geistigen Anstrengung, in drei Monaten mehr als ein Thema zu verarbeiten, eigentlich nicht gewachsen. In der letzten Zeit hat sie allerdings besonderes Glück gehabt. Sie hatte meinen Scheidungsprozeß und Alan Campbells Selbstmord. Und jetzt kommt noch das mysteriöse Verschwinden eines Künstlers hinzu. Scotland Yard beharrt weiterhin darauf, daß der Mann im grauen Ulster, der am neunten November mit dem Mitternachtszug nach Paris abgereist ist, der arme Basil war, und die französische Polizei erklärt, Basil sei überhaupt nie in Paris eingetroffen. Vermutlich wird man uns in etwa vierzehn Tagen erzählen, er sei in San Franzisko gesehen worden. Es ist eine komische Sache, aber von jedem Menschen, der verschwindet, wird behauptet, er sei in San Franzisko gesehen worden. Das muß eine herrliche Stadt sein, die alle Anziehungskraft des Jenseits besitzt.«

»Was ist nach Ihrer Meinung mit Basil passiert?« fragte Dorian, wobei er seinen Burgunder gegen das Licht hielt und sich darüber wunderte, daß er so gelassen über die Sache sprechen konnte.

»Ich habe nicht die leiseste Ahnung. Wenn Basil es für richtig hält, sich zu verstecken, geht das mich nichts an. Wenn er tot ist, will ich nicht weiter an ihn denken. Der Tod ist das einzige, was mich überhaupt schrecken kann. Ich hasse ihn.«

»Warum?« fragte der Jüngere müde.

»Weil«, sagte Lord Henry, indem er das vergoldete Gitterchen einer offenen Riechbüchse unter seinen Nasenlöchern hin und her bewegte, »man heutzutage alles überleben kann, nur nicht das eine. Tod und Vulgarität sind die beiden einzigen Tatsachen im neunzehnten Jahrhundert, die man nicht hinwegdisputieren kann. Trinken wir unseren Kaffee doch im Musikzimmer, Dorian. Sie müssen mir Chopin vorspielen. Der Mann, mit dem meine Frau durchgegangen ist, spielte ausgezeichnet Chopin. Die arme Victoria! Ich hatte sie sehr gern. Das Haus ist ohne sie recht einsam. Natürlich, das Eheleben ist nur eine Gewohnheit, eine schlechte Gewohnheit. Aber immerhin bedauert man selbst das Abhandenkommen seiner schlechtesten Gewohnheiten. Vielleicht bedauert man sie am meisten. Sie sind ein so wesentlicher Bestandteil unserer Persönlichkeit.«

Dorian sagte nichts, stand aber vom Tisch auf, begab sich ins Nebenzimmer, setzte sich an das Klavier und ließ seine Hände über das weiße und schwarze Elfenbein der Tasten gleiten. Als der Kaffee gebracht worden war, hielt er inne und sagte, zu Lord Henry hinüberblickend: »Harry, ist Ihnen jemals der Gedanke gekommen, daß Basil ermordet wurde?«

Lord Henry gähnte. »Basil war sehr beliebt und trug stets nur eine Waterbury-Uhr bei sich. Warum sollte er ermordet worden sein? Er war nicht klug genug, um Feinde zu haben. Natürlich war er als Maler genial. Aber jemand kann malen wie Velasquez und doch unvorstellbar langweilig sein. Basil war tatsächlich ziemlich langweilig. Er hat nur einmal mein Interesse erregt, und das war, als er mir vor Jahren gestand, er bete Sie leidenschaftlich an und Sie seien das Leitmotiv seiner Kunst.«

»Ich hatte Basil sehr gern«, sagte Dorian mit einem traurigen Unterton in der Stimme. »Aber erzählt man sich denn nicht, daß er ermordet worden sei?«

»Oh, ein paar Zeitungen behaupten das. Ich halte das für völlig unwahrscheinlich. Ich weiß, daß es in Paris fürchterliche Viertel gibt, aber Basil war nicht der Mann, dort hinzugehen. Er war nicht neugierig. Das war sein Hauptfehler.«

»Was würden Sie sagen, Harry, wenn ich Ihnen erzählte, daß ich Basil ermordet habe?« versetzte der Jüngere. Er beobachtete den anderen genau, nachdem er gesprochen hatte.

»Ich würde sagen, mein Lieber, Sie posieren für eine Rolle, die nicht zu Ihnen paßt. Jedes Verbrechen ist vulgär, so wie jede Vulgarität ein Verbrechen ist. Es liegt Ihnen nicht, Dorian, einen Mord zu begehen. Es täte mir leid, wenn ich dadurch Ihre Eitelkeit verletzt haben sollte, aber ich versichere Ihnen, es ist wahr. Das Verbrechen ist ausschließlich Sache der unteren Schichten. Ich mache ihnen das nicht im geringsten zum Vorwurf. Ich könnte mir denken, daß das Verbrechen für sie ist, was für uns die Kunst ist, lediglich eine Methode, sich außergewöhnliche Gefühlsregungen zu verschaffen.«

»Eine Methode, sich Gefühlsregungen zu verschaffen? Glauben Sie denn, daß ein Mann, der einmal einen Mord begangen hat, das gleiche Verbrechen noch wieder begehen könnte? Das wollen Sie mir doch nicht einreden.«

»Oh! alles wird zu einem Vergnügen, wenn man es zu oft tut«, rief Lord Henry lachend. »Das ist eines der wichtigsten Geheimnisse des Lebens. Ich meine jedoch, daß Mord in jedem Fall ein Fehler ist. Man sollte nie etwas tun, worüber man nach dem Essen nicht reden kann. Aber lassen wir den armen Basil. Ich würde gerne glauben, daß er ein so wahrhaft romantisches Ende gefunden hat, wie Sie es andeuten; aber ich kann es nicht. Ich vermute eher, er ist aus einem Omnibus in die Seine gefallen, und der Schaffner hat den Skandal vertuscht. Ja: ich könnte mir vorstellen, daß sein Ende so ausgesehen hat. Ich sehe ihn vor mir, wie er jetzt auf dem Rücken in diesen trüben grünen Fluten liegt, und die schweren Kähne gleiten über ihn dahin, und die langen Wasserpflanzen verfangen sich in seinem Haar. Wissen Sie, ich glaube nicht, daß er noch viel Großes geleistet hätte. In den letzten zehn Jahren ist es mit seiner Malerei sehr abwärts gegangen.«

Dorian stieß einen Seufzer aus, und Lord Henry schlenderte quer durchs Zimmer und begann einem eigenartigen javanischen Papagei den Kopf zu kraulen, einem großen graugefiederten Vogel mit rosigem Schopf und Schwanz, der auf einem Bambusstab balancierte. Als seine spitzen Finger ihn berührten, senkte er die weiße Haut der verrunzelten Lider über die schwarzen, glasartigen Augen und fing an, vor und zurück zu schwingen.

»Ja«, fuhr er fort, während er sich umwandte und sein Taschentuch hervorholte; »mit seiner Malerei ist es ziemlich abwärts gegangen. Sie schien mir etwas verloren zu haben. Sie hat ein Ideal verloren. Als die große Freundschaft zwischen Ihnen und ihm aufhörte, hörte er auf, ein großer Maler zu sein. Was hat euch auseinandergebracht? Ich nehme an, er hat Sie gelangweilt. Wenn dem so war, hat er Ihnen nie vergeben. Das ist bei langweiligen Menschen so üblich. Übrigens, was ist aus dem wunderbaren Porträt geworden, das er von Ihnen gemalt hat? Ich glaube, ich habe es nicht mehr gesehen, seitdem er es vollendet hat. Oh! ich erinnere mich, daß Sie mir vor Jahren einmal erzählt haben, Sie hätten es nach Selby geschickt und es sei unterwegs abhandengekommen oder gestohlen worden. Sie haben es nie zurückbekommen? Wie schade! Es war wirklich ein Meisterwerk. Ich weiß noch, ich wollte es kaufen. Jetzt wünschte ich, ich hätte es getan. Es stammt aus Basils bester Periode. Seither ist sein Werk jene Mischung aus schlechter Malerei und guten Absichten gewesen, die einen Mann seit jeher berechtigen, ein repräsentativer englischer Künstler genannt zu werden. Haben Sie eigentlich eine Suchmeldung veröffentlicht? Das hätten Sie tun sollen.«

»Ich kann mich nicht mehr entsinnen«, sagte Dorian. »Vermutlich habe ich es getan. Aber mir hat das Bild nie richtig gefallen. Es tut mir leid, daß ich ihm dafür gesessen habe. Die Erinnerung an das Ding ist mir zuwider. Warum reden Sie davon? Es erinnerte mich immer an diese merkwürdigen Zeilen aus irgendeinem Theaterstück – aus dem ›Hamlet‹, glaube ich – wie heißen sie nur?

Gleich dem Bilde eines Leides,
Ein Antlitz ohne Herz.

Ja: so war es.«

Lord Henry lachte. »Wenn ein Mensch das Leben künstlerisch auffaßt, ist sein Hirn sein Herz«, entgegnete er und ließ sich in einen Sessel fallen.

Dorian Gray schüttelte den Kopf und schlug auf dem Klavier ein paar sanfte Akkorde an. »Gleich dem Bilde eines Leides«, wiederholte er, »ein Antlitz ohne Herz.«

Der Ältere lehnte sich zurück und betrachtete ihn mit halbgeschlossenen Augen. »Übrigens, Dorian«, sagte er nach einer Pause, »was hülfe es dem Menschen, so er die ganze Welt gewönne und nähme doch Schaden – wie heißt es weiter? – an seiner Seele?«

Die Musik endete schrill, und Dorian Gray fuhr auf und starrte seinen Freund an. »Warum fragen Sie mich das, Harry?«

»Mein Lieber«, erwiderte Lord Henry und zog verwundert die Brauen hoch, »ich habe Sie gefragt, weil ich meinte, Sie könnten mir vielleicht eine Antwort geben. Das ist alles. Letzten Sonntag bin ich durch den Park gegangen, und in der Nähe von Marble Arch stand eine kleine Gruppe schäbig aussehender Menschen, die einem vulgären Straßenprediger lauschten. Als ich dort vorbeikam, hörte ich, wie der Mann diese Frage seinen Zuhörern entgegenschrie. Das wirkte auf mich ziemlich dramatisch. London ist sehr reich an absonderlichen Erscheinungen dieser Art. Ein verregneter Sonntag, ein ungehobelter Christ in einem Wettermantel, ein Kreis von krankhaft weißen Gesichtern unter einem lückenhaften Dach aus triefenden Regenschirmen und dazu ein wunderbarer Satz, von schrillen, hysterischen Lippen in die Luft geschleudert – das alles war auf seine Weise wirklich sehr gut, geradezu eine Offenbarung. Mir kam der Gedanke, dem Propheten zu sagen, daß die Kunst eine Seele habe, der Mensch aber nicht. Ich fürchte jedoch, er hätte mich nicht verstanden.«

»Nicht doch, Harry. Die Seele ist eine furchtbare Realität. Man kann sie kaufen und verkaufen und verschachern. Man kann sie vergiften oder vervollkommnen. In jedem von uns lebt eine Seele. Ich weiß es.«

»Sind Sie sich dessen ganz sicher, Dorian?«

»Ganz sicher.«

»Ah! dann muß eine Täuschung vorliegen. Die Dinge, deren man sich absolut sicher ist, sind niemals wahr. Das ist das Verhängnis des Glaubens und die Lehre der Romantik. Wie feierlich Sie sind! Seien Sie doch nicht so ernst. Was haben Sie oder ich mit den abergläubischen Vorstellungen unserer Zeit zu tun? Nein: wir haben unseren Glauben an die Seele aufgegeben. Spielen Sie mir etwas vor. Spielen Sie ein Nocturne, Dorian, und während Sie spielen, erklären Sie mir leise, wie Sie sich Ihre Jugend bewahrt haben. Sie müssen irgendein Geheimnis haben. Ich bin nur zehn Jahre älter als Sie, und ich bin verrunzelt und verwelkt und gelb. Sie sind wirklich ein Wunder, Dorian. Sie haben nie so bezaubernd ausgesehen wie heute abend. Sie erinnern mich an den Tag, an dem ich Sie zum ersten Male sah. Sie waren ziemlich keck, sehr scheu und ganz und gar ungewöhnlich. Sie haben sich verändert, natürlich, aber nicht in Ihrem Aussehen. Ich würde gern Ihr Geheimnis erfahren. Um meine Jugend zurückzugewinnen, würde ich alles auf der Welt tun, außer

Freiübungen machen, früh aufstehen oder ehrbar werden. Jugend! Ihr kommt nichts gleich. Es ist absurd, von der Unwissenheit der Jugend zu sprechen. Die einzigen Leute, deren Ansichten ich mir jetzt noch mit einigem Respekt anhöre, sind solche, die viel jünger sind als ich. Sie scheinen mir etwas vorauszuhaben. Das Leben hat ihnen sein letztes Wunder offenbart. Was die Alten angeht, so widerspreche ich ihnen stets. Das tue ich aus Prinzip. Fragt man sie nach ihrer Meinung zu irgendeinem Ereignis, das gestern stattgefunden hat, dann verkünden sie einem feierlich die Ansichten, wie sie um 1820 gang und gäbe waren, als die Leute hohe Stehkragen trugen, an alles glaubten und absolut gar nichts wußten. Das ist aber ein hübsches Stück, das Sie da spielen! Ich möchte gern wissen, ob Chopin es auf Mallorca geschrieben hat, als das Meer vor seiner Villa weinte und der salzige Gischt seine Fensterscheiben besprühte. Es ist wunderbar romantisch. Was für ein Segen, daß uns wenigstens noch eine Kunst geblieben ist, die nicht von der Imitation lebt! Hören Sie nicht auf. Heute abend brauche ich Musik. Es kommt mir so vor, als wären Sie der junge Apoll und ich Marsyas, der Ihnen lauscht. Ich habe meinen eigenen Kummer, Dorian, von dem nicht einmal Sie etwas wissen. Die Tragödie des Alters ist nicht, daß man alt ist, sondern daß man jung ist. Ich wundere mich zuweilen über meine eigene Unaufrichtigkeit. Ach, Dorian, wie glücklich Sie sind! Was für ein köstliches Leben haben Sie geführt! Sie haben von allem einen tiefen Zug getan. Sie haben die Trauben an Ihrem Gaumen zerdrückt. Nichts ist Ihnen verborgen geblieben. Und es war für Sie nicht mehr als der Klang der Musik. Es hat Sie nicht entstellt. Sie sind noch immer derselbe.«

»Ich bin nicht mehr derselbe, Harry.«

»Doch: Sie sind derselbe. Ich frage mich, wie Ihr Leben weitergehen wird. Verderben Sie es nicht durch Entsagung. Gegenwärtig sind Sie ein vollkommener Typus. Machen Sie sich nicht unvollkommen. Sie sind jetzt ganz makellos. Sie brauchen nicht den Kopf zu schütteln: Sie wissen, daß Sie es sind. Im übrigen, Dorian, dürfen Sie sich nicht täuschen.

Das Leben wird nicht gelenkt von Willen oder Absicht. Das Leben ist eine Frage der Nerven und Muskeln und der langsam aufgebauten Zellen, in denen sich das Denken verbirgt und die Leidenschaft träumt. Sie mögen sich sicher wähnen und für stark halten. Aber ein zufälliger Farbton in einem Zimmer oder am Morgenhimmel, ein bestimmter Duft, den Sie einst geliebt haben und der zarte Erinnerungen in sich birgt, eine Zeile aus einem vergessenen Gedicht, auf die Sie unverhofft stoßen, eine Kadenz aus einem Musikstück, das Sie lange nicht mehr gespielt haben – glauben Sie mir, Dorian, daß von solchen Dingen unser Leben abhängt. Browning hat darüber einmal geschrieben; aber unsere eigenen Sinne vermögen es zu erfassen. Es gibt Augenblicke, da der Hauch von *lilas blanc* plötzlich über mich kommt, und dann muß ich den seltsamsten Monat meines Lebens noch einmal durchleben. Ich wollte, ich könnte mit Ihnen tauschen, Dorian. Die Welt hat sich über uns beide empört, doch Sie hat sie stets verehrt. Sie wird Sie immer verehren. Sie sind der Inbegriff dessen, was unsere Zeit sucht und was sie gefunden zu haben bedauert. Ich bin so froh, daß Sie nie etwas getan haben, nie eine Statue gemeißelt oder ein Bild gemalt oder etwas außerhalb Ihrer selbst hervorgebracht haben! Das Leben ist Ihre Kunst. Sie haben sich selber in Musik gesetzt. Ihre Tage sind Ihre Sonette.«

Dorian stand vom Klavier auf und fuhr sich mit der Hand durchs Haar. »Ja, das Leben ist köstlich gewesen«, murmelte er, »aber ich werde ein solches Leben nicht weiter führen, Harry. Und Sie dürfen mir nicht diese überspannten Dinge erzählen. Sie wissen nicht alles über mich. Ich glaube, wenn Sie alles wüßten, würden selbst Sie sich von mir abwenden. Sie lachen. Lachen Sie nicht.«

»Warum haben Sie aufgehört zu spielen, Dorian? Setzen Sie sich wieder hin und spielen Sie mir das Nocturne noch einmal. Schauen Sie auf den großen honigfarbenen Mond, der in der dunklen Luft hängt. Er wartet darauf, daß Sie ihn bezaubern, und wenn Sie spielen, wird er der Erde näherkommen. Sie wollen nicht? Dann gehen wir doch in den

Klub. Es war ein reizender Abend, und wir müssen ihn reizend beschließen. Bei White ist jemand, der darauf brennt, Sie kennenzulernen – der junge Lord Poole, Bournemouths ältester Sohn. Er kopiert bereits Ihre Krawatten und hat mich gebeten, ihn Ihnen vorzustellen. Er ist ganz entzückend und erinnert mich ein wenig an Sie.«

»Hoffentlich nicht«, sagte Dorian mit traurigem Blick. »Aber heute abend bin ich müde, Harry. Ich werde nicht in den Klub gehen. Es ist fast elf, und ich möchte früh ins Bett.«

»Bleiben Sie. Sie haben noch nie so gut gespielt wie heute abend. Ihr Anschlag hatte etwas Wunderbares. Er besaß mehr Ausdruck, als ich je zuvor gehört habe.«

»Das kommt daher, daß ich gut werden will«, erwiderte er lächelnd. »Ich bin schon etwas verändert.«

»Mir gegenüber können Sie sich nicht ändern, Dorian«, sagte Lord Henry. »Wir beide werden immer Freunde bleiben.«

»Und doch haben Sie mich einst mit einem Buch vergiftet. Das sollte ich Ihnen nicht verzeihen. Harry, versprechen Sie mir, daß Sie dieses Buch nie wieder jemandem leihen. Es bringt Unheil.«

»Mein lieber Junge, Sie fangen tatsächlich an zu moralisieren. Demnächst werden Sie umhergehen wie ein Bekehrter und Erweckungsprediger und die Leute vor den Sünden warnen, deren Sie überdrüssig geworden sind. Doch dazu sind Sie viel zu charmant. Außerdem ist es zwecklos. Wir beide sind, was wir sind, und werden sein, was wir sein werden. Und was die Vergiftung durch ein Buch anlangt: so etwas gibt es nicht. Die Kunst hat keinen Einfluß auf das Handeln. Sie löscht das Verlangen zu handeln aus. Sie ist im höchsten Maße steril. Die Bücher, welche die Welt unmoralisch nennt, sind jene, die der Welt ihre eigene Schande vorhalten. Weiter nichts. Doch wir wollen nicht über Literatur reden. Kommen Sie morgen zu mir. Ich reite um elf aus. Wir könnten zusammen ausreiten, und hinterher nehme ich Sie zum Essen bei Lady Branksome mit. Sie ist eine reizende Frau und möchte Sie um Rat fragen wegen einiger Gobelins, die sie zu kaufen gedenkt. Aber kommen Sie bestimmt. Oder sollen wir bei unserer kleinen Herzogin essen? Sie sagt, sie sehe Sie jetzt überhaupt nicht mehr. Vielleicht haben Sie von Gladys genug? Ich dachte mir, daß es so kommen würde. Ihre gescheite Zunge geht einem auf die Nerven. Nun, jedenfalls seien Sie um elf bei mir.«

»Muß ich wirklich kommen, Harry?«

»Gewiß. Der Park ist jetzt ganz herrlich. Ich glaube nicht, daß es seit dem Jahr, in dem ich Sie kennengelernt habe, jemals wieder einen solchen Flieder gegeben hat.«

»Also gut. Ich werde um elf da sein«, sagte Dorian. »Gute Nacht, Harry.« Als er bei der Tür war, zögerte er einen Augenblick, als ob er noch etwas zu sagen hätte. Dann seufzte er und ging hinaus.

20. KAPITEL

Es war eine schöne Nacht, so warm, daß er den Rock über den Arm warf und nicht einmal den Seidenschal um den Hals schlang. Als er, eine Zigarette rauchend, heimschlenderte, kamen zwei junge Herren in Abendanzügen an ihm vorüber. Er hörte, wie der eine dem anderen zuflüsterte: »Das ist Dorian Gray.« Er erinnerte sich, wie sehr er sich früher gefreut hatte, wenn man auf ihn hinwies oder ihn anstarrte oder über ihn sprach. Doch jetzt war er es leid, seinen eigenen Namen zu hören. Der Reiz des kleinen Dorfes, in dem er in der letzten Zeit so oft gewesen war, lag zur Hälfte darin, daß dort niemand wußte, wer er war. Er hatte dem Mädchen, das er zur Liebe verlockt hatte, wiederholt erzählt, er sei arm, und sie hatte ihm geglaubt. Er hatte ihr einmal gesagt, er sei böse, und sie hatte ihn ausgelacht und geantwortet, böse Menschen seien stets sehr alt und sehr häßlich. Wie sie lachen konnte! – wie eine singende Drossel. Und wie hübsch sie aussah in ihren Baumwollkleidern und großen Hüten! Sie wußte nichts, aber sie besaß all das, was er verloren hatte.

Als er zu Hause ankam, fand er seinen Diener vor, der auf ihn wartete. Er schickte ihn zu Bett und warf sich auf das Sofa in der Bibliothek und begann über einige Dinge nachzudenken, die Lord Henry ihm gesagt hatte.

War es wirklich wahr, daß man sich niemals ändern konnte? Ihn befiel ein heftiges Verlangen nach der unbefleckten Reinheit seiner Kindheit – seiner rosenweißen Kindheit, wie Lord Henry sie einmal genannt hatte. Er wußte, daß er sich besudelt, seinen Geist mit Verderbtheit erfüllt und seine Phantasie mit Grauen beladen hatte; daß er einen üblen Einfluß auf andere ausgeübt und dabei eine schreckliche Freude verspürt hatte; und daß er von all den Leben, die das seine gekreuzt hatten, gerade die schönsten und verheißungsvollsten in Schande gebracht hatte. Aber war das alles nicht wiedergutzumachen? Gab es für ihn keine Hoffnung mehr?

Ah! in welch ungeheuerlichem Augenblick des Stolzes und der Leidenschaft hatte er darum gebetet, daß das Porträt die Last seiner Tage tragen und er den ungetrübten Glanz ewiger Jugend behalten solle! Sein ganzes Versagen ging darauf zurück. Es wäre besser für ihn gewesen, wenn jede Sünde in seinem Leben ihre sichere, schnelle Strafe nach sich gezogen hätte. In der Bestrafung lag Läuterung. Nicht »Vergib uns unsere Sünden«, sondern »Züchtige uns für unsere Übeltaten« sollte das Gebet des Menschen zu einem allgerechten Gott heißen.

Der eigenartig geschnitzte Spiegel, den Lord Henry ihm vor so vielen Jahren geschenkt hatte, stand auf dem Tisch, und die weißgliedrigen Liebesgötter, die ihn umrahmten, lachten wie eh und je. Er nahm ihn in die Hand, wie er es in jener Schreckensnacht getan hatte, als ihm zum erstenmal die Veränderung des verhängnisvollen Bildes aufgefallen war, und blickte mit wilden, tränentrüben Augen in den blanken Schild. Einmal hatte ihm jemand, der ihn schrecklich geliebt hatte, einen wahnsinnigen Brief geschrieben, der mit den abgöttischen Worten schloß: »Die Welt ist verwandelt, weil Sie aus Elfenbein und Gold geschaffen sind. Die Linien Ihrer Lippen schreiben die Geschichte neu.« Diese Sätze fielen ihm ein, und er sprach sie immer wieder vor sich hin. Dann überkam ihn Ekel vor seiner eigenen Schönheit, er schleuderte den Spiegel zu Boden und zertrat ihn mit seinem Absatz in silberne Splitter. Seine Schönheit hatte ihn zugrunde gerichtet, seine Schönheit und die Jugend, um die er gebetet hatte. Wären diese beiden Dinge nicht gewesen, wäre sein Leben vielleicht makellos geblieben. Seine Schönheit war für ihn nur eine Maske gewesen, seine Jugend nur ein Trug. Was war denn die Jugend bestenfalls? Eine grüne, eine unreife Zeit, eine Zeit der seichten Stimmungen und der krankhaften Gedanken. Warum hatte er ihre Tracht getragen? Die Jugend hatte ihn verdorben.

Es war besser, nicht an die Vergangenheit zu denken. Nichts vermochte sie zu ändern. An sich selber und an seine eigene Zukunft mußte er denken. James Vane war in einem namenlosen Grab auf dem Friedhof von Selby verscharrt. Alan Campbell hatte sich eines Nachts in seinem Laboratorium erschossen, aber nicht das Geheimnis verraten, das er ihm aufgezwungen hatte. Die derzeitige Aufregung über Basil Hallwards Verschwinden würde bald vorüber sein. Sie nahm bereits ab. In dieser Hinsicht war er vollkommen sicher. Es war im Grunde auch nicht der Tod von Basil Hallward, der ihn am meisten belastete. Es war der lebendige Tod seiner eigenen Seele, der ihn quälte. Basil hatte das Porträt gemalt, das sein Leben zerstörte. Das konnte er ihm nicht vergeben. Das Porträt war an allem schuld. Basil hatte ihm Dinge gesagt, die unerträglich waren und die er dennoch geduldig ertragen hatte. Der Mord war nur einem Augenblick des Wahnsinns entsprungen. Und was Alan Campbell betraf, so war der Selbstmord dessen eigenes Werk gewesen. Er hatte ihn aus freien Stücken gewählt. Das ging ihn nichts an.

Ein neues Leben! Das war, was ihm nottat. Das war, worauf er wartete. Ja, er hatte es bereits begonnen. Ein unschuldiges Geschöpf hatte er jedenfalls geschont. Nie wieder wollte er die Unschuld in Versuchung führen. Er wollte gut sein.

Als er an Hetty Merton dachte, begann er sich zu fragen, ob sich wohl das Porträt in dem verschlossenen Zimmer verändert habe. Sicherlich war es nicht mehr so abscheulich, wie es bis dahin gewesen war? Vielleicht konnte er, wenn sein Leben rein würde, alle Spuren böser Leidenschaft aus dem Gesicht verbannen. Vielleicht waren die Spuren des Bösen bereits verschwunden. Er wollte hinaufgehen und nachsehen.

Er nahm die Lampe vom Tisch und schlich nach oben. Als er die Tür entriegelte, huschte ein freudiges Lächeln über sein seltsam jung wirkendes Gesicht und verweilte einen Augenblick lang um seine Lippen. Ja, er wollte gut sein, und das gräßliche Ding, das er versteckt hatte, würde ihn nicht mehr schrecken. Er hatte das Gefühl, als sei die Last schon von ihm genommen.

Er trat ruhig ein, schloß die Tür hinter sich, wie es seine Gewohnheit war, und zog die purpurne Hülle von dem Porträt herunter. Ein Schrei des Schmerzes und der Entrüstung brach aus ihm hervor. Er konnte keine Veränderung erkennen, außer daß in den Augen ein verschlagener Ausdruck war und in der Mundpartie die gebogene Falte des Heuchlers. Das Ding war noch immer widerwärtig – womöglich noch widerwärtiger als früher –, und der Scharlachtau, der die Hand befleckte, wirkte heller, noch mehr wie frisch vergossenes Blut. Da erbebte er. Hatte nur Eitelkeit ihn zu der einzigen guten Tat veranlaßt? Oder das Verlangen nach einer neuen Gefühlsregung, wie Lord Henry mit seinem spöttischen Lächeln angedeutet hatte? Oder jene Leidenschaft, in eine Rolle zu schlüpfen, die uns manchmal etwas tun heißt, was lauterer ist als wir selber? Oder vielleicht das alles zusammen? Und warum war der rote Fleck größer als sonst? Er schien wie eine furchtbare Krankheit über die verrunzelten Finger gekrochen zu sein. Blut war auf den gemalten Füßen, als ob es herabgetropft wäre – Blut sogar auf der Hand, die das Messer nicht gehalten hatte. Gestehen? Hieß das, daß er gestehen sollte? Sich selber aufgeben und zum Tode verurteilt werden? Er lachte. Der Gedanke kam ihm ungeheuer vor. Und selbst wenn er gestehen sollte, wer würde ihm glauben? Nirgendwo war eine Spur des Ermordeten zu finden. Alles, was ihm gehört hatte, war vernichtet worden. Er selber hatte verbrannt, was unten war. Die Leute würden einfach sagen, er sei verrückt. Sie würden ihn einsperren, wenn er bei seiner Geschichte bliebe … Dennoch war es seine Pflicht, zu gestehen, die öffentliche Schande zu erleiden und öffentlich zu sühnen. Es war ein Gott, der die Menschen aufforderte, ihre Sünden sowohl der Erde als auch dem Himmel zu bekennen. Nichts konnte er tun, um sich reinzuwaschen, solange er nicht seine Sünde bekannt hatte. Seine Sünde? Er zuckte die Achseln. Der Tod Basil Hallwards bedeutete ihm wenig. Er dachte an Hetty Merton. Denn es war ein ungerechter Spiegel, dieser Spiegel seiner Seele, in den er schaute. Eitelkeit? Neugier? Heuchelei? Hatte sein Verzicht nicht mehr umfaßt als das? Es war noch etwas anderes hinzugekommen. Zumindest glaubte er das. Doch wer konnte das sagen? … Nein. Es war nichts anderes dabei gewesen. Aus Eitelkeit hatte er sie geschont. Aus Heuchelei hatte er die Maske der Güte aufgesetzt. Aus Neugier hatte er es mit Selbstverleugnung versucht. Das erkannte er jetzt.

Aber dieser Mord – sollte er ihn sein ganzes Leben lang verfolgen? Sollte er auf immer die Last seiner Vergangenheit tragen? Sollte er wirklich gestehen? Niemals. Es gab nur ein einziges Beweisstück gegen ihn. Das Bild selbst – das war der Beweis. Er würde es zerstören. Warum hatte er es so lange aufbewahrt? Einst hatte es ihm Vergnügen bereitet zu beobachten, wie es sich veränderte und alterte. In der letzten Zeit hatte er ein solches Vergnügen nicht mehr empfunden. Es hatte ihn nachts wach gehalten. Wenn er nicht zu Hause war, hatte ihn das Grauen gepackt bei dem Gedanken, daß fremde Augen es erblicken könnten. Es hatte mit Melancholie seine Leidenschaften durchkreuzt. Die bloße Erinnerung daran hatte ihm viele Augenblicke der Freude verdorben. Es war für ihn wie das Gewissen gewesen. Ja, es war das Gewissen gewesen. Er wollte es zerstören.

Er blickte sich um und sah das Messer, das Basil Hallward erstochen hatte. Er hatte es oftmals gesäubert, bis kein Fleckchen mehr auf ihm war. Es war blank und glitzerte. Wie es den Maler getötet hatte, so würde es auch das Werk des Malers töten und alles, was es bedeutete. Es würde die Vergangenheit töten, und sobald sie tot wäre, würde er frei sein. Es würde dieses ungeheuerliche Seelenleben töten, und ohne dessen widerliche Mahnungen würde er Frieden finden. Er ergriff das Messer und erstach mit ihm das Bild.

Ein Schrei ertönte und ein Krachen. Der Schrei war so entsetzlich in seiner Todesqual, daß die Diener erschreckt aufwachten und aus ihren Zimmern schlichen. Zwei Herren, die unten auf dem Platt vorbeikamen, blieben stehen und blickten zu dem großen Haus empor. Sie gingen weiter, bis sie einem Polizisten begegneten, und kehrten mit ihm zurück. Der Mann läutete mehrere Male, aber es kam keine Antwort. Abgesehen von einem Licht in einem der obersten Fenster war das Haus völlig dunkel. Nach einer Weile ging er weg, stellte sich in einen nahen Säuleneingang und wartete.

»Wem gehört das Haus, Wachtmeister?« fragte der ältere der beiden Herren.

»Mr. Dorian Gray, Sir«, antwortete der Polizist.

Sie blickten einander an, als sie weitergingen, und lachten hämisch. Einer von ihnen war Sir Henry Ashtons Onkel.

Drinnen, im Dienstbotentrakt des Hauses, unterhielten sich flüsternd die halb angezogenen Diener. Die alte Mrs. Leaf weinte und rang die Hände. Francis war totenbleich.

Nach ungefähr einer Viertelstunde holte er den Kutscher und einen der Lakaien und schlich hinauf. Sie klopften, doch niemand antwortete. Sie riefen. Alles war still. Schließlich, nachdem sie vergebens versucht hatten, die Tür aufzubrechen, stiegen sie auf das Dach und ließen sich auf den Balkon hinab. Die Glastüren gaben leichter nach: ihre Riegel waren alt.

Als sie eintraten, sahen sie an der Wand ein herrliches Porträt ihres Herrn hängen, so wie sie ihn zuletzt gesehen hatten, in all der Pracht seiner erlesenen Jugend und Schönheit. Auf dem Boden lag ein Toter, im Abendanzug, mit einem Messer im Herzen. Er war welk, runzlig und widerwärtig von Angesicht. Erst als sie die Ringe untersucht hatten, erkannten sie, wer es war.

KOMMENTAR

Der *Text* dieses Bandes beruht auf der Winkler Dünndruckausgabe der Werke Oscar Wildes: Das Bildnis des Dorian Gray / Essays / Gedichte.

Die traditionelle Form des gelehrten *Kommentars* geht von der Klassizität eines Werks aus. Damit unterstellt sie die Möglichkeit der Distanz wie zu deren Überbrückung, unterstellt, daß die Wiedereinsetzung von verlorengegangenen Wissenselementen zu einem verbindlichen Verständnis eines Werks oder Autors führen kann. Von den Homer-Kommentaren der alexandrinischen Philologen bis noch zur positivistischen Textphilologie des späten 19. Jahrhunderts hat sich diese Form als Tradierungsverfahren gehalten und sich gerade dort, wo sie sich als dienend und asketisch begriff, große Verdienste erworben. Mit der Moderne jedoch, mit der gewollten oder aufgezwungenen Trennung der Kunst von einem als allgemein gedachten Verständnis der Wirklichkeit, wurde diese Form des Kommentars problematisch.

An einem Werk wie dem Oscar Wildes muß der traditionelle Kommentar gleich mehrfach scheitern. Wildes Werk und Person sind weit davon entfernt, in eine klassische Distanz gerückt worden zu sein; weder der von Wilde selbst formulierten Aufgabe der Kunst, dem Allgemeinen zu widersprechen, noch der Rezeptionsgeschichte seines Werks ist der klassische Ansatz angemessen. Folgerichtig hat es eine durchgehend kommentierte Ausgabe bisher nicht gegeben, und man kann auch bezweifeln, daß eine Kommentierung in traditioneller Weise wünschenswert wäre, weil sie möglicherweise die Einsicht in Wildes Verfahrensweise noch weiter verstellen würde, als ohnehin schon geschehen ist. Eine Wissensüberfrachtung gerade der Prosatexte Wildes würde von der Eigentümlichkeit seiner Technik nur ablenken. Deshalb beschränkt sich der folgende Kommentar auf solche Informationen, die vom heutigen Standpunkt aus für Wildes Kompositionsverfahren fruchtbar gemacht werden können.

Er geht dabei mit Wilde selbst davon aus, daß – wie er 1890 in einer Verteidigung des »Dorian Gray« gegenüber dem »Daily Chronicle« dargelegt hat – nicht Bildung, sondern Neugier vom Leser gefordert sei. Das bedeutet, daß z. B. die französischen Ausdrücke oder die

Nennung exotischer Gegenstände im »Dorian Gray« nicht vorrangig als Wissenselemente, Anspielungen und dergleichen betrachtet werden, sondern als Stilmittel mit bestimmter Funktion für die Art und Weise der Komposition wie der Erfahrung eines Werks. Eine solche, vorrangig an Strukturen interessierte Form des Kommentars kann nur ein Kompromiß sein, indem sie versucht, dem Informationsbedürfnis des Lesers und dem Anspruch des Werks zugleich gerecht zu werden. Jedoch schließt dieser Kompromiß ein Leserverhalten zumindest nicht aus, das Wilde in seinem Begriff der Kritik als einer produktiven Weiterentwicklung des Werks nahegelegt hat.

Zum Kompromißcharakter des Kommentars gehört, daß er sowohl zum einzelnen Text oder zur einzelnen Stelle gelesen werden kann (die Seitenzahlen beziehen sich auf diese Ausgabe) als auch fortlaufend als kritisch kommentierender Essay. Im Interesse der Lesbarkeit wird daher auf Quellenverweise soweit wie möglich und vertretbar verzichtet. Zitate aus Wildes Briefen folgen der Ausgabe von Rupert Hart-Davis – The Letters of Oscar Wilde, London 1962 – in der Übersetzung des Verfassers. (Dies besagt nichts gegen die hervorragende deutsche, von Hedda Soellner übertragene Ausgabe der Briefe, deren drei Bände in die Edition von Norbert Kohl – Oscar Wilde, Sämtliche Werke in zehn Bänden, Frankfurt a. M. 1982 – integriert sind.)

DAS BILDNIS DES DORIAN GRAY

Zum Text: Die Übersetzung von Siegfried Schmitz folgt der Buchfassung, die 1891 bei Ward, Lock und Co. in London erschien. Die wesentlich kürzere Erstfassung war 1890 in »Lippincott's Monthly Magazine« abgedruckt worden. Wenngleich auch für die Buchfassung die Gattungszuordnung »Roman« nicht unumstritten ist – Wilde selbst nannte den »Dorian Gray« gelegentlich einen Essay (»in dekorativer Kunst«) –, so war jedenfalls die Urfassung eher eine Novelle. Die Buchfassung entfernt sich sowohl kompositorisch wie inhaltlich und quantitativ erheblich vom ursprünglichen Text. Wilde erweiterte die einzelnen Kapitel und fügte das 3., 5. und das 15.–18. Kapitel ganz neu hinzu. Vor allem durch die Einbeziehung von Dorian Grays Vorgeschichte, durch die breitere Darstellung der englischen Oberschicht und ihrer Lebensformen und deren Konfrontation mit dem unteren sozialen Milieu erhält die Geschichte Romancharakter.

Über die Entstehung der Texte gibt es widersprüchliche Berichte. André Gide überlieferte eine Äußerung Wildes, er habe die Erzählung aufgrund einer Wette in wenigen Tagen niedergeschrieben. Dies hat sich inzwischen als eine von Wildes Koketterien erwiesen. Obwohl die wahrscheinlich von ihm bewußt in die Welt gesetzte Legende von jeher fragwürdig war, wurde sie häufig zur Grundlage eines negativen Urteils über die kompositorische Durcharbeitung der Erzählung bzw. des Romans gemacht und hat die aus der Lebensgeschichte resultierenden Vorurteile noch bestätigt. Auch Wildes Bemerkung in einem Brief von 1890 an die »St. James's Gazette«, er habe den Roman geschrieben, um sich selbst eine Freude zu machen, ist eine Floskel in ästhetizistischer Tradition, die den moralischen Vorhaltungen der Kritiker den Boden entziehen sollte. Soweit die Rekonstruktion der Entstehungsgeschichte Einblick ermöglicht, zeigt sich in den planvollen Veränderungen viel eher eine bewußt und umsichtig gestaltete Provokation sowohl literarischer wie gesellschaftlicher Normen des viktorianischen England.

Fest steht, daß der Anlaß zum Abdruck der Urfassung 1889 bei einem Dinner geschaffen wurde, bei dem neben Wilde der Verlagsagent von »Lippincott's Magazine« und Arthur Conan Doyle, der Verfasser der Sherlock-Holmes-Geschichten, zugegen waren. Beide Schriftsteller versprachen eine Erzählung. Doyle lieferte »The Sign of the Four«, während Wilde zunächst »The Fisherman and His Soul« anbot. Nach Bedenken des Verlags entschloß sich Wilde für die Dorian-Gray-Geschichte, die er als »viel besser« einstufte als die vorgenannte.

Die Quellen zum »Dorian Gray« sind mittlerweile fast schon zum Gegenstand eines eigenen Forschungszweigs geworden. In dessen Entwicklung konnte es zwischenzeitlich so erscheinen, als sei Wilde ein nur notdürftig getarnter Plagiator, der literarische und kunsttheoretische Texte seiner Zeitgenossen hemmungslos ausgeplündert hat. Dieser Eindruck entstand aufgrund vorgefaßter Urteile über Wildes mangelnde Produktivität, wenn nicht Faulheit, und vor allem über seinen Mangel an Originalität, Urteile, die sich von mißverstandenen Äußerungen Wildes bestätigt fühlen konnten. Diese Mißverständnisse beruhten nicht einmal so sehr auf der Verkennung der Eigenart von Wildes Selbstdarstellung, sondern auf der Ignoranz gegenüber einer eher traditionellen Regel snobistischer Konversation, nach der die eigene Leistung und die Besonderheit der Person heruntergespielt werden muß, um sie ins rechte Licht zu setzen. Diese Vorurteile und Verkennungen hatten für die Verfahrensweise der Forschung die Konsequenz, daß im Vergleich des Romans mit den in Frage kommenden Quellen einseitig die Gemeinsamkeiten hervorgehoben wurden, wohingegen die sehr viel aufschlußreicheren Unterschiede in den Hintergrund traten. Dadurch konnte das spezifische Kompositions- und Umwandlungsverfahren Wildes nicht ausreichend erkannt werden.

S. 5 Mit der *»Vorrede«* zur Buchfassung des »Dorian Gray« gab Wilde die erste Probe seiner Kunst des *Aphorismus.* Später folgten die Sammlungen »A Few Maxims for the Instruction of the Over-Educated« und »Phrases and Philosophies for the Use of the Young« (beide 1894; dt.: »Maximen zur Belehrung der Über-Gebildeten« und »Sätze und Lehren zum Gebrauch für die Jugend«), abgesehen davon, daß Aphorismen und Maximen immer auch in die Erzählungen, Essays und Dramen eingearbeitet sind. Grundform der Wildeschen Aphorismen ist das Paradoxon, das er auf die griechische Bedeutung des der allgemeinen Meinung Entgegengesetzten zurückführt. In dieser Hinsicht kann man Wildes Aphorismen als Grundbausteine seines Werks betrachten. In ihnen entwickelt er die Kunst der Provokation, versucht, Erkenntnis auf dem Wege des Widerspruchs zu bewirken. Im Falle der kunsttheoretischen Aphorismen der »Vorrede« hatte das einen konkreten Hintergrund: gegen die weitgehend negative Kritik an der Erstfassung des »Dorian Gray« entfaltete Wilde seine eigenen ästhetischen Normen als Widerspruch gegen die ästhetischen Überzeugungen seiner Kritiker, die sich mit der öffentlichen Meinung im Einklang fühlten.

Die beiden paradoxen *Caliban*-Aphorismen der »Vorrede« können als Anlaß einer kulturhistorischen Situierung der Intentionen Wildes dienen, wie er sie als Reaktion auf die wüste Kritik am Urtext des »Dorian Gray« für nötig befand. Wilde versieht den Stand der zivilisatorischen Entwicklung des 19. Jahrhunderts mit dem Bild Calibans, des wilden Unholds (Kannibalen) aus Shakespeares »The Tempest«, den der weise Prospero die Sprache lehrte und zum Menschen vergeblich zu erziehen suchte. Gern hat Wilde auch den bornierten *Kritiker* mit Caliban verglichen. Von daher wird sowohl die realistische oder naturalistische Verfahrensweise abgelehnt, weil sie nur auf die Abschilderung einer barbarischen Wirklichkeit hinauslaufen kann, wie aber auch die Romantisierung dieser Wirklichkeit, weil sie von dem so charakterisierten Zustand absehen muß. Wildes Alternative hat man vorschnell dem Ästhetizismus französischer Herkunft zugeschlagen, jedoch zeigt bereits die Wiederaufnahme der *Spiegelmetaphorik* im letzten Teil der »Vorrede« – »In Wirklichkeit spiegelt die Kunst den Betrachter und nicht das Leben.« –, daß Wilde dem Dualismus von Leben und hermetischer Kunstwirklichkeit zu entkommen sucht. Hier ist etwas angedeutet, das Umberto Eco später »offenes Kunstwerk« nennen wird, die Mehrdeutigkeit, ja die potentielle Widersprüchlichkeit des Werks. In der Tat vereint Wilde im Roman Züge der realistischen, sogar naturalistischen Technik und Thematik mit der der Romantik, des Ästhetizismus und Dekadentismus zu einer Darstellungsweise, die eindeutige oder allgemein gültige Lesarten immer wieder vereitelt.

S. 7 Eine solche Mehrdeutigkeit läßt sich bereits in der Personenkonstellation der Exposition illustrieren. Eine biographische Lesart hat Wilde in einem Brief an Ralph Payne von 1894 selbst vorgegeben: *Basil Hallward* sei, was er, Wilde, glaube zu sein, *Lord Henry*, wofür die Welt ihn halte, *Dorian* schließlich, was er gerne wäre – »in einer anderen Zeit vielleicht«. Abgesehen davon, daß Wilde in seinen Briefen solche spielerischen Interpretationsangebote häufig macht und daß sich diese manchmal mehrfach widersprechen, ist gerade hier zu bedenken, daß nach dieser Bemerkung keine Figur repräsentiert, für was Wilde sich hält, sondern alle nur Möglichkeitsformen eines Selbst. Auf der anderen Seite hat Wilde, haben spätere Interpreten den Roman auch als einen kunsttheoretischen Essay verstanden. Unter diesem Blickwinkel repräsentiert Hallward den *Künstler*, Lord Henry den *Kritiker*, Dorian die Kunst oder das *Kunstwerk*. Ein entscheidender Effekt der Anfangsepisode ist ja, daß Dorian und sein Abbild in den Gesprächen der drei, folglich auch für den Leser, in ein Substitutionsverhältnis geraten, das für den Verlauf der Handlung entscheidend ist. Kunstwerk und Figur werden von vornherein miteinander identifiziert. Gerade für die Figur Dorians sind damit die Lesarten keineswegs erschöpft. Zweifellos unter dem Druck, sich gegen die moralischen Anwürfe zu verteidigen, aber doch mit einleuchtenden Argumenten, hat Wilde in dem erwähnten Brief an den »Daily Chronicle« auf der Vielschichtigkeit des Charakters bestanden. Dorian sei keineswegs, wie in der dort publizierten Rezension behauptet, »kaltblütig, berechnend und gewissenlos«, vielmehr impulsiv, romantisch und immer wieder skrupulös, ja moralisch. Aber auch die Hinweise Wildes konnten einen zeitgenössischen Leser nicht davon abhalten, in Dorian zugleich den *Hedonisten* und experimentell angeschauten Verbrecher in naturalistischer Tradition zu sehen.

S. 8 Die *Grosvenor-Galerie* stellte seit 1877 die neuen Maler wie William Morris, Edward Burne-Jones und James Whistler aus. In einer Rezension von 1879 hatte Wilde geschrieben, dort könne man »die höchste Entwicklung des modernen Geistes sehen«.

S. 17 Einzelne Wendungen der *kunsttheoretischen Diskussion* haben die Interpreten von Beginn an auf *Walter Pater* (1839–1894) verwiesen, den Haupttheoretiker des englischen Ästhetizismus. Seine »Studies in the History of the Renaissance« (1873) hat Wilde mehrfach als dasjenige Werk bezeichnet, das einen wichtigen Einfluß auf seine Entwicklung wie sein Leben hatte. Paters Umdeutung des »L'art pour l'art«-Prinzips zur Forderung »Schönheit um der Schönheit willen«, die nur als Traum von ihr, also als Gegensatz zur Wirklichkeit mit dem Leben vereinbar sei, und seine Lehre von der Bedeutung des Augenblicks, in dessen intensiver Wahrnehmung allein Wirklichkeitserfahrung zu begründen sei, die überragende Bedeutung der Form und die rein *ästhetische Begründung der Moral* finden sich in der Tat in den Gesprächen und Reflexionen des Romans wieder. Im Standpunkt Hallwards vor allem hat man den Einfluß des anderen – ungleich populäreren – Vertreters des englischen Ästhetizismus wiedererkennen wollen: den *John Ruskins* (1819–1900), den Wilde in seiner Oxforder Zeit kennengelernt hatte und dem er seine Märchen mit einer respektvollen Reminiszenz an die Oxforder Tage widmete. Im Gegensatz zu Pater vertrat Ruskin einen moralischen Ästhetizismus, für ihn war die Kategorie des Guten der des Schönen vorgeordnet. Ruskin konnte bürgerliche Tugendideale mit einer antikapitalistischen und sozialromantischen Position vereinbaren. Während Paters Geschmacksbildung auf das Raffinierte hinauslief, propagierte Ruskin im Laufe seiner Entwicklung immer stärker das Einfache, Naive und Ursprüngliche. In dem Zusammenhang ist interessant, daß die Beschreibung der Maltechnik Hallwards eher auf einen epigonalen Klassizismus hinausläuft als auf die nur scheinbar archaische raffinierte Technik und Symbolsprache der Maler, die Ruskin und Pater nahestanden. In den Gesprächen wie in der Beschreibung von Dorians wechselnden Neigungen findet man Elemente beider Positionen wieder, die innerhalb der Struktur des Romans auf etwas ganz Verschiedenes hinauslaufen. Während Pater auf der Subjektivität und Individualität des Künstlers, insofern sie sich in Form und Stil äußern, beharrt, während Ruskin die Kunst als Führer zum Sozialen propagiert, bleibt im Roman sowohl die Bestimmung des Künstlers wie die der Funktion der Kunst bewußt offen: sie erscheint weder allein als autonomer Ausdruck noch als soziales Faktum, sondern in der widersprüchlichen Einheit beider als Angebot für den Leser, Wahrnehmungen in Deutungsversuchen zu realisieren.

S. 31 Es bleibt offen, ob Lord Henry den *neuen Hedonismus* der antiken oder der aufklärerischen Tradition gegenüberstellt. In der von Aristippos begründeten antiken Lehre wird alles menschliche Verhalten auf das Streben nach Lust zurückgeführt. Dies führt – wie bei Epikur begründet – nicht notwendig zur Diskrepanz mit der Moral, die jedoch nur vermittelt als Funktion des Luststrebens betrachtet werden kann. Auch in der aufklärerischen Sicht, bei Helvetius und Kant, konnte das Prinzip der Sittlichkeit mit dem Lustprinzip vermittelt werden. Daß Lord Henry zum *Amoralismus* oder mindestens zu einer wertneutralen Position tendiert, steht außer Frage, nicht jedoch, ob diese Position, wie sie die zeitgenössischen Rezensionen anprangerten, auch die des ganzen Romans oder gar Wildes ist. Jedenfalls stellt Wilde, zumindest in dem, was Lord Henry aus Dorian machen will, seinen Helden in eine im 19. Jahrhundert keineswegs mehr neue Tradition von jugendlichen Hedonisten, deren Vorbilder Théophile Gautiers Fortunio aus »L'Eldorado« (1837) oder Orlando d'Albert aus »Mademoiselle de Maupin« (1835) waren. Das berühmtgewordene Vorwort des letzteren Romans enthält einige Sätze, die Wilde in der Vorrede zum »Dorian Gray« variiert. So heißt es etwa bei Gautier: »Es gibt nichts wirklich Schönes als etwas, das zu nichts dient. Alles, was nützlich ist, ist häßlich.« Aber weder in der ästhetischen Position noch in der Konzeption des Helden übernimmt Wilde einfach Gautiers Vorstellungen. Nicht einmal in den Reflexionen Lord Henrys kann man umstandslos einen neoromantisch-ästhetizistischen *Individualismus* erblicken; bereits in seine Ansichten werden Elemente zeitgenössischer naturwissenschaftlicher Ansätze eingestreut, die tendenziell auf eine Auflösung des idealistischen Begriffs des Individuums hinauslaufen. Wilde selber befand ja, daß der Begriff der individuellen Freiheit sich im herkömmlichen Sinne nach Darwin überlebt habe.

Der hedonistische »Held«, der Wilde zweifellos am deutlichsten vor Augen stand, ist Jean Des Esseintes aus *Joris-Karl Huysmans'* »A rebours« von 1884. Wie viele andere Gestaltungen des Hedonismus scheint gerade dieser Roman die Unhaltbarkeit einer individualistischen Position zu zeigen. Am Ende des Romans begibt sich Des Esseintes, der es doch so haßt, so zu sein wie alle anderen, aus – ironischerweise – medizinischen Gründen in die gesellschaftliche Wirklichkeit zurück, setzt gar seine Hoffnungen auf Erlösung in die Religion (vgl. S. 284 die Bemerkungen zum »gelben Buch«).

S. 35 Das Motiv des *Porträts*, wie es hier in einer märchenhaften Vorausdeutung erstmals als entscheidend für die Verknüpfung der realistischen und der phantastischen Komponenten der Handlung erscheint, hat in der Quellenkritik von vornherein im Vordergrund gestanden. Besonders mit den angeblichen Entlehnungen Wildes wurde seine mangelnde Originalität begründet oder – seltener – die Überlegenheit seiner Darstellung. Was die erstere Position betrifft, so hat sich eine allzu eifrige Quellenforschung in ihrem Fortschreiten ironischerweise nach und nach selbst widerlegt, indem sie so viele

Entlehnungen für die Zentralkonstellation des »Dorian Gray« nachwies, daß die Vereinbarung derart vieler, zum Teil gegensätzlicher Gestaltungen, als ein Kunststück eigener Art erscheinen kann. Eine Auswahl der wichtigsten Texte: Charles Maturin: Melmoth the Wanderer (1820), Benjamin Disraeli: Vivian Grey (1826), Honoré de Balzac: La peau de chagrin (1831), Nathaniel Hawthorne: The Prophetic Pictures (1842), Edgar Allan Poe: The Oval Portrait (1845), Robert Louis Stevenson: The Strange Case of Dr. Jekyll and Mr. Hyde (1886), Walter Pater: Imaginary Portraits (1887).

Alle diese Werke haben einzelne Züge mit der Gestaltung des »Dorian Gray« gemeinsam, die spezifische Funktion in der Komposition findet sich in keinem. Für die Abhängigkeit Wildes von diesen und weiteren Werken der deutschen und französischen Romantik mußten zum Teil vollkommen äußerliche Momente herhalten. So, um nur ein Beispiel herauszugreifen, für Maturins populären *Schauerroman* die weitläufige Verwandtschaft Wildes mit Maturin und die Tatsache, daß er nach seiner Entlassung aus dem Gefängnis den Namen »Sebastian Melmoth« angenommen hatte. Der Vergleich des »Dorian Gray« mit dem Text Maturins dagegen ergibt nur periphere Ähnlichkeiten. In Maturins Geschichte entdeckt John Melmoth das Porträt eines gleichnamigen Vorfahren und erfährt, daß dieser – nach 150 Jahren – noch lebt. Im Laufe der Geschichte stellt sich heraus, daß er diese Lebensverlängerung durch einen Pakt mit dem Teufel erwirkt hat. Auf der Suche nach seiner Seele in der Tradition Fausts und des Ewigen Juden, die in Maturins Roman aus verschiedenen Erzählperspektiven dargestellt wird, findet er schließlich ein schreckliches Ende in einem blitzartigen Alterungsprozeß. Das Porträt des Melmoth hat für die Handlung außer der erwähnten keine weitere Bedeutung, es verändert sich auch nicht und hat mit der Lebensverlängerung Melmoth' ursächlich nichts zu tun. Melmoth geht es auch nicht um Jugend, Schönheit und Lebensgenuß – sein eher durchschnittliches Aussehen wird im mittleren Lebensalter konserviert –, sondern in erwähnter Tradition um Erkenntnis und Wahrheit, deshalb sucht er am Ende ja bewußt den Tod, was für Dorian keineswegs zutrifft. Mit der eigentümlichen, gleichwohl mehrdeutigen Funktion des Porträts in Wildes Roman hat das wenig zu tun, und Analoges gilt für alle anderen genannten Werke, die Wilde allerdings wahrscheinlich alle kannte, was aber nur um so mehr die Aufmerksamkeit darauf lenkt, wie viele potentielle Funktionen das Porträt in Wildes Roman erfüllt: es fungiert als Symbol der Kunst und des Lebens zugleich, als Spiegel wie als Projektionsfläche, als magisches Objekt, Menetekel und Sühnezeichen.

S. 39 Am Verhältnis von *Literatur und Kleidermode* läßt sich vorzüglich illustrieren, auf welche Weise Wilde die Zeitverhaftetheit der Kunst im willentlichen oder unwillentlichen Bündnis von Mode und Literatur exponierte. Lord Henrys Dialog mit Dorian mag sich darauf beziehen, daß bereits Baudelaire das spätestens seit der Mitte des 19. Jahrhunderts bevorzugte bürgerliche Funktionskleid des Gehrocks als »Ausdruck der öffentlichen Geistesverfassung, dargestellt in einer unabsehbaren Prozession von Leichenbittern« bezeichnet hatte. (Wilde zitiert Baudelaires Bemerkungen zur Kleidung u.a. im Essay »Die Wahrheit der Masken«.) Baudelaire hatte bereits erkannt, daß Kunst und Mode aneinander gebunden sind, insofern als beide auf Abweichung und Anderssein angewiesen sind: im Angesicht der modischen Veränderungen wird auch der Kunst die Zeitverfallenheit deutlich. Wilde versuchte, dieses Prinzip kommunikativ zu praktizieren und erschien auf den Abendgesellschaften seiner Zeit statt im praktisch zwingend vorgeschriebenen Frack in Kniebundhosen mit Seidenstrümpfen und Samtjackett, im Knopfloch die legendäre Lilie oder gar eine riesige Sonnenblume. Aber auch in dieser Frage ging es Wilde nicht um Anderssein im Sinne von Individualität; er versuchte, darüber ins Gespräch zu kommen, suchte gar nach den Gesetzen richtiger Kleidung als nach Gesetzen, »die von Kunst bestimmt werden, von Archäologie, von naturwissenschaftlichen Erkenntnissen, nicht von Mode«. Auch hier das Streben, die Dialektik des Allgemeinen und des Besonderen im sozialen Prozeß zu gestalten und zu leben, gerade im Widerspruch.

S. 40 Der Begriff der *Physiologie* war seit Brillat-Savarins »Physiologie du goût« (1826) und Balzacs »Physiologie du mariage« (1829) literarisch annektiert worden und noch zu Wildes Zeiten aktuell. 1891 erschien z. B. Paul Bourgets »Physiologie de l'amour moderne«. Von diesem Begriff aus kann deutlich werden, daß Lord Henrys Maximen und Dorians praktische Umsetzung als Gedankenspiel durchaus auch eine naturalistische Komponente im Sinne einer analytischen naturwissenschaftlich-experimentellen Haltung haben. Dies wird im weiteren Fortgang der Reflexionen ja immer wieder thematisch.

Das bei Zola, Bourget und anderen literarisch umgesetzte Konzept des Experiments geht vor allem auf den Physiologen Claude Bernard (1813–1878) zurück. Bernards Konzept einer »aktiven Experimentalwissenschaft«, die Erfahrungen provoziert, deren Bedingungen der Experimentator selbst schafft und festlegt und mit Hilfe derer er zu einem »wahren Gegenmachthaber der Schöpfung« wird, wurde von Zola zur Proklamation des Schriftstellers als einem »experimentierenden Moralisten« umgedeutet. Eine solche Wendung ist in Lord Henrys weiteren Reflexionen nachgebildet, etwa wenn er sagt, er habe sich »schon immer für die Methoden der Naturwissenschaft interessiert«, nur seien deren Gegenstände »trivial und belanglos« (S. 71). Das menschliche Leben zum Gegenstand einer solchen *experimentellen Erfahrung* zu machen, wird nicht nur von Henry formuliert, es ist ein antreibendes Moment der ganzen Handlung und war es wohl auch von Wildes Lebensgestaltung.

S. 63 Der Schilderung nach spielt Sybil folgende *Shakespeare-Rollen:* Rosalind in »As you like it«, Imogen in »Cymbeline«, Juliet in »Romeo and Juliet« und Desdemona in »Othello«. Wilde versieht die Sybil-Episoden bzw. die Berichte davon nicht nur mit zahlreichen Anspielungen auf Shakespeares Stücke, deren intime Kenntnis überhaupt sehr wesentlich sein Bild- und Ausdrucksarsenal bestimmt, sondern er versucht auch eine fiktive ironische Rekonstruktion eines elisabethanischen Ambiente, jener »großen Zeiten des englischen Theaters« (S. 63). Für den Theaternarren Wilde blieb die elisabethanische Theaterkultur zeitlebens eine Orientierungsvorstellung. Paradoxerweise findet man Wilde in seiner Beschäftigung mit der *Inszenierungspraxis* in den 80er Jahren auf der konservativen Seite, indem er für historische Aufführungen auf der Grundlage eines philologisch geprüften Texts mit möglichst genauer Rekonstruktion aller Umstände eintrat. Gegen Lord Lytton (1831–1891, Sohn des Romanciers), von dem einzelne Züge der Weltsicht und Ausdrucksweise auf Henry Wotton übergegangen sein mögen (neben dem gesellschaftsbekannten Kunstkritiker und Zyniker Lord Ronald Gower; 1845–1916), verteidigte er die »archäologische« Praxis, insbesondere unter dem Aspekt der Kostümierung. Das Thema der »Wahrheit der Masken« wird auch in den Diskussionen Lord Henrys und Dorians variiert, allerdings in ganz anderem Funktionszusammenhang, nämlich dem der wiederum quasi-experimentellen Untersuchung des Einflusses der Umstände, der Einkleidung gleichsam, auf das seelische Erleben.

S. 96 Trotz seines zur Schau getragenen Amoralismus oder gerade deshalb hat sich Wilde für die zeitgenössische *Ethik* interessiert und Elemente der Diskussion der Zeit in die Diskussionen zwischen Henry, Hallward und Dorian sowie in die Salon-Konversationen eingebracht. Lord Henry scheint hier eine utilitaristisch-individualistische Position zu vertreten, die alle Moral auf einfach physisch bedingte Grundtatsachen – etwa, daß der Mensch Lust sucht und Schmerz vermeiden will – zurückführt. Sinn der Moral ist also die

Herstellung und Sicherung des eigenen Glücks. Das kann man als Abgrenzung gegen den sozialen Utilitarismus etwa John Stuart Mills (1806–1873) sehen, der das Nützlichkeitsprinzip in der Ethik als Konstituens der Gesellschaftsorganisation ausarbeitete und in Weiterführung älterer Theorien nur das Glück der größtmöglichen Zahl legitimieren wollte. Wilde hatte Anfang 1889 das Buch von William Courtney »Life of John Smart Mill« (1888) gelesen und danach befunden, daß Mill als Denker überholt sei, vor allem durch den Darwinismus. Seine religiösen Anschauungen seien »albern und sentimental« (Brief an Courtney, 1889). Wildes bereits angesprochene Meinung, daß die individuelle Freiheit überholt sei, scheint auf eine *evolutionistische Position* hinzudeuten. Dorian dagegen fällt zwischenzeitlich immer wieder in eine naive christliche Sichtweise gottgegebener Moral mit ihrem Schema von Strafe und Belohnung zurück, als die man ja auch den Ausgang des Romans mißdeuten könnte. Die Problematik zeigt aber, wie wenig man Wildes – ja auch nur ansatzweise formulierten – Überzeugungen mit Einzelpositionen im Roman identifizieren kann. In dieser wie in anderen im »Dorian Gray« angesprochenen Fragen gibt es keine eindeutigen Lösungen. Wenn der Roman als Essay ethisch etwas zeigen will, so die Unbeweisbarkeit von ethischen Überzeugungen, die allein als Entwicklungsproblem gesehen werden können. Daß sich dies gegen die verfestigte Moral der viktorianischen Zeit richtet, unter Einschluß der sozialistisch fundierten, bleibt dabei unbestreitbar.

S. 134 Der Roman enthält zahlreiche Anspielungen und Zitate, die auf *Théophile Gautier* (1811–1872) deuten, besonders auf dessen Gedichtband »Emaux et camées« (1852), eines der Grundbücher der »L'art pour l'art«-Bewegung, auf das sich die ästhetizistischen Vorstellungen des autonomen Kunstraums, des künstlichen Paradieses, des *Exotismus* und des Kults um schöne Dinge und edle Materialien zurückführen lassen. Gautier hat ganz zweifellos sowohl Wildes Vorstellung vom *Primat der Form* in der Kunst wie sein Konzept der Verschmelzung von »gotischer Phantastik mit der Makellosigkeit griechischer Form« entscheidend bestimmt. Wilde hat sich noch in »De Profundis« mit Gautier als einem, »für den die sichtbare Welt existiert«, verglichen, eine Formel, die im »Dorian Gray« fast zum Leitmotiv wird (vgl. z. B. S. 31 und 157). Andererseits aber lassen sich der Ausstattungskult und die Tendenz zu einer kunstgewerblich-dekorativen Rezeption Gautiers im Roman auch parodistisch sehen.

S. 146 Mit dem Verweis auf *Michelangelo* und *Shakespeare* antwortete

Wilde vor Gericht auf die Frage, was es mit der »Liebe, die ihren Namen nicht zu nennen wagt«, wie es in einem Gedicht von Alfred Douglas heißt, auf sich habe. In der Gerichtsverhandlung gegen Wilde wurde zum Beweis seiner *Homosexualität* aber vor allem auf die Urfassung des »Dorian Gray« zurückgegriffen. In der Buchfassung erscheint das Problem der Männerliebe – wie ausdrücklich hier – eigentlich ausschließlich in einer ästhetisch und geschichtlich überhöhten Form, die der Figur des Dorian gerade als Gegenbild der bloßen Sinnlichkeit vor Augen steht. Bis auf eine Stelle, die Wilde auf den Rat Paters hin veränderte, kann man jedoch nicht sagen, daß die Umarbeitung mit der Motivation der Rücknahme von auf Homosexualität deutenden Stellen erfolgt wäre, wenn man nicht Dorians gegenüber der Urfassung deutlich zunehmende Anzahl von Frauenbeziehungen in dieser Richtung deuten will.

Jedenfalls ist es von einem heutigen Standpunkt kaum noch zu begreifen, wie der Roman ohne Vorurteil vorrangig als Homosexuellen-Geschichte verstanden werden konnte. Ende des 19. Jahrhunderts gab es in England bereits eine aufklärerische Bewegung, die ganz unverhüllt die Straffreiheit für Homosexualität forderte. Die Darstellung einer homosexuellen Problematik war schon in der Urfassung nicht Wildes Problem, und es hätte schon relativ subtiler Interpretationsverfahren bedurft, hätte man verschiedene Momente des Romans – die ironische Beschreibung von Frauen vor allem durch Lord Henry, die Männerdominanz in der fiktiven Welt des Romans bis hin zum zentralen Thema des Doppellebens und des männlichen Narzismus – für eine Diagnose einer unbewußten Intention des Autors verwenden wollen. Wildes Richter waren jedoch von keinerlei literarischem Sachverstand beschwert, vor allem aber suchten sie eine Lesart im Sinne der Anklage. Der Wortlaut des Romans läßt es jedoch an keiner Stelle zu, die gesellschaftliche *Außenseiterposition,* in die Dorian in der fiktiven Gesellschaft des Romans gerät, ursächlich auf Homosexualität zurückzuführen. Im Gegenteil dominieren andere Formen abweichenden Verhaltens. Insofern ist auch der oft verfochtene Ansatz problematisch, den Roman als ahnungsvolle Allegorie von Wildes Schicksal zu deuten. Was daran weniger prophetisch als vielmehr Ausdruck historisch-gesellschaftlicher Sensibilität ist, ist die schlichte Erfahrungstatsache, daß sich eine gegebene Gesellschaft gern an Außenseitern für die eigene Heuchelei rächt. Gerade Wildes Prozeß war ein Stellvertreter-Prozeß, für den die Homosexualität der bloße Anlaß war. Bezeichnend dafür, daß der Antrag auf Haftverschonung Wildes mit der Begründung abgelehnt wurde, man kenne »kein schlimmeres Verbrechen« (Homosexualität war jedoch selbst in viktorianischen

Zeiten nur ein Vergehen, auf das eine Höchststrafe von zwei Jahren stand). Ohne daß man das Verhältnis von Homosexualität und Kreativität neuerlich tabuisieren sollte, ist eine Lektüre des Romans unter diesem Gesichtspunkt nur mäßig erhellend.

S. 147 Der Verweis auf *Fonthill* ist eine Anspielung auf *William Beckford* (1760–1844), eine der schillerndsten Figuren der englischen Kulturgeschichte: ein unermeßlich reicher, exzentrischer Kunstliebhaber, dessen schwarzen Messen ähnliche Festlichkeiten auf seinem phantastisch ausgestatteten Landsitz Fonthill Legende blieben. Beckfords autobiographisch getönter Roman »Vathek« (1786) erzählt in der Manier des *Orientalismus* die Geschichte des grausamen Kalifen Vathek, der im Tausch gegen fünfzig unschuldige Knaben das Versprechen des Höllenfürsten erhält, ihm seine sinnlichen und geistigen Begierden zu erfüllen. Beckfords Roman ist bereits eine Analyse menschlicher Begierden und Ausschweifungen im Dekor des Exotischen und Phantastischen, der wohl nur aus formalen Gründen mit der Moral endet, daß der Mensch sich an seine Grenzen zu halten hat, wenn nicht jede Hoffnung zerstört werden soll. Obwohl Wilde Beckford kannte und schätzte und noch 1897 eine illustrierte Ausgabe vorschlug, ist nun gerade dieses Werk nicht in die Quellendiskussion geraten.

S. 151 Das *gelbe Buch,* das Dorian im Fortgang endgültig die Seele vergiften wird, scheint auf den ersten Blick eindeutig identifizierbar zu sein. Ein Brief von Wilde an E. W. Pratt vom 15.4.1892 ist jedenfalls so verstanden worden. Er lautet: »Das Buch in ›Dorian Gray‹ ist eines der vielen Bücher, die ich nie geschrieben habe, jedoch ist es zum Teil durch Huysmans' ›A rebours‹ angeregt, daß Sie in jedem französischen Buchladen erhalten. Es ist eine phantastische Variation über Huysmans' hyperrealistische Studie zur künstlerischen Befindlichkeit in unserem unkünstlerischen Zeitalter.« 1894 allerdings schreibt Wilde an Ralph Payne: »Das Buch, das Dorian vergiftet oder perfektioniert hat, gibt es nicht; es ist eine reine Erfindung von mir.« Dennoch hielt sich in der Quellenforschung die Meinung, mit dem »gelben Buch« sei auf »A rebours« (1884) von *Joris-Karl Huysmans* (1848–1907) verwiesen.

Der Roman schildert die Entwicklung des letzten Sprosses der dekadenten Adelsfamilie Des Esseintes, der sich aus der Gesellschaft in die Einsamkeit eines ganz nach seinen Bedürfnissen ausgestatteten Hauses zurückzieht. In einer Reihe von experimentell angelegten Erfahrungen, z. T. mit Hilfe von Genußmitteln und Drogen, versucht er, das Leben durch die intensive Wahrnehmung von seltenen, edlen und exotischen Ingredienzen, Materialien, Ritual- und Kunstgegenständen, Musik und Literatur zu ersetzen und dabei eine Art ästhetischer Transzendenz zu verwirklichen. Dabei zerrütten sich Körper und Nerven schließlich derart, daß der Held am Ende auf den Rat seines Arztes hin beschließt, in die Gesellschaft zurückzukehren. Das Buch schließt mit der vagen Hoffnung auf Erlösung durch einen erneuerten Glauben. Ein Vergleich der Beschreibung des »gelben Buches« in »Dorian Gray« mit Huysmans' Roman ergibt nur einige mehr oder weniger aufschlußreiche Ähnlichkeiten in der Grundidee, in allen Einzelheiten jedoch, angefangen bei der Beschreibung des Helden bis über die Stilcharakteristik zur Konkretion der Begebenheiten und inszenierten Erfahrungen, findet man dagegen keine einzige konkrete Übereinstimmung weder mit dem »Dorian Gray« als ganzem, noch mit dem darin beschriebenen Buch.

Seit den zwanziger Jahren gibt es jedoch vereinzelte detektivische Forschungen, die ganz andere Werke als Quellen für die Beschreibung des »gelben Buches« aufgefunden haben und darin teilweise wörtliche Übereinstimmungen mit ganzen Passagen der *historischen Darstellung* entdeckten. Darunter: Sueton: The Lives of the Twelve Caesars (De vita Caesarum; engl. 1855), Edward Gibbon: The History of the Decline and Fall of the Roman Empire (1776–1788), John A. Symonds: History of the Italian Renaissance (1875–1886). Für den ersten Fall hatte sich Wilde in einer Entgegnung auf eine Rezension des »Dorian Gray« bereits 1890 in der »St. James's Gazette« verraten: »Ich muß gestehen, daß ich nicht einsehen kann, wie ein beiläufiger Hinweis auf Sueton und Petronius Arbiter als Beweis der Absicht angesehen werden kann, den harmlosen und ungebildeten Leser mit dem Anschein überlegenen Wissens zu beeindrucken. Ich denke, daß selbst der gewöhnlichste Universitätsabsolvent sehr gut mit den ›Lives of the Caesars‹ und dem ›Satyricon‹ vertraut ist. Mindestens die ›Lives of the Caesars‹ stehen in Oxford im Lehrplan der Honour School of Literae Humaniores ...« Diesem Hinweis Wildes wurde zunächst nicht nachgegangen, andere Stellen zeigen allerdings, daß Wilde – nach den Angriffen auf den »Dorian Gray« nicht verwunderlich – kein Interesse an der Aufdeckung der Quellen hatte, aus denen er tatsächlich Formulierungen oder Informationen bezog. Für die Beschreibung der *Materialien* und *kunstgewerblichen Gegenstände* im »gelben Buch« benutzte er relativ leicht zugängliche zeitgenössische Standardwerke wie etwa W. Jones: History and Mystery of Precious Stones (1880) oder E. Lafébure: Embroidery and Lace (1888; von Wilde im selben Jahr rezensiert).

Gibbons Werk z. B. war eine der meistdiskutierten historischen Darstellungen seiner Zeit. So hätte Wilde nicht darauf vertrauen können, daß seine Entlehnungen einem gebildeten Leser entgangen wären. Andererseits ging es ihm deutlich nicht um gelehrte Anspielungen, sondern um Material zu einer fiktiven, gleichwohl authentischen Rekonstruktion eines Bewußtseins. Was von Gibbons Werk in diese Rekonstruktion paßte, war vor allem dessen Ansatz, die abendländische Geschichte als einen stetigen Niedergang zu betrachten. Wilde benutzte Elemente dieser ebenso nüchternen wie stilistisch eleganten Darstellung zur fiktiven Legitimierung einer *dekadenten Weltsicht*.

Eine gewisse Ironie liegt in der Tatsache, daß Suetons Darstellung sich bereits einer Tradition der Kritik erfreute, die ihm vorwarf, weder eine verläßliche geschichtliche Darstellung noch ein literarisches Werk geschrieben zu haben, sondern eine aus Angelesenem, Aufgeschnapptem und Erfundenem zusammengesetzte sensationelle Klitterung ohne inneren Zusammenhang. – Was an den Quellenforschungen interessiert, ist jedenfalls einzig das Ergebnis, daß Wilde mit dem »gelben Buch« nicht auf ein bestimmtes Werk verweisen wollte, sondern daß er aus den erwähnten und wahrscheinlich vielen anderen Spezialwerken, Sachtexten, wie man heute sagen würde, eine zeitgemäße Romanfiktion zusammengesetzt hat. Insofern ist der »Dorian Gray« auch der Roman eines Romans. Zumindest als Plan ist die Machart dieser Fiktion einer *Montagetechnik* vergleichbar, wie sie etwa Thomas Mann im »Dr. Faustus« umfassend angewendet hat. Mit dem Ziel allerdings nicht einer Darstellung zeitgenössischer Wirklichkeit in historischer Perspektive, sondern mit dem der Umformung zeitgenössischer Wissenselemente zu einer provokativen artistischen Bewußtseinschiffre.

S. 159 In dem Prinzip der *Konzentration auf den Augenblick* folgen Dorians Gedanken hier Walter Paters Lehre (vgl. S. 276), wie das vorher schon bei Lord Henry der Fall war (S. 30). Mit der Unterscheidung aber »Erfahrung selbst« statt »Früchte der Erfahrung« grenzen sich diese Reflexionen in einem entscheidenden Punkt von Paters Lehre ab. Übrigens möglicherweise auch von Paters Lebensweise, denn dieser führte eben ein asketisches und zurückgezogenes Gelehrtenleben.

S. 161 Ein ästhetisches Verhältnis zur *katholischen Kirche* ist bereits häufig Thema in Wildes Briefwechsel der Oxforder Zeit. Abgesehen davon, daß es seit Beginn des 19. Jahrhunderts schon fast zum stereotypen Bild des Romantikers gehörte, zum katholischen Glauben überzutreten oder in die Arme der Kirche, der wiedergefundenen Garantin eines ebenso ganzheitlichen wie ästhetisch vermittelten Sinns, zurückzukehren, mag hier auch eine Abgrenzung zu Huysmans liegen, bei dem das Ende von »A rebours« (vgl. S. 284) schon darauf hindeutete, daß er selber eine Bekehrung erlebte, was Huysmans später als unbewußte Folge des Romans selbst beschrieben hat. Interessant an dieser Stelle im »Dorian Gray« ist jedoch nicht so sehr die rein ästhetisch-sensualistische Darstellung des kirchlichen Rituals, sondern daß hier intensiv zum Ausdruck kommt, was für den ganzen Roman gilt: die Zurückweisung eines Gesamtsinns als Dogma oder Ideologie. Daß Wilde am Ende seines Lebens doch noch den katholischen Segen erbat, ist eine andere Sache, ein Ausdruck seiner trotzig und ironisch durchgehaltenen ästhetischen, gleichwohl widersprüchlichen Weltsicht.

S. 162 Im *deutschen Darwinismus* vertrat vor allem Ernst Haeckel (1834–1919) eine biogenetische Entwicklungstheorie, die er auch auf den Menschen anwandte (Anthropogenie oder Entwicklungsgeschichte des Menschen, 1874). Obwohl Haeckel auch geistige Phänomene mit Einschluß der Kunst als kausal ableitbare Phänomene des biologischen Lebens begriff, läßt sich seine Theorie nicht ohne weiteres *materialistisch* nennen. Was Wilde am deutschen Darwinismus interessiert haben mag, ist vor allem die Konsequenz, daß mit einem solchermaßen ausgeweiteten Entwicklungskonzept der Begriff der Freiheit im Sinne des Liberalismus und jegliche soziale und geschichtliche Teleologie suspendiert sind.

S. 216 *»Fin de Siècle«* lautete der Titel eines 1888 aufgeführten Lustspiels von Jouvenot und Micard. Er traf den Nerv der Zeit dermaßen, daß er sich binnen kurzem als Verständigungschiffre für Lebensmüdigkeit und Nervenüberfeinerung in ganz Europa verbreitete.

S. 222 Die Einnahme von *Opium* (Laudanum) war in England seit dem Ende des 18. Jahrhunderts relativ weit verbreitet. Thomas De Quinceys »Confessions of an English Opium Eater« (1821/22) hatten noch erhebliches Aufsehen erregt, inzwischen jedoch war ein Opium-Mythos über die Romantiker Coleridge, Byron, Shelley u. a. zu einer fast schon verehrten Vorstellung geworden. Seit Coleridge und De Quincey, Gautier, Baudelaire und Poe war insbesondere die räumliche Vorstellung artifizieller Kunstwelten, der »künstlichen Paradiese«, mit dem Opiumrausch verbunden.

Friedmar Apel

ZEITTAFEL

1854 Oscar Wilde wird am 16. Oktober als Sohn von Jane Francesca (geb. Elgee) und William Wilde, einem Arzt, in Dublin geboren.

1857 Baudelaires »Les fleurs du mal« erscheinen.

1858 Terrorakte und Bauernrevolten in Irland.

1859 Darwins Schrift »Über den Ursprung der Arten ...« und Marx' »Kritik der politischen Ökonomie« erscheinen.

1863 Ernest Renans »La vie de Jésus« erscheint.

1864 Wilde besucht Portora Royal School, Enniskillen.

1865 John Ruskins Essays »Sesame and Lilies« und Matthew Arnolds »Essay in Criticism« erscheinen.

1866 Swinburnes »Poems and Ballads« erscheinen.

1868 Trades Union Congress vor dem Hintergrund steigender Produktivität. Zunehmendes britisches Sendungsbewußtsein.

1871 Wilde besucht Trinity College, Dublin.

1872 Rede Disraelis gegen Gladstones Liberalismus und für imperiale Politik.

1873 Walter Paters »Studies in the History of the Renaissance« erscheinen.

1874 Studienbeginn am Magdalen College, Oxford. – Sturz Gladstones und Weichenstellung für langwährende konservative Politik.

1875 Wilde reist mit einem früheren Lehrer durch Italien. – Der I. Band von John A. Symonds' »History of the Italian Renaissance« erscheint.

1876 Tod des Vaters; Wilde erbt ein schmales Vermögen.

1877 Wilde reist nach Italien und Griechenland. Erste publizistische Arbeiten. – Königin Victoria unterstützt Disraelis Politik.

1878 Wilde schließt seine Studien in Oxford mit dem Bachelor of Arts als Bester ab und gewinnt den Newdigate-Preis für sein Gedicht »Ravenna«. – Aufflammende Sozialismus-Debatten (in Deutschland Gesetze gegen den Sozialismus).

1879 Wilde geht nach London. – Gründung der Irischen Landliga, die die Autonomie Irlands betreibt.

1881 *Poems.*

1882 Wilde hält in den USA Vorträge über ästhetische Erneuerung.

1883 Wilde reist nach Frankreich, zu einer weiteren Vortragstour in die USA und hält Vorträge in der englischen Provinz. – Ausweitung der britischen Expansionspolitik. – William Morris, G. B. Shaw, Sidney Webb u. a. gründen die sozialreformerische »Fabian Society«.

1884 Wilde heiratet Constance Loyd. – Morris u. a. gründen die »Socialist League«. – Huysmans' »A rebours« und Morris' »Art and Socialism« erscheinen.

1885 Wildes Sohn Cyril wird geboren. *Shakespeare and Stage Costume* (Neufassung u.d.T. »The Truth of Masks« in: *Intentions,* 1891). – Gesetz gegen »Indezenz« zwischen »männlichen Personen«.

1886 Wildes Sohn Vyvyan wird geboren. – R. L. Stevensons »The Strange Case of Dr. Jekyll and Mr. Hyde« erscheint.

1887 Wilde wird Herausgeber von »Woman's World« (bis 1889). Zeitschriftenpublikation von *The Canterville Ghost; Lord Arthur Savile's Crime; The Sphinx Without a Secret* (u. d. T. »Lady Alroy«); *The Model Millionaire.*

1888 *The Happy Prince and Other Tales.*

1889 *The Portrait of Mr. W. H.;* Zeitschriftenfassungen von *The Decay of Lying* und *Pen, Pencil and Poison* (revidierte Fassungen in: *Intentions,* 1891). – Dockarbeiterstreik in London.

1890 *The Picture of Dorian Gray* (Zeitschriftenfassung). *The True Function and Value of Criticism* (Neufassung u. d.T. »The Critic as Artist« in: *Intentions,* 1891). – Revolutionäre Sozialistische Partei (Blanquisten) in Frankreich, SPD in Deutschland gegründet.

1891 *The Picture of Dorian Gray* (Buchfassung); *The Soul of Man Under Socialism; Lord Arthur Savile's Crime and Other Stories; A House of Pomegranates; Intentions. The Duchess of Padua* in New York aufgeführt. Wilde lernt Lord Alfred Douglas kennen. – Bertha v. Suttner u. a. gründen das Friedensbüro in Bern.

1892 *Lady Windermere's Fan* in London uraufgeführt, eine Aufführung von *Salomé* wird von der englischen Zensur verboten. Wilde reist zur Kur nach Deutschland. – Independant Labour Party gegründet.

1893 *A Woman of No Importance* in London uraufgeführt, *Salomé* erscheint auf französisch in Paris.

1894 Wilde reist mit Alfred Douglas nach Florenz. – *Salomé* in englischer Ausgabe, übersetzt von Alfred Douglas, mit Illustrationen von Aubrey Beardsley. *Poems in Prose.*

1895 *An Ideal Husband* und *The Importance of Being Earnest* in London uraufgeführt. Wildes Klage gegen den Marquess of

Queensberry wird abgewiesen, nach zwei Prozessen wird er zu zwei Jahren Zuchthaus mit Zwangsarbeit verurteilt. Konkursverfahren und Versteigerung seines Besitzes, Überführung ins Zuchthaus Reading, Aberkennung des Sorgerechts für die Söhne.

1896 Wilde erkrankt; zwei Anträge auf Haftentlassung werden abgelehnt. *Salomé* in Paris uraufgeführt.

1897 *»De Profundis«* (Brief an Alfred Douglas). Nach der Haftentlassung unter dem Namen Sebastian Melmoth Aufenthalte in Frankreich und Italien mit Douglas.

1898 Unter seinem Gefängniskennzeichen C.3.3.: *The Ballad of Reading Gaol*. Vorschläge zur Reform des Gefängniswesens. Tod von Constance Wilde.

1899 Aufenthalte in Frankreich, Italien und der Schweiz.

1900 Wilde wird operiert, er stirbt am 30. November in einem Pariser Hotel, wahrscheinlich an Mittelohrentzündung, nachdem er kurz vor seinem Tod zum Katholizismus konvertierte. Er wird auf dem Friedhof von Bagneux begraben.

INHALT

ANHANG